NUP2B-FE44F4

This is your personal code!

Get free access on:

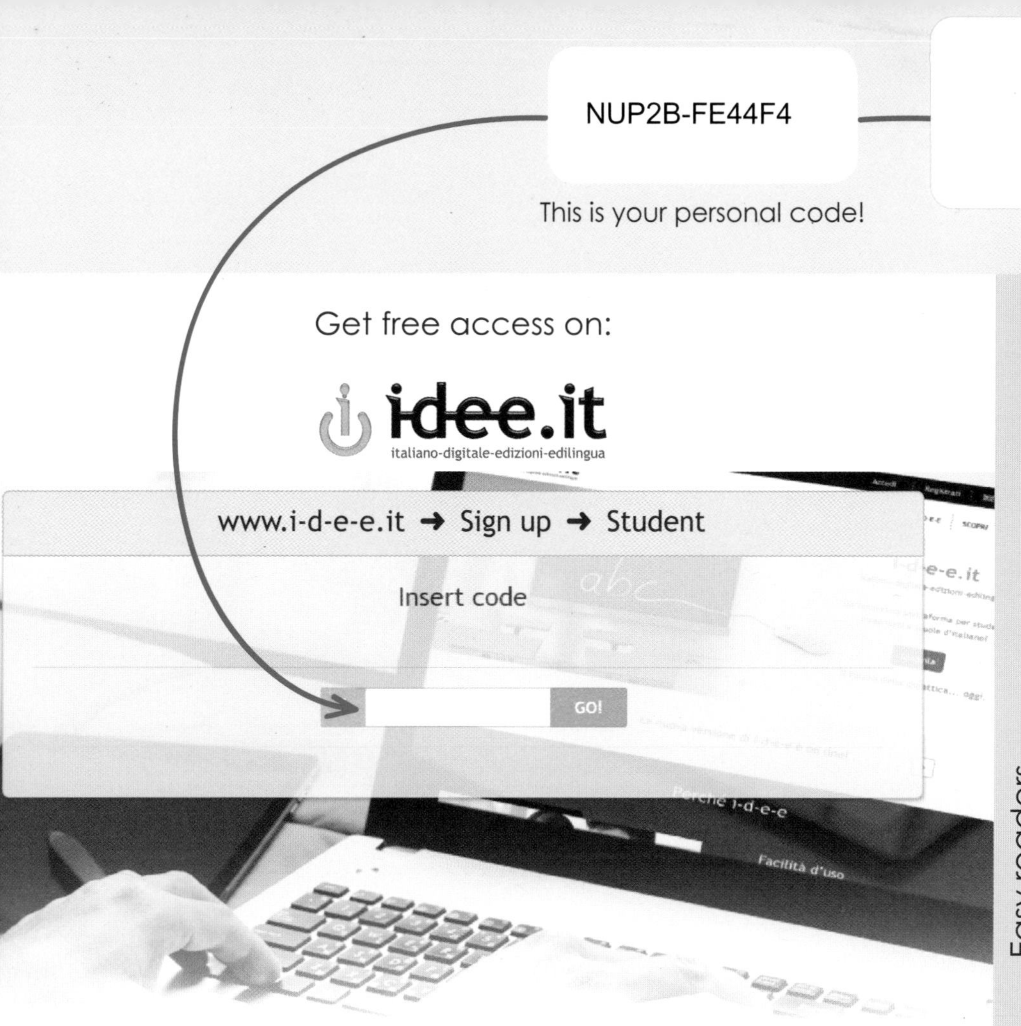

Get a discount when ordering books for your level on:

www.edilingua.it

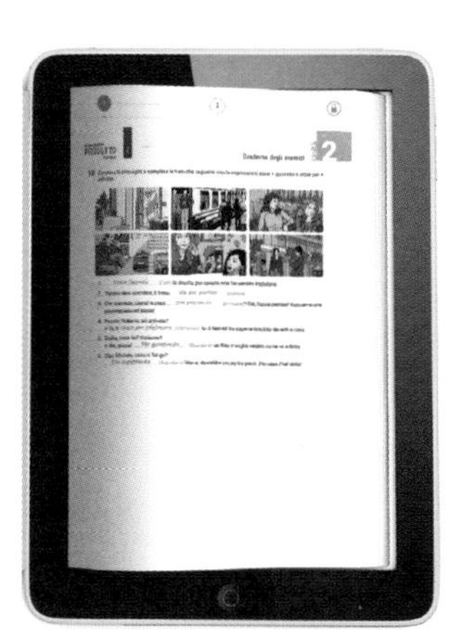

Your interactive workbook with auto correction

Engaging games for extra practice!

Videos and audios

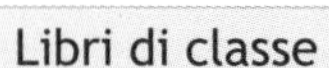

Libri di classe

Once you create an account on the i-d-e-e platform, you will be also able to buy the ***Libro interattivo*** (the fully interactive Italian version of the Student's book with videos and audios) at an 80% discount.

Also
- exam preparation
- Italian culture etc.

Telis Marin Lorenza Ruggieri Sandro Magnelli

The new Italian project 2b

Intermediate

An Italian Language and Culture Course for English Speakers

B2
Student's Book and Workbook

DVD
AUDIO CD

EDILINGUA

1st edition: May 2021
ISBN: 978-88-31496-90-2 (+ DVD + Audio CD 2)

Editors:
Antonio Bidetti, Daniele Ciolfi, Anna Gallo,
Sonia Manfrecola, Laura Piccolo, Elisa Sartor

Translator: Aria Cabot

Photographs: Shutterstock, Telis Marin
Cover photo: Telis Marin

Layout and graphics:
Edilingua

Illustrations:
Lorenzo Sabbatini, Massimo Valenti

Audio recordings and video production:
Autori Multimediali, Milano

Headquarters
Via Giuseppe Lazzati, 185
00166 Rome, Italy
Phone +39 06 96727307
Fax +39 06 94443138
info@edilingua.it
www.edilingua.it

Depot and Distribution Center
Via Moroianni, 65
12133 Athens, Greece
Phone +30 210 5733900
Fax +30 210 5758903

The authors would appreciate any suggestions, remarks, or comments about this volume (to be sent to redazione@edilingua.it).

Telis Marin after receiving an undergraduate degree in Italian language studies, completed a Master ITALS (Italian teaching certification) at the Università Ca' Foscari in Venice and has experience teaching in various Italian language schools. He is the director of Edilingua and has authored various Italian textbooks: *Nuovo* and *Nuovissimo Progetto italiano 1, 2,* and *3* (textbook), *Via del Corso A1, A2, B1, B2* (textbook), *Progetto italiano Junior 1, 2,* and *3* (classroom manual), *La nuova Prova orale 1, Primo Ascolto, Ascolto Medio, Ascolto Avanzato, Nuovo Vocabolario Visuale, Via del Corso Video.* He co-authored *Nuovo* and *Nuovissimo Progetto italiano Video, Progetto italiano Junior Video* and *La nuova Prova orale 2.* He has held numerous teaching workshops all over the world.

L. Ruggieri is an instructor of Italian as a Second Language. She holds a degree in Foreign Languages and Literatures from the Università degli Studi di Milano. She completed a Ph.D. at the University of Granada, where she works as a researcher in comparative literature and linguistics with the Grupo de *investigaciones filológicas* y *de cultura hispánica.*

S. Magnelli teaches Italian language and literature in the Italian department of the Aristotle University of Thessaloniki. She has taught Italian as a Second Language since 1979 and has collaborated with the Italian Cultural Institute of Thessaloniki, where she taught until 1986. Since then, she has been in charge of curriculum development for linguistic institutions that offer Italian as a Second Language.

The authors and editor would like to thank the many colleagues whose valuable feedback contributed to the improvements in the revised edition of this book.

Additionally, they extend their sincere gratitude to the fellow teachers who, by reviewing and testing the material in their classrooms, contributed to the final product.

Finally, a special thanks to the publisher's editors and graphic designers for their extreme diligence.

To my daughter
Telis Marin

Thanks to the adoption of this book, Edilingua sponsors children who live in Asia, Africa, and South America. Together we can do so much! More information can be found in the "About Us" ("Chi siamo") section of our website

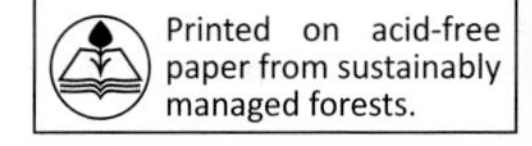

Preface

The new Italian Project is a fully updated edition of a modern Italian language course for non-native speakers. It is intended for adult and young adult learners and covers all levels of the Common European Framework of Reference (CEFR).
The main characteristics of the book are:

- a balance of communicative and grammatical content;
- an inductive approach;
- a systematic development of the four skills;
- a fast pace;
- a presentation of socio-cultural aspects of contemporary Italy;
- numerous supplementary materials (paper and digital);
- user-friendly.

The fact that the previous edition of this textbook is an international best seller allowed us to collect comments from hundreds of teachers who work in diverse learning environments. Their valuable feedback and our direct experience in the classroom enabled us to evaluate and determine which changes to implement in order to update the book's content and methodology. At the same time, we have respected the philosophy of the previous edition, appreciated by the many teachers who "grew up" professionally using the book in their classrooms.

In *The new Italian Project 2b*:

- there are 6 chapters (6-11) with the same content as the two volumes of the previous edition (textbook and workbook);
- all of the dialogues have been revised: they are shorter, more spontaneous, and closer to spoken Italian;
- some activities were changed to become more inductive and engaging;
- the pace remains fast;
- there is greater continuity between the chapters thanks to the presence of recurring characters in different situations, who also appear in the video episodes;
- the video episodes and the "Lo so io" quizzes have been completely redone, with new actors and locations and updated scripts;
- the video episodes are better integrated with the structure of the course, in that they complete or introduce the opening dialogue;
- many of the authentic audio files have been replaced; all other audio files have been revised and recorded by professional actors;
- the section "Per cominciare" presents a greater variety of pedagogical techniques;
- some grammatical structures are presented in a more inductive and simple manner;
- some of the grammar tables have been simplified or moved to the new *Approfondimento grammaticale* section;
- the culture sections have been updated and the texts are shorter;
- a careful review of the vocabulary was conducted following a spiral approach between the chapters, and between the textbook and workbook;
- in addition to the games that were already present, a short, fun activity was added to each unit;
- the board game and new digital games on the i-d-e-e platform make it more fun for students to review course material;
- the layout was updated with new photos and illustrations, and the pages are less dense;
- the Instructor's Edition (with answer keys) and Manual (also available in digital format) facilitate and diversify the instructor's role;
- in the Workbook, printed entirely in color, various exercises have been diversified with matching, re-ordering, and multiple-choice options instead of open-ended questions.

The workbook, in addition to exercises designed with various Italian language exams in mind (CELI, CILS, PLIDA), includes unit exams at the end of each chapter (to be administered after the culture sections), two summary tests, and a learning game, like the "gioco dell'oca," that covers the most important topics of the chapters.

The i-d-e-e.it platform

In the inside cover of the book, students will find an access code for the i-d-e-e.it learning platform. The code provides free access for 18 months (from the time of activation) to the following learning materials and tools:

- fully interactive versions of the workbook activities, with automatic correction and scoring. Students can complete them independently and repeat them at any time if they want additional practice;
- video and quiz episodes;
- audio files;
- new online games, exclusively for Edilingua, that provide a fun and extremely effective means of reviewing material;
- interactive grammar, tests, and games prepared by the teacher, virtual classroom space, etc.

Moreover, on i-d-e-e, students can purchase various e-books (the student edition of the textbook, simplified readings, the *Nuovo Vocabolario Visuale*, *Verbi*, and more) and many other materials (video, audio).

On their end, instructors on i-d-e-e:

- see the results of the exercises completed by their students, and the mistakes each has made. This allows them to dedicate less class time to correcting exercises;
- find all of the videos for the course;
- can assign to their specific sections various tests and games that are already available, personalize them, or create new ones;
- find the software for the interactive whiteboard for *The new Italian Project 2* (also available offline on a DVD);
- can consult other teaching materials published by Edilingua.

This symbol, which students find in the middle and at the end of every chapter of the workbook, indicates the availability of our new online games (*Cartagio*, *Luna Park*, *Il giardino di notte*, *Orlando*, and *Sogni d'oro*) that allow students to review the content of the chapter.

Extra Materials

The new Italian Project 2b is complemented by a series of innovative supplementary resources.

- **i-d-e-e**: an innovative platform that includes all workbook exercises in an interactive format and a series of extra resources and tools for students and teachers.
- **E-book**: a digital version of the student edition of the textbook for Android, iOS, and Windows devices (on blinkLearning.com).
- **Interactive Book**: available on i-d-e-e.it, in the teacher's environment, it includes automatic correction for the Student's Book's exercises, audio tracks with transcriptions and videos. It can also be used as IWB: easy, functional, and complete. Using a projector will make your lesson more motivating and it will increase collaboration among students.
- **DVD** included with the book and available on i-d-e-e.it. The DVD features an educational sitcom that can be watched alongside the chapter or on its own. The video episodes and corresponding activities follow the same lexical and grammatical progression as the textbook and complement the dialogues and topics presented in the chapters.
- **Audio CD** included with the book and available on i-d-e-e.it. The audio files, recorded by professional actors, are natural and spontaneous; many of the authentic audio files have been replaced by updated texts.
- **Undici Racconti** (also available as an e-book): short, graduated readings based on situations from the textbook.
- **Online games**: different types of games to review the content from each unit, available for free on i-d-e-e.it.
- **Board game**: 4 different kinds of learning games that provide a fun way to review and reinforce course material.
- **Interactive glossary**: free application for Android and iOS devices to learn and review vocabulary in a fun, effective way.

Many other materials are available for free on Edilingua's website: the *Guida digitale*, with valuable suggestions and many materials that can photocopied; *Test di progresso*; *Glossari in varie lingue*; *Attività extra e ludiche*; collaborative and task-based *Progetti* (one per unit); and the *Attività online*, which are signaled by the specific symbol at the end of each unit and which offer motivating activities, on secure and periodically reviewed websites, that guide the student toward the discovery of a more lively and dynamic image of Italian culture and society.

Good luck as you get started!

Telis Marin

Legend of symbols

	Listen to Track 12 of the CD		Complete the video activities on page 85
	Free speaking activity		Mini projects (*tasks*)
	Pair work		Complete Exercise 14 on page 113 of the *Workbook*.
	Group work		Online games on i-d-e-e.it
	Communicative roleplay		Go to www.edilingua.it and complete the online activities.
	Writing activity (60-80 words)		English Glossary
	Gamified activity		

Andiamo all'opera

Unità 6

Glossary p. 216

Per cominciare...

1 Alcuni di voi forse sanno poche cose sull'opera lirica... o almeno così credono. Di seguito vi diamo dei titoli di libri, opere liriche e film italiani. In coppia indicate quelli relativi alla lirica.

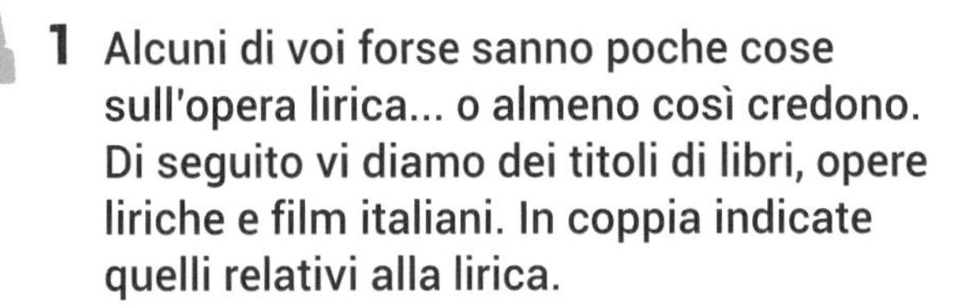

La Traviata, Teatro alla Scala

- Tosca ☐
- Aida ☐
- Mediterraneo ☐
- I promessi sposi ☐
- La vita è bella ☐
- La Divina Commedia ☐
- Il nome della rosa ☐
- La Bohème ☐
- La Traviata ☐
- La grande bellezza ☐
- Il Decameron ☐
- La dolce vita ☐
- Il barbiere di Siviglia ☐

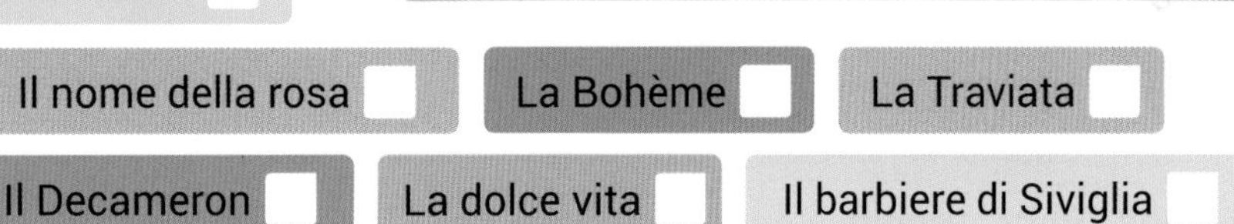

1 CD 2

2 Ascoltate l'inizio del dialogo e, in piccoli gruppi, fate delle ipotesi:

a. Dove e tra chi si svolge il dialogo?

b. Che cosa diranno secondo voi i due protagonisti?

2 CD 2

3 Ascoltate ora l'intero dialogo e verificate le vostre ipotesi. Poi indicate l'affermazione giusta.

1. Gianna informa il direttore che:
   - ☐ a. andrà a vedere un concerto alla Scala
   - ☐ b. Pavarotti interpreterà *La Traviata*
   - ☐ c. è uscito il nuovo programma della Scala

2. Il direttore dice che:
   - ☐ a. il canto lirico è la sua passione
   - ☐ b. non è appassionato di musica
   - ☐ c. per lui la musica è solo un hobby

3. Gianna afferma che:
   - ☐ a. a gennaio andrà sicuramente alla Scala
   - ☐ b. Riccardo Muti è uno dei suoi direttori preferiti
   - ☐ c. non ha mai visto *Il Trovatore* a teatro

4. Il direttore:
   - ☐ a. andrà sicuramente al Gran Galà dell'Opera
   - ☐ b. resterà a casa a guardare la partita
   - ☐ c. vedrà in tv un concerto internazionale di lirica

In questa unità impariamo...

- *a dare ordini, consigli*
- *a chiedere e a dare il permesso*
- *a parlare di prevenzione e della nostra salute*
- *a chiedere e a dare indicazioni stradali*
- *a capire un testo e a parlare di opera*

- *l'imperativo indiretto (o di cortesia): forma affermativa e negativa*
- *l'imperativo indiretto con i pronomi*
- *gli aggettivi e i pronomi indefiniti*

- *alcune informazioni sull'opera italiana*

A Non me la voglio perdere!

1 **Leggete il dialogo e verificate le vostre risposte all'attività precedente.**

Gianna: Sig. Direttore, ha visto il nuovo programma della Scala?

direttore: Ah, è già uscito? Lei è sul sito adesso? Legga, vediamo cosa danno!

Gianna: Dunque, a ottobre c'è *La Traviata*.

direttore: Ah, Verdi, che genio, che musiche! È il mio preferito in assoluto! Veda un po' in quali giorni, non me la voglio perdere!

Gianna: Allora... dal 20 al 28. Vuole che controlli se ci sono biglietti disponibili?

direttore: No, grazie, lo farò io più tardi. Sa, io ho visto dal vivo i più grandi interpreti. Pensi che *La Traviata* l'ho vista con il grande Pavarotti: un'esperienza indimenticabile.

Gianna: Pavarotti?! Chissà che emozione! Poi a novembre c'è la *Turandot*.

direttore: Ah, Puccini, "Nessun dorma", che bello! Se non sbaglio, l'avevo vista con Cecilia Gasdia. A novembre, eh? Ci andrò senz'altro!

Gianna: Bene... senta, a gennaio poi danno *Il Trovatore*.

direttore: Che bello, da non perdere assolutamente! Mi sa che l'avevo visto con Riccardo Muti come direttore d'orchestra.

Gianna: Davvero?! A proposito, il nuovo direttore della Scala è veramente bravo.

direttore: Sì, me lo dicono tutti. Ma quindi anche lei è appassionata di musica lirica!

Gianna: Beh, sì. Pensi che domani andrò a chiedere informazioni per un corso di canto! Ma solo come hobby, niente di più.

direttore: Brava! Complimenti! Per me, invece, la lirica non è solo un passatempo, ma una vera passione! Potrei ascoltarla per ore!

Gianna: Sì, l'avevo capito... Questa domenica c'è il Gran Galà dell'Opera con i più grandi nomi internazionali. Lei sicuramente ci sarà, no?

direttore: Eh... no... a quell'ora c'è il calcio in tv...

2 Collegate gli elementi tratti dal dialogo al loro scopo comunicativo, come nell'esempio.

1. *Ah, Verdi,* che *genio,* che *musiche!*
2. senz'altro
3. non me la voglio perdere!
4. chissà che
5. se non sbaglio
6. niente di più

☐ a. Esprime qualcosa di eccessivo, di esagerato.
☐ b. Esprime dubbio, incertezza su quello che si dice.
☐ c. Esprime che non c'è altro da aggiungere a quanto detto.
1 d. Ripetizione che rafforza l'opinione espressa nell'aggettivo o nel sostantivo che segue.
☐ e. Esprime il forte desiderio di vedere qualcosa, in questo caso *La Traviata*.
☐ f. Esprime la certezza di fare o dire qualcosa.

3 Leggete il dialogo e inserite negli spazi giusti questi verbi:

inviti ❖ *mangi* ❖ *entri* ❖ *prenda* ❖ *guardi* ❖ *senta* ❖ *segua*

Gianna: Mi scusi, direttore, è permesso? Ho quell'articolo che mi ha chiesto sui teatri lirici italiani...

direttore: Prego Gianna, ... (1) pure... Ah, già, l'articolo... l'avevo dimenticato.

Gianna: .... (2), direttore, a proposito di teatro... ha poi prenotato i biglietti per La Scala?

direttore: .... (3) Gianna, non ne parliamo.. L'opera è fra tre giorni e io non potrò andarci.

Gianna: Come mai?

direttore: Ho il raffreddore e la tosse, e il medico mi ha consigliato di rimanere a casa il più possibile ed evitare i luoghi affollati.

Gianna: Mi dispiace... So che ci teneva molto. Comunque... .... (4) i consigli del suo medico. E soprattutto .... (5) molta frutta e verdura, ... (6) delle vitamine e stia attento ai colpi d'aria!

direttore: Grazie, Gianna. Seguirò i suoi consigli. Ma... ora che ci penso: non è che vorrebbe andare Lei al mio posto a vedere *La Traviata*?

Gianna: Io? Ma è sicuro? Forse può chiedere il rimborso dei biglietti...

direttore: No, ho già chiesto, ormai è troppo tardi. Sarebbe un peccato... Li prenda tutti e due lei e .... (7) un suo amico o una sua amica.

Gianna: Grazie, direttore! Non so che dire!

70 **4** Con chi andrà a teatro Gianna? Scrivete voi il dialogo tra Gianna e la persona che inviterà.

5 Completate la tabella con gli imperativi che trovate nel dialogo a pagina 6.

Imperativo diretto			Imperativo indiretto o di cortesia		
		-ARE			
Tu	→	Federica, pensa alle conseguenze!	Lei	→	.... al successo che avrà questo libro!
Noi	→	Pensiamo alla partita e giochiamo!			
Voi	→	Ragazzi, pensate con la vostra testa!			
		-ERE			
Tu	→	Leggi il dialogo a pagina 18!	Lei	→	.... la lettera della banca!
Noi	→	Leggiamo tutti insieme!			
Voi	→	Leggete attentamente le istruzioni.			
		-IRE			
Tu	→	Senti questa canzone, è bellissima!	Lei	→	...................., scusi, mi sa dire l'ora?
Noi	→	Sentiamo un po' cosa vuole dirci.			
Voi	→	Sentite il rumore del mare!			

Attenzione!
Per esprimere l'imperativo di cortesia, si usa la 3ª persona singolare del congiuntivo presente.

Per la coniugazione dei verbi essere e avere, e dell'imperativo indiretto alla 3ª persona plurale, consultate l'Approfondimento grammaticale a pagina 197.

6 Leggete le frasi e scegliete l'imperativo adatto.

Il Messaggero

1. Se compra Il Messaggero, direttrice, leggi/legga il mio articolo!
2. Professore, senta/senti, potrebbe ripetere la spiegazione?
3. Ragazzi, non c'è molto tempo, fate/faccia in fretta!
4. Non sa cosa fare il fine settimana? Va'/Vada a teatro, avvocato, danno l'*Aida* di Verdi!
5. Matteo, prenda/prendi la mia macchina oggi, per favore!
6. Per stare bene, Signor Esposito, dormite/dorma almeno 7 ore a notte!

3 CD 2

7 Ascoltate i mini dialoghi e abbinate ogni dialogo allo scopo.

In italiano, usiamo l'*imperativo* per

- ☐ a. dare il permesso
- ☐ b. dare consigli
- ☐ c. dare istruzioni (indicazioni)
- ☐ d. dare ordini

8 Scrivete una frase per ciascuno dei 4 usi dell'imperativo che abbiamo appena visto.

....

....

....

....

es. 1-3 p. 11

B Non mi sento bene!

1 Lavorate in coppia. Ognuno di voi legge uno dei testi che seguono e poi fa un breve riassunto al compagno.

A

Spesso basta guardarsi allo specchio e fare un'autodiagnosi per prevenire piccoli problemi di salute ed evitare l'uso di farmaci e soprattutto di antibiotici. La prevenzione infatti è la prima cura per stare bene e in salute. Questo ovviamente non è un invito a semplificare i problemi, o peggio, a diventare medici di se stessi cercando i sintomi su Google. Ci sono delle domande, però, che spesso hanno una semplice risposta. Ecco tre semplici consigli per capire i segnali che ci dà il nostro corpo:

1. Non digerisci più bene?

Mangi e ti viene subito mal di testa? Potresti essere stressato oppure essere intollerante ad alcuni ingredienti. Parlane con il tuo medico, ti suggerirà un'alimentazione più adatta.

2. Sei stanco già dal mattino?

Dormi otto ore ma ti svegli stanco e senza forze. Potrebbe trattarsi di stress, di un periodo particolarmente intenso di lavoro, oppure di anemia. Cosa fare? Prova a mangiare più frutta e verdura ricche di vitamine, aggiungi alla tua dieta uova e carne. Se la situazione non migliora, vai dal tuo medico che potrebbe prescriverti delle analisi del sangue.

3. Hai la pelle secca?

Hai una pelle sensibile che si arrossa facilmente? Inizia a usare detergenti delicati per la pelle e i capelli, ed evita bagnoschiuma e shampoo profumati perché irritano.

adattato da *www.regione.toscana.it*

B

Resistenza agli antibiotici: emergenza mondiale?

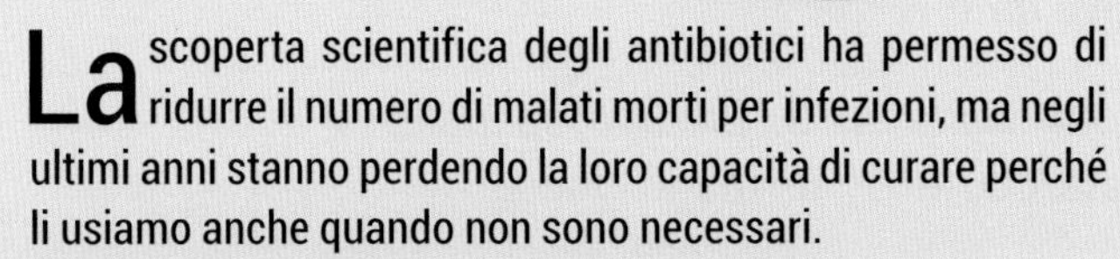

La scoperta scientifica degli antibiotici ha permesso di ridurre il numero di malati morti per infezioni, ma negli ultimi anni stanno perdendo la loro capacità di curare perché li usiamo anche quando non sono necessari.

Questo uso non corretto degli antibiotici ha provocato lo sviluppo e la diffusione di batteri più resistenti con la conseguenza che alcuni antibiotici non sono più efficaci.

Questo succede anche perché facciamo un grande uso di antibiotici negli allevamenti di animali, per prevenire malattie, e in agricoltura.

L'esperienza però ci insegna che se i medici prescrivono meno antibiotici, soprattutto ai pazienti che non ne hanno bisogno, allora diminuirà anche la resistenza agli antibiotici.

Per un **uso corretto e responsabile** degli antibiotici dobbiamo evitare:

- di utilizzare antibiotici per curare malattie virali come il raffreddore o l'influenza, perché gli antibiotici non curano i virus;
- di usare antibiotici rimasti inutilizzati da precedenti terapie o, addirittura, scaduti;
- di acquistare antibiotici in farmacia senza una prescrizione medica;
- di prenderli in dosi diverse e per un periodo di tempo diverso da quelli che ci ha indicato il medico.

adattato da *www.esquire.com/it*

2 Leggete anche il testo che non avete letto e abbinate le affermazioni che seguono al testo corrispondente.

1. La prevenzione è il primo passo per stare bene.
2. Gli antibiotici non hanno più molta efficacia sui pazienti.
3. C'è un abuso di medicinali, anche quando non servono veramente.
4. Il mal di testa può essere un sintomo di un problema alimentare.
5. Gli antibiotici sono usati anche negli allevamenti e in agricoltura.
6. Lo stress può causare stanchezza eccessiva e mal di testa.
7. Usare prodotti per il corpo profumati irrita e secca la pelle.
8. È consigliabile non acquistare farmaci senza la prescrizione del medico.

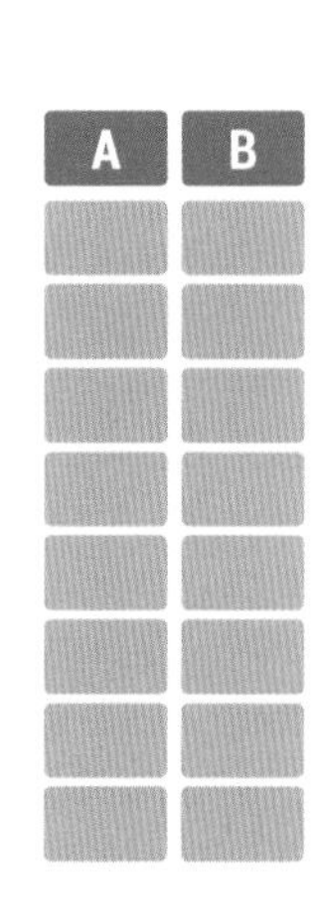

3 Abbinate ora le parole date alle immagini sotto.

1. tosse
2. prescrizione
3. mal di testa
4. mal di pancia
5. raffreddore
6. analisi del sangue
7. farmaci
8. febbre

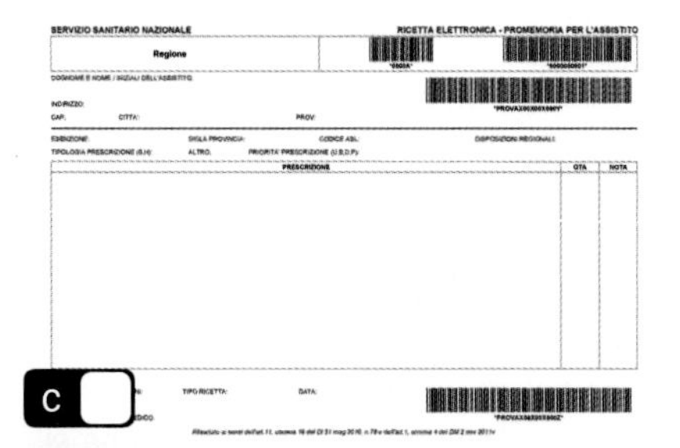
SERVIZIO SANITARIO NAZIONALE
RICETTA ELETTRONICA - PROMEMORIA PER L'ASSISTITO

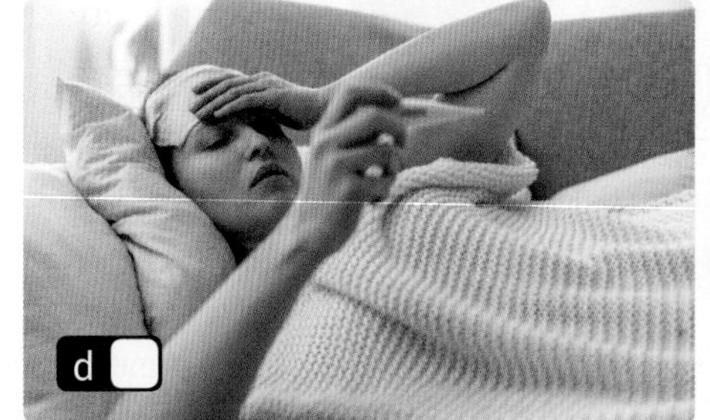

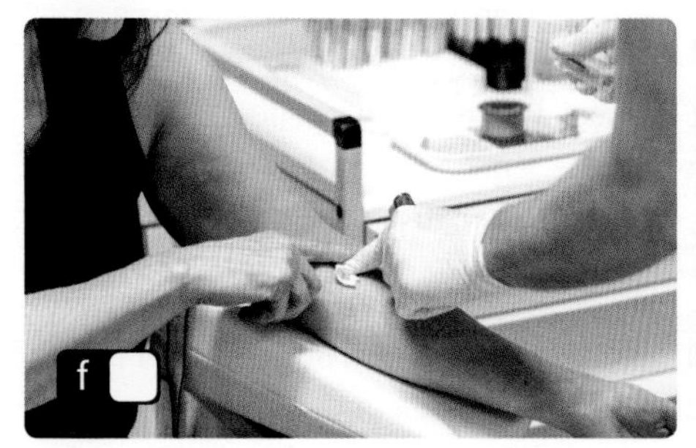

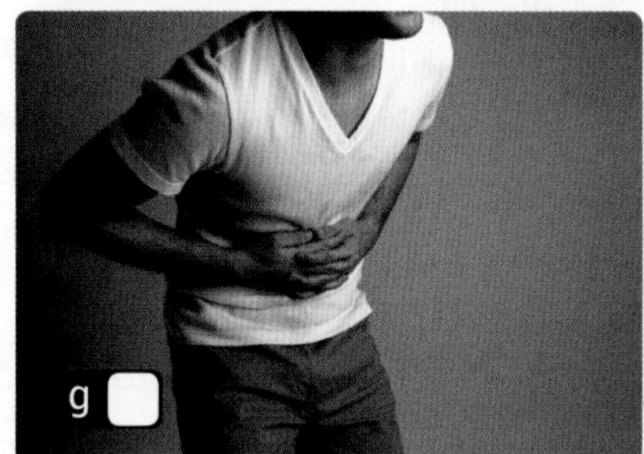

4 Completate ora il testo scegliendo tra le alternative date.

1. fame/febbre ❖ 2. prescrizione/visita ❖ 3. ufficio/ospedale
4. peggio/meglio ❖ 5. testa/cuore ❖ 6. mano/bocca

Dopo un giorno di viaggio in treno, Giuseppe Corte arrivò, una mattina di marzo, alla città dove c'era la famosa casa di cura. Aveva un po' di .... (1), ma volle fare ugualmente a piedi la strada fra la stazione e l'ospedale, portandosi la sua valigetta. [...]

Dopo una rapida .... (2) medica, in attesa di un esame più accurato Giuseppe Corte fu messo in un'allegra camera del settimo ed ultimo piano. [...] Tutto era tranquillo, ospitale e rassicurante.

Giuseppe Corte si mise subito a letto e [...] poco dopo entrò un'infermiera con la quale si mise volentieri a discorrere, chiedendo informazioni. Seppe così la strana caratteristica di quell' .... (3). I malati erano distribuiti piano per piano a seconda della gravità. Il settimo, cioè l'ultimo, era per le forme leggerissime. Il sesto era destinato ai malati non gravi ma neppure da trascurare. Al quinto si curavano già affezioni serie e così di seguito, di piano in piano. Al secondo erano i malati gravissimi. Al primo quelli per cui era inutile sperare. [...]

Il risultato della visita medica generale rasserenò Giuseppe Corte. Incline di solito a prevedere il .... (4), [...] non sarebbe rimasto sorpreso se il medico gli avesse dichiarato di doverlo assegnare al piano inferiore. Seguì scrupolosamente la cura, mise tutto l'impegno a guarire rapidamente, ma ciononostante le sue condizioni pareva rimanessero stazionarie.

Erano passati circa dieci giorni, quando si presentò il capo-infermiere del settimo piano. Aveva da chiedere un favore in via puramente amichevole: il giorno dopo doveva entrare all'ospedale una signora con due bambini; due camere erano libere, proprio di fianco alla sua, ma mancava la terza; non avrebbe consentito il signor Corte a trasferirsi in un'altra camera, altrettanto confortevole?

Giuseppe Corte non fece naturalmente nessuna difficoltà.

«La ringrazio di .... (5)» fece allora il capo-infermiere con un leggero inchino; «fra un'ora, se lei non ha nulla in contrario, procederemo al trasloco. Guardi che bisogna scendere al piano di sotto» aggiunse con voce attenuata come se si trattasse di un particolare assolutamente trascurabile. «Purtroppo in questo piano non ci sono altre camere libere. Ma è una sistemazione assolutamente provvisoria» si affrettò a specificare vedendo che Corte, rialzatosi di colpo a sedere, stava per aprir .... (6) in atto di protesta «una sistemazione assolutamente provvisoria. Appena resterà libera una stanza, e credo che sarà fra due o tre giorni, lei potrà tornare di sopra.»

adattato da *I sette piani* di Dino Buzzati, edizioni Oscar Mondadori

5 **Nel dialogo di pagina 7 abbiamo visto alcune forme dell'imperativo di cortesia: "*mi scusi*", "*li prenda*". Osservate queste forme: dove è il pronome? Poi completate la tabella.**

L'imperativo con i pronomi

Imperativo diretto	Imperativo indiretto
Dammi dieci euro!	.... dia dieci euro, per favore!
Prendi la posta e *portala* in ufficio!	Prenda la posta e .... porti in ufficio!
Gliel'hai detto? *Diglielo* subito!	Gliel'ha detto? .... dica subito!
Fa freddo: *vestitevi* pesante!	Fa freddo: si vesta pesante!
Cosa facciamo? *Pensaci* con calma!	Cosa facciamo? .... pensi con calma!
Vattene! Mi dai fastidio!	Se ne vada, Sig. Alessi! Mi dà fastidio!

Con l'imperativo di cortesia, mettiamo il pronome sempre prima del verbo.

6 **Trasformate le frasi usando l'imperativo di cortesia.**

1. Per favore, dimmi i risultati delle mie analisi!

   ....

2. Prego, accomodati! Il dottore ti aspetta.

   ....

3. Scusami, scrivimi il tuo nome qui!

   ....

4. Ho bisogno del tuo portatile, prestamelo per favore!

   ....

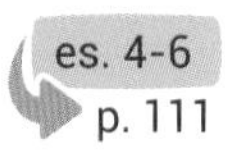
es. 4-6 p. 111

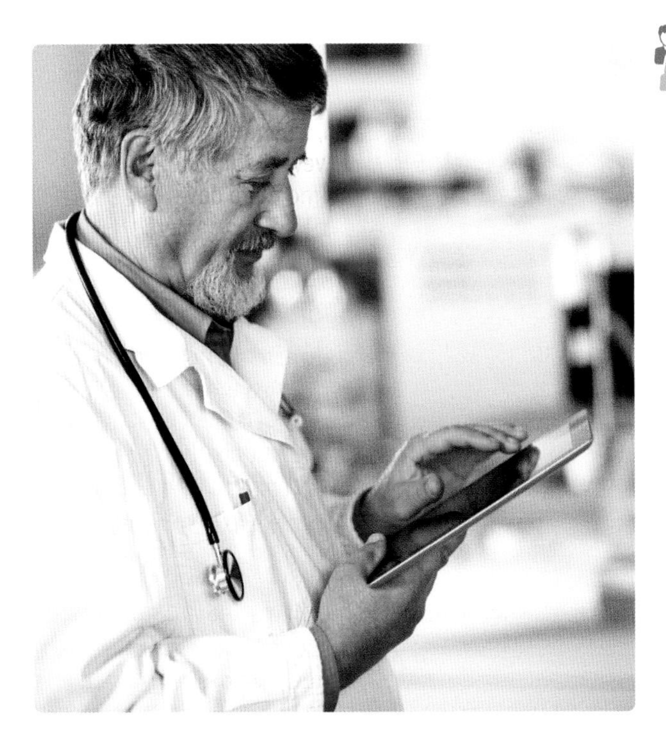

7 **In piccoli gruppi. Osservate l'immagine e commentatela seguendo gli spunti di riflessione.**

1. Quanto vi preoccupate della vostra salute? Come vi prendete cura di voi stessi?
2. Appartenete a quella categoria di persone che seguono la diagnosi fai-da-te consultando Google oppure vi rivolgete sempre ad uno specialista?
3. Andate spesso dal medico?
4. Nel vostro Paese, le persone fanno prevenzione? Fanno uso di molti medicinali? Spiegate il perché.

C Giri a destra!

4 CD 2 **1** Ascoltate il dialogo e indicate a quale delle due cartine si riferiscono le indicazioni.

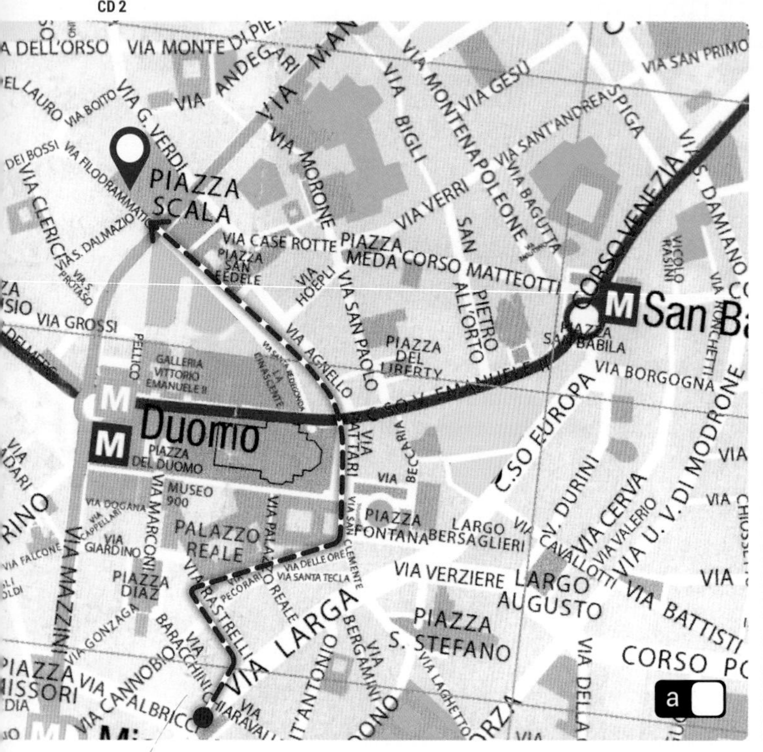

4 CD 2 **2** Ascoltate di nuovo e indicate le frasi che avete sentito.

- ☐ 1. mi faccia pensare un attimo...
- ☐ 2. non ci vada a piedi...
- ☐ 3. prenda la metro, Le conviene
- ☐ 4. sa a quale fermata scendere?
- ☐ 5. alla seconda traversa giri a destra
- ☐ 6. vada diritto e si troverà in Piazza Duomo
- ☐ 7. cammini verso il Duomo e la galleria...
- ☐ 8. l'attraversi e si troverà in una...

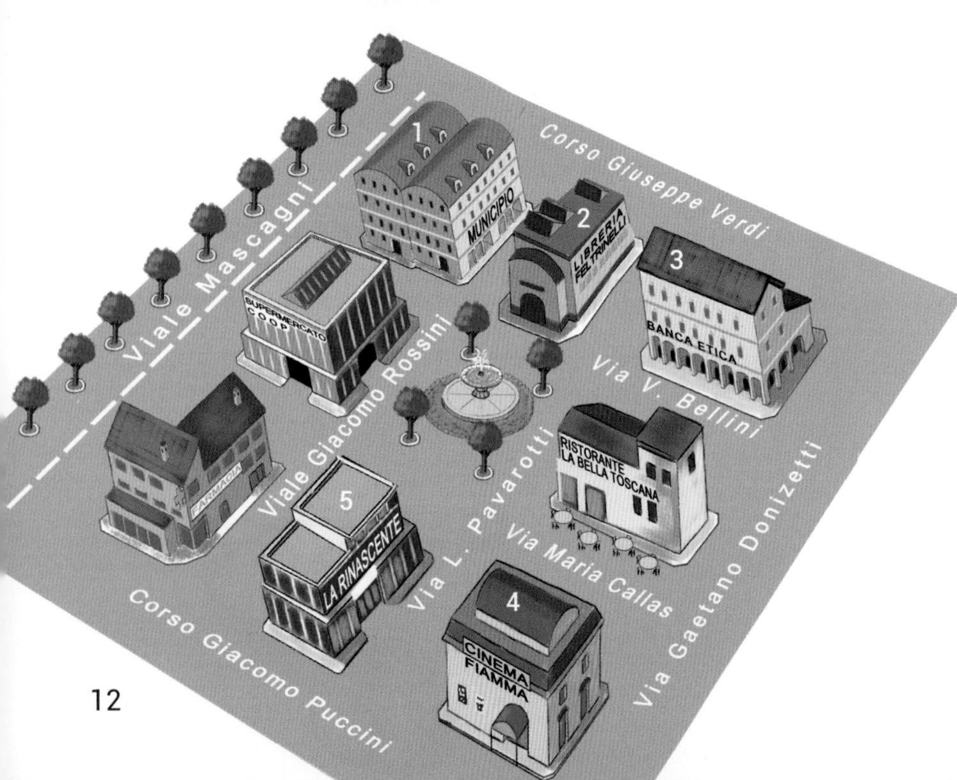

3 Lo studente ***A*** chiede ad un passante (studente ***B***) come andare:

- *dal cinema Fiamma al Municipio*
- *dal punto 3 alla farmacia*
- *dal ristorante La Bella Toscana al punto 2*

Lo studente ***B*** risponde e poi chiede ad ***A*** come andare:

- *dal punto 5 alla Banca Etica*
- *dal punto 4 alla Coop*
- *dal punto 1 alla Rinascente*

e ***A*** risponde.

4 Nel dialogo precedente abbiamo ascoltato la forma "non ci vada a piedi". Completate la tabella.

La forma negativa dell'imperativo indiretto

	Imperativo diretto		Imperativo indiretto o di cortesia	
-ARE →	Tu	*Non andare* ancora via!	Lei	**Non** .... ancora via, la prego!
-ERE →		*Non prendere* queste medicine!		**Non** .... queste medicine!
-IRE →		*Non dormire* meno di 7 ore!		**Non** .... meno di 7 ore! Non le fa bene.

La tabella completa dell'imperativo diretto e indiretto alla forma negativa nell'Approfondimento grammaticale a pagina 197.

La forma negativa dell'imperativo indiretto con i pronomi

Imperativo diretto	Imperativo indiretto
Non è buono: non lo bere! / non berlo!	Non è buono: **non** .... **beva!**
Non glielo dire / Non dirglielo, è una sorpresa!	Signora, **non** .... **dica**, è una sorpresa!

I pronomi con l'imperativo diretto negativo possono stare prima o dopo il verbo, mentre con l'imperativo negativo indiretto i pronomi sono sempre .... del verbo.

5 Trasformate le seguenti frasi con l'imperativo indiretto (attenzione ai pronomi!).

1. Non portarlo qui quel gattino, sono allergico! ....
2. Controlla i documenti che sono sul tavolo! Non dimenticarlo!

   ....
3. Alla festa ci sarà anche l'avvocato Martini. Non andarci anche tu!

   ....
4. Il regalo? Aspetta! Non darglielo ancora! ....

es. 7-9 p. 112

D Alla Scala

1 In coppia, leggete il titolo di un articolo cha parla di un fatto insolito che è successo alla Scala di Milano. Secondo voi, di che cosa si tratta?

FISCHIATO, LASCIA IL PALCO

L' "AIDA" VA AVANTI COL SOSTITUTO

2 a Ora ascoltate la notizia alla radio: erano giuste le vostre ipotesi?

2 b Ascoltate di nuovo e cercate di capire:

1. Chi è Roberto Alagna e che cosa ha fatto di strano?
2. Chi l'ha sostituito?

3 Leggete ora l'articolo e scegliete, nella pagina accanto, le alternative corrette.

Lunedì **11** Dicembre — **SPETTACOLI**

INCREDIBILE SCENEGGIATA ALLA SCALA: IL PUBBLICO ATTACCA ALAGNA CHE ABBANDONA.

FISCHIATO, LASCIA IL PALCO

L' "AIDA" VA AVANTI COL SOSTITUTO

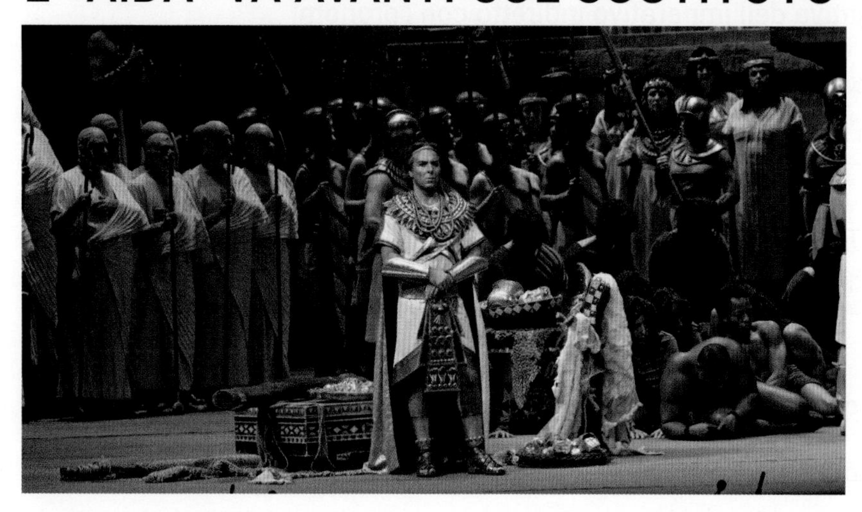

MILANO – Doveva essere una serata tranquilla, la prima vera rappresentazione dell'Aida dopo la prima del 7 dicembre, con meno mondanità e meno fotografi. E invece, ieri sera c'è stato il vero colpo di teatro che farà entrare nella leggenda questa serata. Il tenore Roberto Alagna, Radames, ha lasciato il palcoscenico subito dopo l'aria 'Celeste Aida' fischiata da una parte degli spettatori che non ha gradito alcuni suoi commenti sui giornali sulla competenza del pubblico.

La musica non si è mai interrotta e la direzione di palcoscenico ha gettato in scena Antonello Palombi, che fa parte del secondo cast dell'opera. Con addosso un paio di jeans e una camicia neri ("Radames veste Prada" ha commentato qualcuno), il tenore umbro è entrato in scena fra i "vergogna" rivolti dalla platea ad Alagna che non si è ripresentato.

Il primo tempo dello spettacolo è andato avanti così, con applausi, altri fischi e un pubblico perplesso per quanto stava succedendo (ma nessuno è andato via). Dopo l'intervallo è stato

> "Radames veste Prada" ha commentato qualcuno.

il sovrintendente Stephane Lissner a salire sul palco e a "manifestare il rincrescimento" del teatro per quanto era successo e a ringraziare Palombi, arrivato in scena senza riscaldamento e senza aspettarselo.

Intanto Alagna, dopo aver parlato con il sovrintendente Lissner ha lasciato il teatro. "Ho cantato in tutto il mondo e ho avuto successo – ha commentato Alagna – ma di fronte al pubblico di questa sera non potevo fare nient'altro! Il pubblico vero, quello con il fuoco, con il sangue, quello non c'era".

Il pubblico che c'era però è rimasto fino alla fine dell'Aida e ha ripagato con nove minuti di applausi Palombi. Che, molto soddisfatto della sua performance, ha raccontato così l'accaduto: "Mi hanno preso e buttato sul palco. Mi sono detto: ok, adesso si canta", anche se dal pubblico partivano frasi come "vergogna" rivolte ad Alagna. "Ma credo che chiunque avrebbe fatto lo stesso, siamo professionisti". Palombi stava seguendo la rappresentazione dalla direzione artistica. Di corsa, quando Alagna ha lasciato il palco, lo sono andati a prendere e lui si è trovato in scena con jeans e camicia "perché – ha scherzato – normalmente non mi vesto come Radames". "È stata una bella prova – ha concluso – l'ho superata!".

Roberto Alagna prima di abbandonare il palco.

adattato dal *Corriere della sera*

1. Alcuni hanno fischiato il tenore perché
   - ☐ a. aveva parlato male del pubblico
   - ☐ b. aveva sbagliato un verso dell'opera
   - ☐ c. si era presentato in jeans e maglietta

2. Roberto Alagna ha lasciato il palco e
   - ☐ a. si è ripresentato poco dopo
   - ☐ b. lo spettacolo è stato interrotto
   - ☐ c. un altro tenore l'ha sostituito

3. Antonello Palombi è salito sul palco
   - ☐ a. dopo mezz'ora di preparazione
   - ☐ b. senza alcuna preparazione
   - ☐ c. già vestito da Radames

4. Alla fine il pubblico
   - ☐ a. ha fatto un lungo applauso a Palombi
   - ☐ b. ha fischiato Palombi
   - ☐ c. ha chiesto il rimborso del biglietto

4 In coppia, cercate nell'articolo le parole che corrispondono alle definizioni sotto.

a. .... (1° paragrafo) = spettacolo
b. .... (1° paragrafo) = spazio su cui gli artisti recitano o cantano
c. .... (1° paragrafo) = persone che assistono a uno spettacolo
d. .... (2° paragrafo) = tipo di voce maschile che interpreta brani e opere liriche
e. .... (3° paragrafo) = espressione di gradimento del pubblico
f. .... (5° paragrafo) = sfida, esame che valuta le capacità

5 Nel testo abbiamo incontrato frasi come "*alcuni* suoi commenti" e "*nessuno* è andato via": le parole in corsivo sono degli indefiniti. Completate prima la tabella e poi scegliete l'indefinito giusto nelle frasi che seguono.

Indefiniti: aggettivi e pronomi

altro/a - altri/e:	➜	Ti piace questo libro o ne vuoi un ....?
molto/a - molti/e:	➜	Io non voglio fare molti allenamenti alla settimana.
tanto/a - tanti/e:	➜	A .... giovani l'opera lirica non piace. Ma siamo proprio sicuri?
poco/a - pochi/che:	➜	Quando ho l'influenza, ho sempre .... energie.
qualche :	➜	Ho chiesto al medico qualche informazione su questa medicina.
troppo/a - troppi/e:	➜	Secondo me, mangi troppe patatine fritte.
ciascuno/a:	➜	Ciascun problema deve essere affrontato con calma.
nessuno/a:	➜	.... si allena con me.
alcuno/a (= nessuno/a):	➜	Non c'è alcun (nessun) problema.
alcuni/e:	➜	.... giorni ho un mal di testa fortissimo.

Per la tabella completa, consultate l'Approfondimento grammaticale a pagina 198.

1. Non ti aspettavo, nessuno/ciascuno mi ha detto che saresti venuto!
2. Direttore, con tutto/tanto il rispetto, abbiamo bisogno di provare ancora prima dello spettacolo.
3. Altri/Alcuni eventi storici sono importanti per capire la storia di oggi.
4. Era da poco/molto tempo che non ci vedevamo con Paolo, circa vent'anni.

6 **a** Ascoltate ora una trasmissione radiofonica. Poi confrontatevi con i compagni: di cosa parlano nell'intervista?

b Riascoltate e rispondete alle domande.

- Qual è il rimpianto del professor Rossi?
- Anche se la prof.ssa Bonomi condivide quanto dice il professore, in cosa si differenzia?
- E voi cosa pensate della musica classica?

7 Nell'Attività D3 abbiamo letto "*indossando un costume qualsiasi*". Completate la tabella.

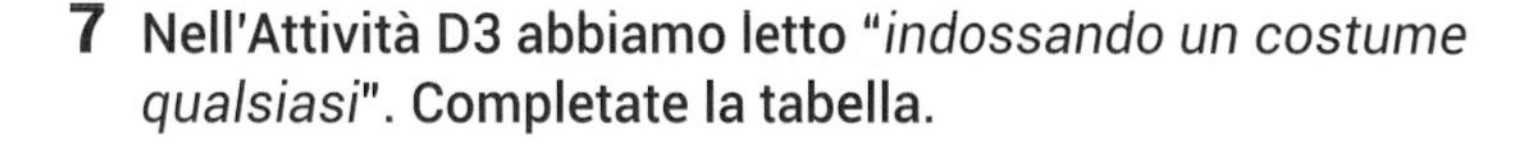

Gli aggettivi e i pronomi indefiniti

Gli indefiniti possono essere aggettivi, se accompagnano un nome, o pronomi, se lo sostituiscono.

Certe persone sono proprio antipatiche.	→	*Certe* accompagna un nome, quindi è un ....
Qualcuno di voi è mai stato in Italia?	→	*Qualcuno* sostituisce un nome, quindi è un ....

Attenzione: I pronomi indefiniti non hanno la forma plurale, come pure alcuni aggettivi indefiniti (*qualche*, *ogni*, *qualsiasi*, *qualunque*).

La tabella completa degli aggettivi e dei pronomi indefiniti nell'Approfondimento grammaticale a pagina 199.

8 Adesso, a coppie, indicate con una ✗ il valore degli indefiniti nelle frasi che seguono.

	Aggettivo	Pronome
1. Di uno come lui mi fiderei.	....	....
2. Il dottore visita ad una certa ora: dalle 15.00 alle 19.00.	....	....
3. Vuole qualcosa da bere, signora?	....	....
4. Quello che è successo a te potrebbe succedere a chiunque.	....	....
5. Alcuni di noi si allenano anche il sabato e la domenica.	....	....
6. C'è una soluzione a ogni problema.	....	....

es. 10-14
p. 113

E Vocabolario e abilità

1 Vocabolario. Abbinate le parole evidenziate alle immagini.

1. Il mio medico è sempre gentile e disponibile.
2. Ogni giorno metta 2 gocce di questo collirio all'occhio sinistro.
3. Quando ho dolori muscolari o al ginocchio applico questa pomata.

4. Signor Ferri, la prima paziente è già arrivata, è in sala d'attesa.
5. Per questo piccolo taglio basta mettere un cerotto.
6. L'ambulatorio medico è aperto ogni pomeriggio dalle 15.00 alle 20.00.
7. Signora, per la pressione le prescrivo queste pillole: una la mattina e una la sera.

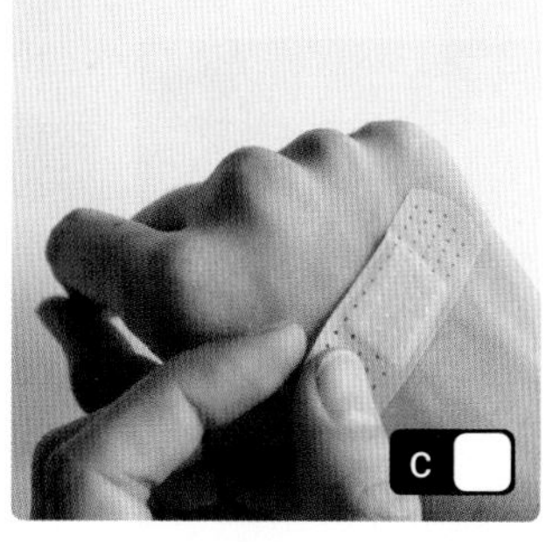

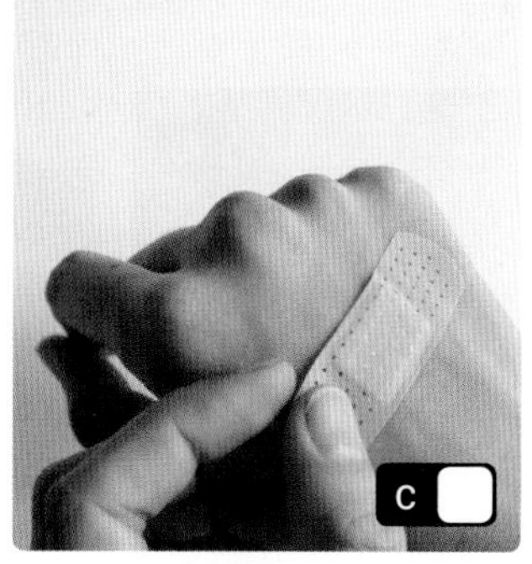

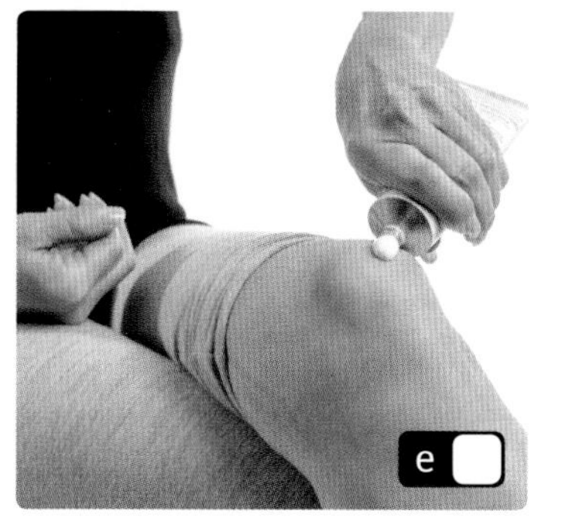

g

2 Ascolto Quaderno degli esercizi (p. 117)

3 Role play

a Lo studente *A* ha fatto una prenotazione online per andare a vedere *Il Trovatore* al Teatro alla Scala, ma purtroppo è malato e, non sapendo come disdire la prenotazione online, chiama il botteghino per cancellarla e farne un'altra.

Lo studente *B* è il dipendente del botteghino di turno, il quale consulta il materiale a pagina 194 e informa *A* sulla disponibilità di posti liberi e relativi prezzi.

b Siete in un ambulatorio: *A* è il medico e *B* è il paziente. *B* non si sente bene e spiega i sintomi ad *A*, che lo visita e gli consiglia una terapia.

4 Scriviamo

Sul forum "*Stare bene e in salute*" leggi il post di una persona che dice:

Salve a tutti, sono Daniele, ho 40 anni e sono siciliano, di Palermo. Vi scrivo perché non riesco a trovare una soluzione a un grosso problema. Tutti gli anni, quando arriva il mese di marzo ho un fastidioso raffreddore, faccio fatica a respirare e gli occhi sono gonfi e rossi. Ho provato tantissime medicine per cercare di risolvere il problema ma non ho avuto nessun miglioramento. Qualcuno di voi sa a cosa è dovuto questo e come posso risolverlo? Mi potreste consigliare qualche rimedio utile e magari anche naturale?

Grazie a tutti. Ciao

Rispondi a questa persona:

- spiegagli le possibili cause;
- rassicura la persona;
- dagli dei consigli.

es. 15-20 p. 115

p. 103

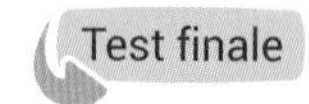

Tutti all'opera (lirica)!

Spesso quando si parla di musica classica e opera lirica si pensa a un genere pesante, obsoleto e noioso. A causa di questi pregiudizi, sempre meno persone oggi vanno a teatro e perdono l'occasione di vedere dei veri e propri capolavori. Ma come amare l'opera? Semplice: basta conoscerla e capirla.*

1 Leggete i testi e indicate con una ✘ a quale delle tre opere (A, B o C) corrispondono le affermazioni.

Il *Barbiere di Siviglia* è un'opera buffa, cioè un'opera lirica di argomento comico, scritta dal compositore italiano **Gioacchino Rossini** e messa in scena per la prima volta nel 1816. *Largo al factotum* è il titolo di una delle arie più famose dell'opera, in cui si presenta il protagonista, Figaro, che non è solo un barbiere ma un "tuttofare" (in latino *factotum*), e per questo motivo molto richiesto da tutti. Anche il Conte d'Almaviva chiederà aiuto a Figaro per trovare il modo di sposare la bella Rosina, di cui è innamorato. Ci riuscirà grazie alle divertenti bugie e ai travestimenti organizzati dal barbiere... tutto è bene quel che finisce bene!

La *Traviata* è un'opera drammatica di **Giuseppe Verdi**, ispirata a *La signora delle camelie* di A. Dumas e rappresentata per la prima volta nel 1853. Racconta la storia d'amore tra Violetta, una donna di corte, una cortigiana* di Parigi, e Alfredo, un giovane borghese di buona famiglia, relazione considerata sbagliata per la società di allora (seconda metà dell'Ottocento). Il padre di Alfredo, infatti, costringe Violetta a lasciare il figlio e quest'ultimo, arrabbiato perché non accetta la separazione, la offende in pubblico. L'opera si conclude con la morte di Violetta, già malata, che rivede per un'ultima volta Alfredo, e il pentimento del padre del giovane, che aveva separato gli amanti.

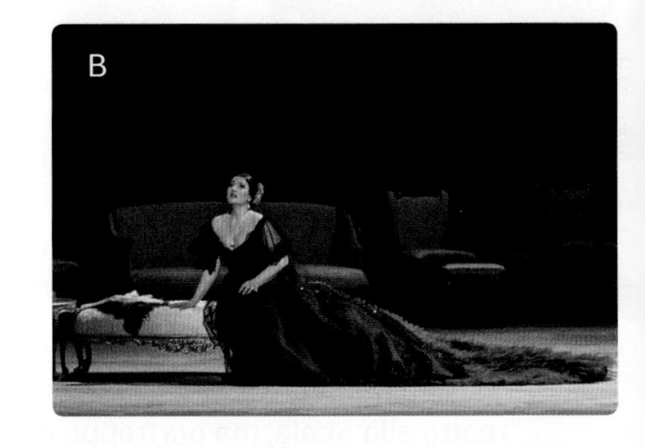

La *Tosca* è un'opera di **Giacomo Puccini**, presentata per la prima volta nel 1900 alla Scala. La protagonista della storia è l'affascinante* Tosca, cantante e amante del pittore Cavaradossi, che sta proteggendo un amico fuggitivo, Angelotti, accusato di sostenere Napoleone. Il capo della polizia Scarpia, che corteggia Tosca, imprigiona Cavaradossi e lo accusa di tradimento. Il poliziotto propone a Tosca di essere la sua amante se vuole salvare la vita di Cavaradossi. Nel frattempo Angelotti viene ucciso e Tosca uccide Scarpia per salvare il suo amato, che morirà comunque fucilato. Il dramma si conclude con il suicidio* di Tosca.

Luciano Pavarotti nel ruolo di Cavaradossi

	A	B	C
1. È una storia d'amore ostacolata da un padre.			
2. La protagonista, alla fine, si toglie la vita.			
3. È un'opera comica e divertente.			
4. Un altro autore ha ispirato quest'opera.			
5. I protagonisti sono vittime della società.			
6. Uno dei protagonisti chiede aiuto a un tuttofare.			
7. Quest'opera è più recente delle altre.			
8. La trama "ricorda" quella di un'altra storia.			

Teatro alla Scala, Milano

I GIOVANI E LA LIRICA: DUE MONDI LONTANI

"I ragazzi che girano per strada con gli auricolari spesso ascoltano cose molto complesse. Quindi non è la "difficoltà" della musica classica a tenerli fuori dai teatri. Molte volte è l'ambiente che non si è mai rinnovato. Quanto vorrei non vedere... gli abiti scuri, l'ingresso sul palco dei "pinguini" col capo pinguino...
Sogno concerti dove i musicisti, vestiti come i loro ascoltatori, spiegano e condividono ciò che stanno per fare..."

Riccardo Muti

2 Leggete ora le parole di Riccardo Muti, direttore d'orchestra italiano di fama internazionale, nel riquadro a destra. Poi commentate con i compagni:

- Che cosa ne pensate?
- Perché secondo voi Muti parla di "pinguini"?
- A voi piace la lirica? Perché?

Glossario. *obsoleto:* antiquato, non attuale, passato di moda; ***cortigiana:*** donna di corte, prostituta, ma non priva di cultura e raffinatezza; ***affascinante:*** tanto bella da rimanerne ammirati, incantati, attratti; ***suicidio:*** gesto di chi si toglie volontariamente la vita; ***libretto:*** fascicolo con il testo letterario musicato nelle forme d'opera.

Ma qual è la lingua delle opere liriche?

In genere dipende dal compositore: se è italiano, allora anche l'opera sarà in italiano*, anche se ci sono delle eccezioni (Mozart, ad esempio, ha composto tre opere in italiano, tra cui *Le nozze di Figaro*). È comunque sempre meglio portare il libretto* completo di traduzione o assicurarsi che in teatro ci siano gli schermi con i sottotitoli.

**Un italiano antico, considerato il fatto che la maggior parte delle opere liriche sono dell'Ottocento o della prima metà del Novecento.*

AUTOVALUTAZIONE

Che cosa ricordi delle unità 5 e 6?

1 Sai...? Abbina le due colonne.

1. dare ordini
2. dare consigli
3. esprimere un'opinione
4. esprimere stati d'animo
5. dare indicazioni stradali

a. *Mangi più frutta e verdura.*
b. *Giri a destra e poi vada dritto per 200 metri.*
c. *Mi dispiace che Teresa sia partita.*
d. *Penso che sia meglio mandare un'email.*
e. *Tolga gli occhiali e provi a leggere lì.*

2 Abbina le frasi.

1. Continui su questa strada e
2. Sara è l'unica che
3. Sabato andremo al mare, a meno che
4. Dal momento che
5. Se vuole stare meglio,

a. non piova tutto il giorno.
b. cominci a dormire almeno 7 ore a notte.
c. voglia accompagnarmi a vedere l'opera.
d. giri a sinistra tra 150 metri circa.
e. hai deciso, non ha senso provare a farti cambiare idea.

3 Completa.

1. Un'opera di Giuseppe Verdi: ....
2. Sottolinea gli indefiniti che non hanno il plurale: qualche, ogni, tutto, altro
3. *Dimmelo* alla forma di cortesia: ....
4. Lo sport con la bici: ....
5. Ce la scrive il medico dopo una visita: ....

4 Scopri le sei parole nascoste.

1. Il famoso t.............................. Luciano Pavarotti nacque a Modena nel 1935.
2. Il medico mi ha consigliato alcune p.............................. e un c.............................. per il problema agli occhi.
3. Secondo me, ti conviene prendere l'a.............................. e scendere alla terza f...............................
4. Gli s.............................. hanno applaudito per 3 minuti alla fine dello s..............................
5. Dobbiamo usare gli a.............................. solo se ce li ha prescritti il nostro medico!

Controlla le soluzioni a pagina 189.
Sei soddisfatto/a?

Uno spettacolo lirico all'*Arena* di Verona

Andiamo a vivere in campagna

Unità 7

Glossary p. 218

Per cominciare...

1 Osservate queste due foto. In quale di queste due abitazioni vorreste vivere e perché?

a

b

2 In coppia, abbinate le seguenti parole alla foto corrispondente.

☐ aria pulita ☐ inquinamento ☐ verde ☐ traffico ☐ rumore
☐ smog ☐ natura ☐ tranquillità ☐ negozi ☐ mezzi pubblici

8 CD 2 **3** Ascoltate il dialogo: cosa vorrebbe fare Daniela?

8 CD 2 **4** Ascoltate di nuovo e completate le frasi (massimo quattro parole).

a. Ma in compenso avresti tante cose ....
b. Magari trovassi qualcosa .... vicino a Milano.
c. Non c'entra l'ecologia, è solo ....
d. Ovvio, con tutte le tue allergie non potresti mai ....

In questa unità impariamo...

- *a leggere e a scrivere un annuncio immobiliare*
- *a presentare un fatto come facile*
- *a parlare dell'impatto ambientale di alcune iniziative nelle nostre vite e nelle nostre città*
- *a parlare del riciclaggio, dei problemi ambientali e della vivibilità di una città*
- *a parlare del futuro del pianeta e di una coscienza ecologica*

- *il congiuntivo imperfetto: verbi regolari e irregolari*
- *il congiuntivo trapassato*

- *a conoscere alcune bellezze naturali d'Italia*
- *a conoscere la sensibilità ambientale degli italiani*

A Vivere fuori città

1 Leggete ora il dialogo e verificate le vostre risposte dell'attività precedente.

Lorenzo: Ma stai cercando in centro o in periferia?

Daniela: Veramente... fuori città!

Lorenzo: Davvero? Credevo che tu volessi vivere in centro.

Daniela: Ma è lo stesso: prenderei il treno e poi sempre con la metro arriverei all'università, 30 minuti invece di 20.

Lorenzo: Vero, ma non ho capito perché.

Daniela: Per tanti motivi Lorenzo: traffico, inquinamento, rumore!

Lorenzo: E va be', come in tutte le grandi città. Ma in compenso avresti tante cose a portata di mano: cinema, teatri, locali, palestre, negozi.

Daniela: Certo, solo che io, fratellino, mi voglio laureare in 3 anni, non in 10!

Lorenzo: E dai! Sarò un po' fuori corso, ma sto per laurearmi, eh?

Daniela: Sì, da tre anni... Comunque, magari trovassi qualcosa in una piccola città vicino a Milano: con più tranquillità, più verde, più aria pulita.

Lorenzo: Non sapevo che fossi ecologista.

Daniela: Non c'entra l'ecologia, è solo qualità della vita. All'inizio, quando venivo a trovarti, pensavo che tutto qui fosse bellissimo.

Lorenzo: Infatti, cos'è cambiato?

Daniela: Non avevo capito che gli studenti vivessero così: sempre di corsa e in appartamenti piccoli come il tuo!

Lorenzo: Dai, non è così piccolo.

Daniela: E non immaginavo che una cosa semplice, come prendere la metro all'ora di punta o trovare parcheggio, potesse essere così difficile.

Lorenzo: Mah, io ormai non ci faccio caso, a me la vita in città piace.

Daniela: Ovvio, con tutte le tue allergie non potresti mai vivere in campagna!

Lorenzo: Io?! Se lo vuoi sapere, domenica accompagnerò Gianna a un agriturismo.

Daniela: Ah... non pensavo che ti piacessero queste cose!

Lorenzo: Infatti, le dovevo un favore...

-20 **2** Rispondete per iscritto (15-20 parole) alle domande.

1. Dove vorrebbe trasferirsi Daniela e perché?

   ....

2. Cosa pensa Lorenzo della città?

   ....

3. Cosa farà Lorenzo domenica?

   ....

3 Accanto ad ogni parola, scrivete il contrario, come nell'esempio.

a. centro: ....
b. città: ....
c. aria pulita: ....
d. caos: tranquillità
e. silenzio: ....

4 Il giorno dopo Daniela telefona alla mamma. Completate il dialogo con i verbi dati.

foste ❖ *capissi* ❖ *fosse* ❖ *abitassi* ❖ *volessi*

mamma: Pronto?

Daniela: Ciao mamma! Come va?

mamma: Noi bene, voi piuttosto, Lorenzo?

Daniela: Bene, bene, non preoccupatevi!

mamma: Allora, hai fatto l'iscrizione all'università?

Daniela: Sì, ho fatto tutto. Ho guardato anche un po' gli annunci perché cerco un appartamento fuori Milano. Ho preso contatti anche con un'agenzia immobiliare.

mamma: Come fuori Milano? Non pensavo .... (1) prendere in affitto una casa fuori città! Perché non un appartamentino vicino all'università, come avevamo detto? Affinché .... (2) vicini tu e Lorenzo.

Daniela: Sì, lo so mamma. Il problema è che sono stufa dello stress e dei ritmi frenetici della città. Non credevo che Milano .... (3) così diversa da Bologna, tanto più caotica.

mamma: Mah... per me sarebbe meglio che tu .... (4) vicino a Lorenzo, anche per quando verrei a trovarvi... ma soprattutto sarei molto più tranquilla.

Daniela: Speravo che almeno tu mi .... (5). Visto che dovrei comunque prendere un appartamentino per me, allora perché non prenderlo fuori città dove i prezzi sono anche più bassi?

mamma: Va be' Daniela, ne riparliamo con calma... anche con tuo padre. D'accordo?

Daniela: Ok mamma, ciao.

mamma: Ciao! E abbracciami Lorenzo.

5 Osservate e completate la tabella con i verbi che avete inserito nel dialogo precedente.

Congiuntivo imperfetto

	-are → -assi **abitare**	**-ere → -essi** **volere**	**-ire → -issi** **capire**
io	abitassi	volessi	capissi
tu	....	....	....
lui/lei/Lei	abitasse	volesse	capisse
noi	abitassimo	volessimo	capissimo
voi	abitaste	voleste	capiste
loro	abitassero	volessero	capissero

La prima persona singolare dell'indicativo imperfetto ci aiuta a costruire le forme del congiuntivo imperfetto, infatti abbiamo:
bere - ...bevessi... / *dire* - .... / *fare* - .... / *porre* - ....
Fanno eccezione i verbi *essere*, *dare* e *stare*.

Potete consultare la tabella completa nell'Approfondimento grammaticale a pagina 200.

6 Completate le frasi con il congiuntivo imperfetto dei verbi tra parentesi.

1. Non sapevo che Ada .... (*trasferirsi*) a Siena. Beata lei!
2. Credevo che .... (tu-*volere*) iscriverti ad Architettura, non a Ingegneria.
3. Quando ho visto i bambini non pensavo che .... (*avere*) solo 10 anni. Sono alti per la loro età!
4. La mia famiglia non voleva che io .... (*diventare*) un attore.
5. Era necessario che .... (voi - *partire*) il giorno del mio compleanno?
6. Nonostante .... (*vivere*) in città, il nostro quartiere ci piaceva tanto e ci trovavamo benissimo.

Secondo voi, perché non possiamo usare il congiuntivo presente in queste frasi?

es. 1-4 p. 120

B Cercare casa

1 Secondo voi, quali tra queste informazioni sono le più importanti quando si cerca casa? A coppie, indicatene 5 in ordine di importanza.

- ☐ metri quadrati
- ☐ numero di camere
- ☐ zona
- ☐ modalità di pagamento
- ☐ piano
- ☐ riscaldamento (autonomo)
- ☐ prezzo
- ☐ numero di bagni
- ☐ vista
- ☐ ristrutturato o meno
- ☐ anno di costruzione
- ☐ arredato/ammobiliato
- ☐ parcheggio
- ☐ aria condizionata
- ☐ ascensore

2 In coppia, leggete gli annunci di case intorno a Milano e poi abbinateli all'immagine corretta. Attenzione: c'è un annuncio in più.

2

AFFITTASI

Abbiategrasso (Milano): Affittasi in centro trilocale luminoso di 105 mq con ampio soggiorno, due stanze, cucina e bagno. Interni da ristrutturare. Palazzo d'epoca ben tenuto.

Prezzo: 850 euro spese incluse

CONTATTO  ______________

1

Cernusco (Milano): Affittasi luminoso bilocale di 60 mq con ingresso su soggiorno, cucina, camera da letto, bagno, balconi e box auto. Completamente ristrutturato. Riscaldamento autonomo.

Prezzo: 500 euro + spese

3

VENDESI

Gaggiano (Milano): Vendesi villa di recentissima costruzione su due piani, con giardino e ampio garage. Parte abitativa composta da 4 vani: salone, cucina abitabile, 3 camere da letto, doppi servizi e terrazza con vista.

Prezzo: 350.000 (trattabili)

PER INFORMAZIONI ______________

4

Cercasi, vicino **Milano**, monolocale in zona residenziale, ristrutturato e arredato con letto matrimoniale, angolo cottura, bagno e posto auto.

Prezzo: MAX 400 euro + spese

a ☐

b ☐

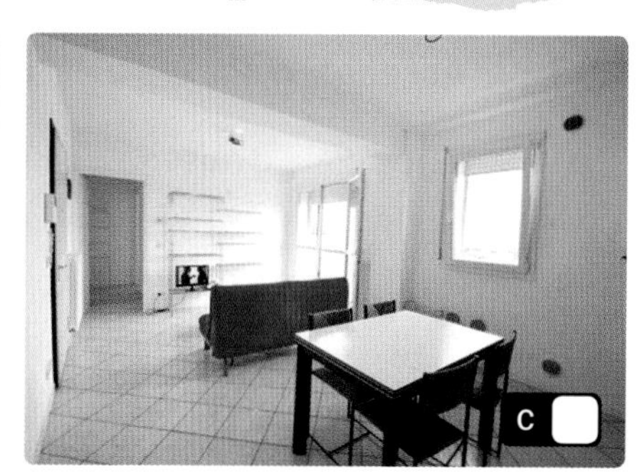
c ☐

3 Quando si cerca o si costruisce una casa è importante conoscere anche i materiali usati. Abbinate i materiali alla foto corrispondente, come nell'esempio.

a. marmo ❖ b. legno ❖ c. pietra ❖ d. ferro ❖ e. ceramica ❖ f. cemento ❖ g. vetro

1 *g*

2 ☐

3 ☐

4 ☐

5 ☐

6 ☐

7 ☐

4 Siete in Italia per un corso di italiano di 6 mesi e state cercando un appartamento. Scrivete un annuncio sul sito "CercoCASA" con le caratteristiche della casa che vorreste affittare (numero di stanze, zona, prezzo, ecc.).

5 In coppia o in piccoli gruppi. Lavorate nell'agenzia che sta aiutando Daniela a cercare casa: andate su internet e cercate la soluzione più conveniente per lei. Poi presentatela ai compagni e votate la migliore.

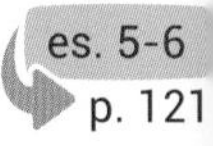
es. 5-6 p. 121

C Nessun problema...

1 Ascoltate il dialogo e indicate se le affermazioni sono vere (V) o false (F).

1. Daniela è riuscita a trovare casa.
2. Trovare casa è stato molto difficile.
3. L'agenzia ha proposto solo una casa a Daniela.
4. Il fratello di Daniela è disponibile per fare il trasloco.
5. Da casa di Daniela all'università ci vogliono 30 minuti in bici.
6. Non c'è una pista ciclabile.

2 Ascoltate di nuovo. Quali espressioni usa Daniela per dire che è stato facile fare qualcosa? Confrontatevi tra di voi e scrivetele nel riquadro.

3 A turno, lo studente ***A*** fa una domanda e lo studente ***B*** risponde. Potete usare le espressioni ascoltate nel dialogo precedente. Poi, invertite i ruoli.

Sei *A*: chiedi a *B* come...

- *ha convinto i suoi genitori a mandarlo/a a studiare all'estero;*
- *è riuscito/a a passare il test di ammissione alla facoltà di Medicina.*

Sei *B*: chiedi ad *A* come...

- *è riuscito/a a vincere tutte le gare di nuoto della stagione.*

10 CD 2

4 Ascoltate e completate le due battute del dialogo dell'attività C1. Poi osservate la tabella.

"Non l'ho mai fatto, ma penso che non .... facile fare un trasloco."
"Guarda, credevo che .... un problema, invece è una cosa da nulla!"

La concordanza dei tempi al congiutivo

Credo che Daniela

faccia / farà il trasloco domani mattina nella nuova casa. (*domani, nel futuro*)
faccia il trasloco oggi nella nuova casa. (*oggi, nel presente*)
abbia fatto il trasloco ieri nella nuova casa. (*ieri, nel passato*)

Credevo che Daniela

facesse / avrebbe fatto il trasloco nella nuova casa. (*il giorno dopo*)
facesse il trasloco nella nuova casa. (*in quel momento/periodo*)
avesse fatto il trasloco nella nuova casa. (*il giorno prima*)

5 Anche voi vivete in una città caotica e piena di smog oppure in un luogo più tranquillo e verde? Quali scelte possono migliorare la nostra qualità della vita nelle città? Parlatene.

6 Completate l'articolo con una delle alternative date.

Mobilità sostenibile a Milano?

Auto, scooter, bici: servizi green per muoversi senza inquinare

Secondo l'Organizzazione Mondiale della Sanità, il 92% della popolazione vive in luoghi dove la qualità dell'aria non è buona per la salute. I dati più allarmanti sono .... (1) nelle aree metropolitane.

Le città devono cambiare e re-inventarsi seguendo .... (2) sempre più ecologici e sostenibili. Diventare una "green city" oggi è l'.......... (3) di molti centri urbani.

Secondo l'ultima analisi di Legambiente, Milano .... (4) la metropoli più "green" d'Italia per minor numero di auto circolanti: il 58% .... (5) spostamenti in città avviene con i mezzi .... (6). Oggi solo un milanese su due utilizza la macchina per .... (7). Inoltre, Milano sta investendo .... (8) più nella mobilità condivisa.

Oltre alla condivisione, la città del Nord punta molto .... (9) auto, scooter, biciclette, o addirittura monopattini, ma .... (10) elettrici per muoversi senza inquinare.

	a.	b.	c.	d.
1.	stati	concentrati	previsti	visitati
2.	guide	complessi	modelli	campioni
3.	fine	ansia	intenzione	obiettivo
4.	è	ha	sia	era
5.	degli	dei	per gli	negli
6.	comuni	privati	pubblici	personali
7.	muovere	spostarsi	andare	traslocare
8.	anche	troppo	sempre	solo
9.	con	per	tra	su
10.	estremamente	rigorosamente	fortemente	stabilmente

adattato da www.mentelocale.it

7 a Lavorate in coppia. Osservate la tabella e indicate le frasi che richiedono l'uso del congiuntivo.

b Completate liberamente le frasi della tabella.

Uso del congiuntivo (I)

	Congiuntivo	Indicativo
Era chiaro che voi...		
Credevo che le piste ciclabili...		
È bene che le città...		
Speravo che la mia nuova casa...		
Vorrei che loro...		
Non sapevo che Daniela...		
Siamo sicuri che domani...		
Valerio ha paura che...		

Ricordate: come abbiamo visto nell'unità 5 (*Nuovissimo Progetto italiano 2a*, pagina 80), usiamo i tempi del congiuntivo anche con alcune congiunzioni, come: *nonostante*, *sebbene*, *affinché*, *prima che* ecc.

Per la tabella completa, andate all'Approfondimento grammaticale a pagina 202.

es. 7-9 p. 12

D Vivere in città

1 Secondo voi, quali sono i problemi ambientali che affrontano le grandi città? Scambiatevi idee.

11 CD 2

2 Ascoltate il brano e indicate le affermazioni corrette.

1. La città più ecologica d'Italia è
   - ☐ a. Bolzano
   - ☐ b. Trento
   - ☐ c. Mantova
2. Agli ultimi posti di questa classifica troviamo
   - ☐ a. Napoli, Torino e Roma
   - ☐ b. Enna, Bari e Reggio Emilia
   - ☐ c. Palermo, Ragusa e Catania

Trento

3. Milano è la città italiana che offre
   - ☐ a. il miglior servizio nei trasporti pubblici
   - ☐ b. il peggior risultato nella raccolta differenziata
   - ☐ c. più aree verdi di ogni altra città
4. Ad Agrigento, come a Modena, ci sono
   - ☐ a. più biciclette che abitanti
   - ☐ b. più auto che abitanti
   - ☐ c. più alberi che abitanti

3 Ritroviamo il problema dell'aria inquinata e dello smog cittadino già in *L'aria buona*, un capitolo di *Marcovaldo, ovvero Le stagioni in città*, che Italo Calvino scrisse nel 1963. Leggete il testo e poi rispondete per iscritto alle domande.

Seguendo i consigli del medico, Marcovaldo porta i suoi quattro figli, che da poco sono guariti da una malattia, fuori città, per fargli respirare aria pulita e farli giocare sui prati.

Il pomeriggio d'un sabato, quando erano guariti, Marcovaldo prese i bambini e li accompagnò a fare una passeggiata in collina. Abitavano nel quartiere della città più distante dalle colline. Per raggiungerle fecero un lungo tragitto su un tram affollato e i bambini vedevano solo gambe di passeggeri intorno a loro. A poco a poco il tram si svuotò; dai finestrini finalmente liberi apparve un viale che saliva. Così arrivarono al capolinea e si misero in marcia.

Era appena primavera; gli alberi fiorivano a un tiepido sole. I bambini si guardavano intorno un po' spaesati. Marcovaldo li guidò per una stradina a scale, che saliva tra il verde. [...]

Man mano che saliva, a Marcovaldo pareva di staccarsi di dosso l'odore di muffa del magazzino in cui spostava pacchi per otto ore al giorno e le macchie di umido sui muri della sua casa, e la polvere che calava, dorata, nel cono di luce della finestrella, e i colpi di tosse nella notte. I figli ora gli sembravano meno gialli e deboli, già quasi immedesimati di quella luce e di quel verde.

– Vi piace qui, sì?
– Sì.
– Perché?
– Non ci sono vigili.
– E respirare, respirate?
– No.
– Qui l'aria è buona.
Masticarono:
– Macché. Non sa di niente.

Salirono fin quasi sulla cresta della collina. A una svolta, la città apparve, laggiù in fondo, distesa senza contorni sulla grigia ragnatela delle vie. I bambini rotolavano su un prato come se non avessero fatto altro in vita loro. Venne un filo di vento; era già sera. In città qualche luce s'accendeva [...]. Marcovaldo risentì un'ondata del sentimento di quand'era arrivato giovane alla città, e da quelle vie, da quelle luci era attratto come se si aspettasse chissà cosa.

adattato da I. Calvino, *Marcovaldo*, Einaudi

1. Come arrivano sulla collina Marcovaldo e i suoi figli?
2. Secondo voi, ai suoi figli piace stare all'aria aperta? Motivate le vostre risposte.
3. Nell'ultima parte del testo a cosa pensa Marcovaldo? E come si sente?
4. Com'è la situazione oggi? Secondo voi, nelle città le persone vivono bene?

4 a **Osservate ora il verbo evidenziato nel testo sopra e provate a completare la frase e la regola nella tabella.**

Congiuntivo trapassato

Pensavo che .... tu l'altra sera. (*chiamare*)

Il congiuntivo trapassato si forma con l'.................................... **congiuntivo di *essere* o *avere* + il** .... **passato del verbo.**

Osserva: Credo che abbia fatto la cosa giusta.
Credevo che avesse fatto la cosa giusta.

b **Provate ora a completare le frasi con l'ausiliare corretto.**

1. Nonostante io .... già mangiato, sono andato in pizzeria con i miei amici.
2. Era strano che lei .... partita senza avvertirmi.
3. Erano pallidi come se .... visto un fantasma!
4. Credevamo che voi .... comprato i biglietti una settimana fa.

5 I rifiuti sono un problema delle nostre città. Osservate le foto e descrivetele. Che cosa direste a qualcuno che getta i rifiuti per strada? Voi fate la raccolta differenziata dei rifiuti? Perché, secondo voi, è sbagliato non riciclare?

es. 10-13 p. 123

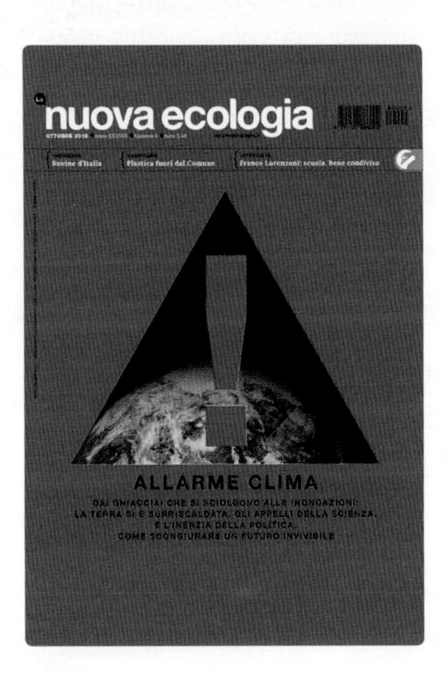

E Salviamo la Terra!

1 Osservate la copertina del mensile *La nuova ecologia*: quali sono i problemi che mette in evidenza? Confrontatevi con i compagni.

2 a A coppie, osservate le foto e abbinatele ai fenomeni estremi conseguenza del riscaldamento globale.

1. siccità, desertificazione
2. innalzamento del livello del mare
3. scioglimento dei ghiacciai
4. incendi
5. alluvioni
6. fenomeni atmosferici estremi

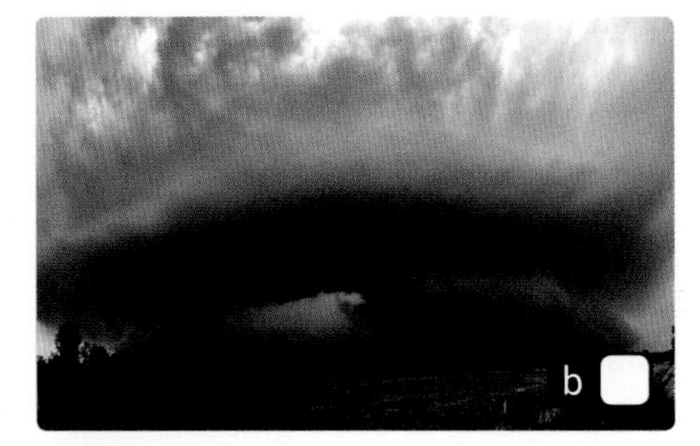

 **b** A coppie leggete l'infografica.

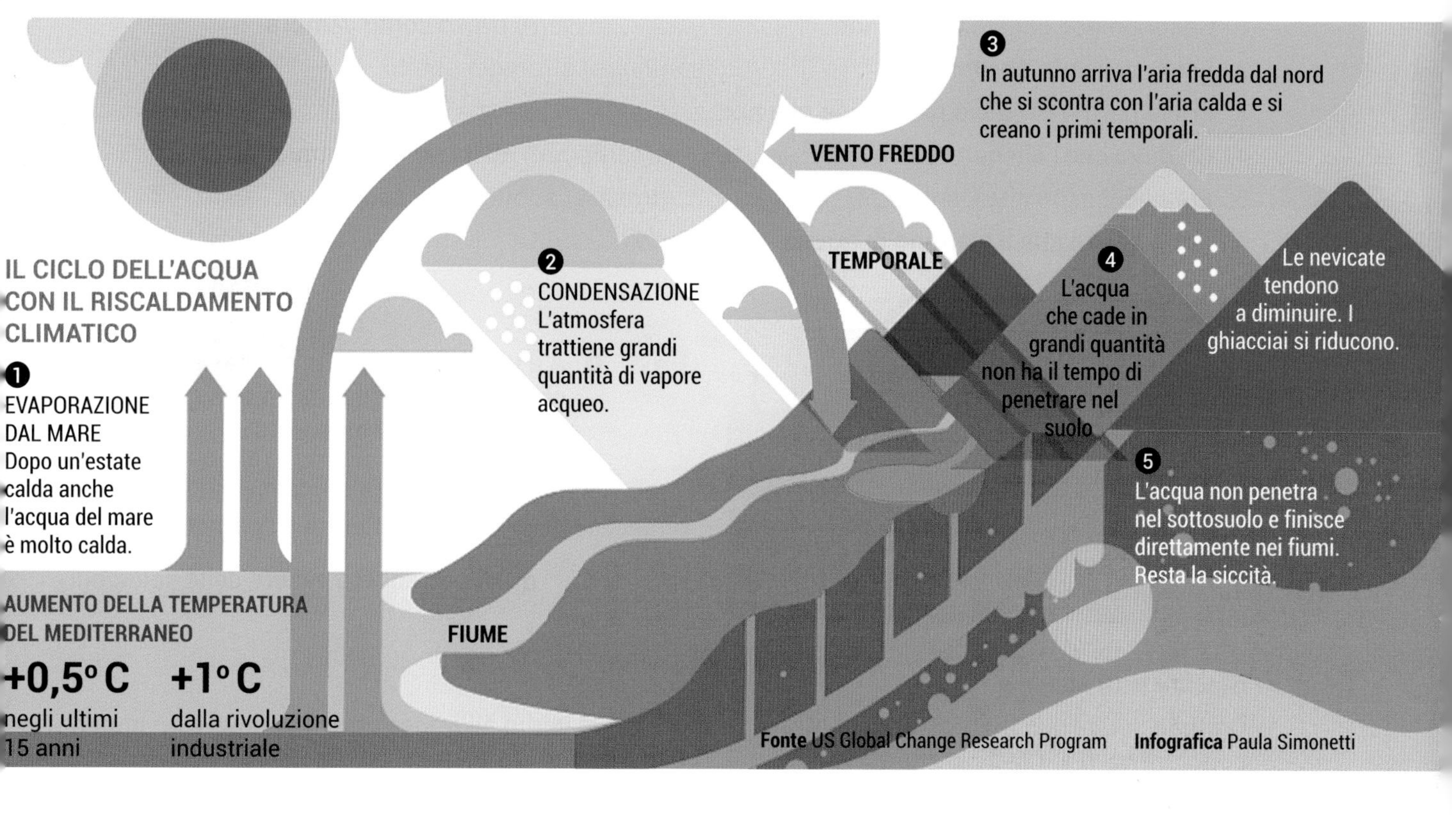

3 Adesso rispondete alle seguenti domande e poi discutetene insieme.

1. Secondo voi, perché è importante analizzare questi fattori (l'aumento della temperatura, i temporali violenti che non danno il tempo all'acqua di penetrare nel terreno ecc.)?
2. Quali altri fattori, secondo voi, sono responsabili delle alluvioni?
3. Per voi, quali sono i fattori più importanti a cui fare attenzione perché il nostro futuro sia più vivibile e sostenibile?

4 Vediamo alcune espressioni che richiedono il congiuntivo: provate ad abbinare le frasi delle due colonne.

Quando usare il congiuntivo (II)

Gianna era l'unica che *conoscesse*	*avessi* mai *conosciuto*.
Magari *ti fossi allenato*	*fossi* sposato o single.
Era la persona più interessante che	tutte le opere di Verdi.
Mi hanno chiesto se tu	lo sapevamo già!
Che *fosse aumentata* la temperatura della Terra	come ti avevo consigliato!

Per una tabella completa con altre espressioni che richiedono il congiuntivo, consultate l'Approfondimento grammaticale a pagina 202.

5 Completate le frasi con il congiuntivo, quando è necessario.

1. Secondo noi, questo tenore non .... (*essere*) bravo come sembra.
2. Era necessario che loro .... (*cambiare*) strategia subito.
3. Era la partita di calcio più noiosa che noi .... mai .... (*vedere*).
4. Credevo che l'allenatore non .... (*cambiare*) all'inizio del campionato.
5. Era necessario che Daniela .... (*trovare*) subito una casa nuova.
6. Sono sicuro che il giardino di questo trilocale .... (*essere*) abbastanza grande.

Inquinamento a Milano

6 ***A*** **è un giornalista e fa alcune domande a *B*, che vive da pochi mesi in una grande città italiana molto inquinata, su:**

- la qualità della vita nella città
- cosa pensa dell'inquinamento
- quali potrebbero essere delle soluzioni

7 Giocate tutti insieme.

Ognuno scrive una frase su un bigliettino, formata da un verbo all'imperfetto indicativo e un imperfetto congiuntivo (Es. Credevo che venissi prima...) e la mette in un contenitore. In un altro contenitore (ad esempio uno zaino, una borsa ecc.), l'insegnante inserisce dei bigliettini con la seconda parte della frase (a suo piacere o prendendo le frasi sotto). Poi, uno ad uno, gli studenti pescano un bigliettino da entrambi i contenitori e leggono a voce alta la frase. Vince la frase più divertente!

1. ...e invece era vino. 2. ...ma poi ho cambiato idea 3. ... e allora l'abbiamo mangiato 4. ...invece ne aveva 100! 5. ...per la vostra salute. 6. ...e invece no. 7. ...e alla fine ha pianto. 8. ...ma era pure peggio! 9. ...divertente, no?

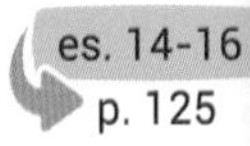
es. 14-16 p. 125

F Vocabolario e abilità

1 Cos'è ecosostenibile e cosa no? In coppia, inserite nella colonna di sinistra quali di queste cose fanno bene all'ambiente e, in quella di destra, quali lo danneggiano. Poi aggiungetene altre che conoscete e alla fine confrontatevi con i compagni.

energie rinnovabili ❖ *deforestazione (tagliare gli alberi)* ❖ *viaggiare in aereo*
usare i mezzi pubblici ❖ *riciclare* ❖ *sprecare cibo* ❖ *macchine elettriche* ❖ *usare la plastica*
abiti in cotone organico ❖ *macchine a benzina* ❖ *pannelli solari* ❖ *risparmiare energia*
mangiare meno carne ❖ *polveri sottili* ❖ *isole pedonali* ❖ *raccolta differenziata* ❖ *piste ciclabili*

ECOSOSTENIBILE	DANNOSO PER L'AMBIENTE

2 Quanto è importante l'ambiente per voi? Cosa fate ogni giorno per proteggerlo? Cosa vorreste fare di più? Confrontatevi con i vostri compagni.

3 Osservate le immagini e provate a raccontare una storia.

es. 17-19
p. 126

2 **4 Ascolto** Quaderno degli esercizi (p. 127)

5 Situazioni

Sei *A*: dopo anni, finalmente prendi la decisione di andare a vivere fuori città. Hai trovato tre villette a un prezzo conveniente (guarda gli annunci a pagina 192) e vorresti che tu, il/la tuo/a partner e i vostri figli vi trasferiste. Gliene parli, presentando anche le varie possibilità che offre ciascuna villetta.

Sei *B*: il/la tuo/a partner ti dice che vuole comprare una casa in campagna, o fuori città, e vuole che vi trasferiate lì. Tu ami il centro e non vuoi rinunciare alle comodità che offre la città. Cerca di fargli/farle cambiare idea.

40 **6 Scriviamo**

Il vostro Comune ha deciso di costruire, in un'area abbandonata della città, un altro centro commerciale. Scrivete un'email al sindaco e proponetegli un progetto più ecosostenibile, spiegando quali sarebbero i vantaggi per i cittadini.

p. 104
Test finale

L'Italia è famosa in tutto il mondo per le sue opere d'arte e per le sue città storiche, ma sul suo territorio si trovano anche delle bellezze naturali uniche al mondo. Queste sono alcune tra le più famose:

a ☐

LE MERAVIGLIE NATURALI D'ITALIA

1 Leggete i testi e abbinateli alle fotografie.

Le **Dolomiti**, dette anche "monti pallidi" per il caratteristico colore chiaro, sono una catena montuosa che si estende nelle regioni del Trentino Alto Adige, Veneto e Friuli Venezia Giulia. Le sue cime* superano i 3.000 metri di altezza e al tramonto prendono un colore rosa che dà vita ad uno spettacolo meraviglioso.

1 ....

Anche l'Italia ha il suo canyon: sono le **Gole di Celano**, che si trovano in Abruzzo, all'interno di un parco nazionale. Questo canyon è nato dall'erosione* di un piccolo fiume, che ha creato una frattura profonda 200 metri e lunga 4 chilometri. Oltre alla bellezza del luogo, i visitatori possono ammirare anche alcune specie protette di uccelli, come le aquile.

2 ....

L'**Etna** è il più grande vulcano attivo in Europa, e rappresenta un laboratorio naturale. Le continue eruzioni* hanno trasformato la flora* e la fauna* mediterranea tipica della Sicilia in un ambiente suggestivo, quasi lunare. Un ambiente tutelato dal parco naturale dell'Etna. Il vulcano presenta diverse bocche, nelle quali vengono effettuate escursioni*, a varie altitudini di facile accesso da parte dei visitatori e dei ricercatori.

3 ....

L'elegante isola di Capri, che si trova vicino a Napoli, "nasconde" un segreto: è la **Grotta Azzurra**, una grotta naturale a cui si arriva solo in barca e che ha all'interno delle acque di un colore blu intenso, che rendono questo luogo davvero magico.

4 ....

b ☐

c ☐

Le **Rocce Rosse** sono una spettacolare scogliera che si affaccia sullo splendido mare della Sardegna, più precisamente ad Arbatax, e che ha un caratteristico colore rosso, che la rende unica, soprattutto alla luce del tramonto.

5

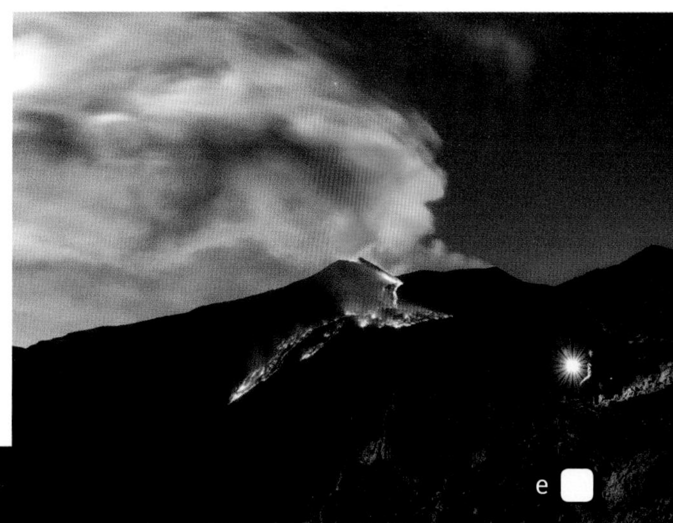

QUANTO SONO "VERDI" GLI ITALIANI?

Secondo una recente ricerca realizzata da *LifeGate*, la sensibilità degli italiani per i problemi ambientali è in aumento: il 32% degli intervistati infatti dichiara di essere attento alla salvaguardia* dell'ambiente. Vediamo in breve quali sono le loro abitudini:

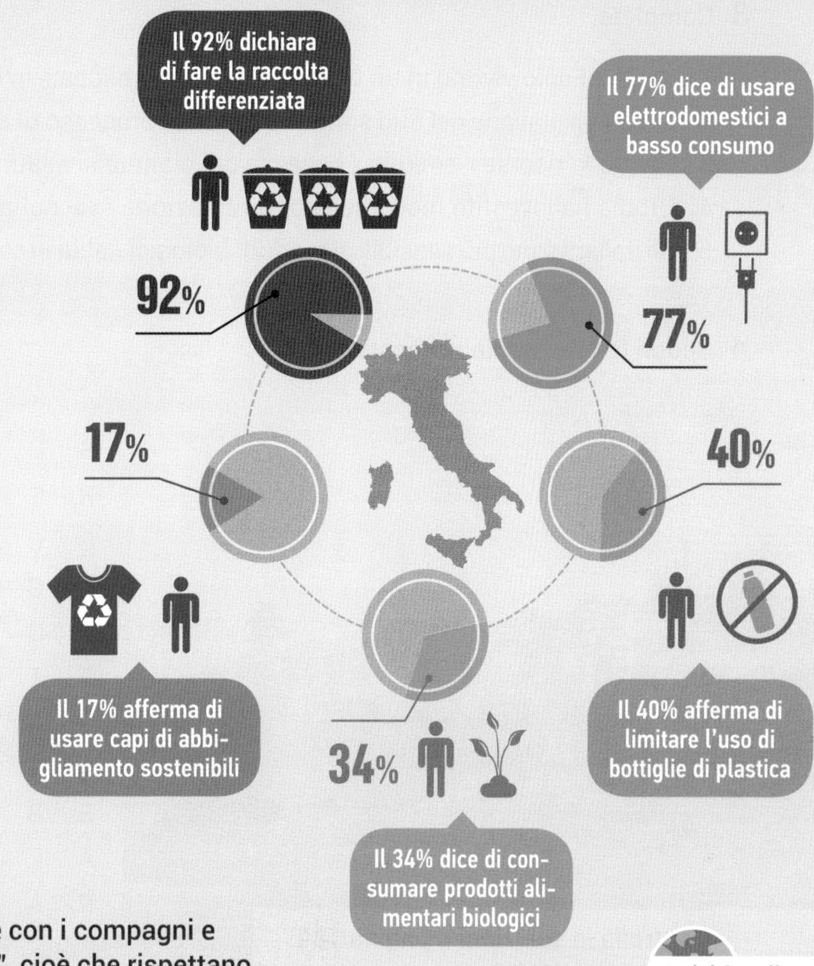

Glossario. *cima:* la parte più alta di qualcosa, in questo caso delle montagne; ***erosione:*** qui, azione dell'acqua che scava la superficie terrestre; ***eruzione:*** uscita di gas, lava, cenere dalla bocca di un vulcano; ***flora:*** insieme delle piante; ***fauna:*** insieme delle specie animali; ***escursione:*** qui, gita a scopo di studio; ***salvaguardia:*** protezione, tutela.

2 E voi? Siete "sostenibili"? Discutete con i compagni e parlate delle vostre abitudini "verdi", cioè che rispettano l'ambiente. Fate degli esempi.

Attività online

Che cosa ricordi delle unità 6 e 7?

1 Sai...? Abbina le due colonne.

1. dare consigli ☐
2. esprimere un desiderio ☐
3. porre condizioni ☐
4. presentare un fatto come facile ☐
5. dare il permesso ☐

a. *Farò una passeggiata a patto che non piova.*
b. *Non andare mai a vedere questo spettacolo.*
c. *Aprire il nuovo conto è stato facile alla fine!*
d. *Certo! Apra pure, non mi dà fastidio.*
e. *Magari mi fossi laureato in Medicina!*

2 Abbina le frasi.

1. Non conosce la strada? ☐
2. Abbiamo avuto l'impressione che ☐
3. Ho conosciuto certi ☐
4. Ma come ce l'hai fatta? ☐
5. Li avessi conosciuti prima ☐

a. li avrei invitati.
b. Semplice, con il suo aiuto.
c. Chieda al vigile!
d. ragazzi molto interessanti.
e. il tenore fosse malato.

3 Completa.

1. Carla e Fabio vivono in un bel angolo / casa / bilocale in centro.
2. Le regioni italiane del Sud sono vittime di un processo di alluvione / desertificazione / incendi.
3. Presto le risorse / energie / bellezze del pianeta si esauriranno.
4. L'Italia ha investito molto sulla deforestazione / raccolta differenziata / energie rinnovabili.
5. Gli italiani sono più sensibili ai prodotti biologici / abiti in cotone organico / problemi ambientali.

4 Scopri le otto parole nascoste.

S	D	T	A	P	P	L	A	U	S	I	S
R	T	E	L	L	R	Z	O	R	I	N	O
G	C	N	I	C	I	A	T	P	C	R	T
T	C	O	D	E	N	L	Q	E	C	A	T
I	Q	R	A	N	C	L	E	B	I	L	O
F	T	E	L	S	E	O	F	H	T	Z	S
G	A	M	M	I	N	F	T	R	A	A	U
I	G	A	E	O	D	R	B	Q	G	Q	O
E	B	P	A	Z	I	E	N	T	E	F	L
A	L	L	U	V	I	O	N	E	N	T	O
P	A	L	C	O	S	C	E	N	I	C	O

Controlla le soluzioni a pagina 189.
Sei soddisfatto/a?

 Isola Bella, Lago Maggiore (Lombardia)

Per cominciare...

1 Osservate i disegni: in quale di queste immagini vi riconoscete? Cosa fate più spesso?

13 CD 2 **2** Ascoltate l'inizio del dialogo: di quale delle attività precedenti si parla?
Secondo voi, come continua il dialogo?

14 CD 2 **3** Ora ascoltate tutto il dialogo e indicate le informazioni presenti.

- ☐ 1. Lorenzo ha già superato tutti gli esami.
- ☐ 2. Lorenzo è rimasto sveglio fino a tardi.
- ☐ 3. Gianna ha molti amici su Facebook.
- ☐ 4. Lorenzo non ha superato gli esami per colpa di Instagram.
- ☐ 5. Sia Gianna che Lorenzo usano i social network per lavoro.
- ☐ 6. Gianna pensa che Lorenzo esageri con l'uso dei social.
- ☐ 7. Alla fine Lorenzo pensa che Gianna abbia ragione.

In questa unità impariamo...

- *a complimentarci con qualcuno*
- *a fare ipotesi realizzabili o no*
- *a esprimere approvazione e disapprovazione*
- *a parlare dei pro e dei contro della tecnologia*

- *il periodo ipotetico: 1°, 2° e 3° tipo*
- *gli usi delle particelle pronominali* ci *e* ne
- *alcune informazioni su scienziati, inventori e nobel italiani*

A Se avessi voluto sentire delle critiche...

1 Riascoltate e leggete il dialogo per confermare le risposte dell'attività precedente.

Lorenzo: Se più tardi sei al bar, magari passo a trovarti.

Gianna: Ok, forse ci vediamo là. Senti, come va con lo studio? Manca poco ormai.

Lorenzo: Molto bene, guarda. Questa volta sono proprio deciso, supererò tutti gli esami.

Gianna: Ah, bene... No, perché ho visto che stamattina hai già fatto tre post su Facebook...

Lorenzo: Ma sì, è solo per rilassarmi.

Gianna: E ieri notte alle 2 eri su Instagram?

Lorenzo: Ma che fai, mi spii?

Gianna: No, caro, ma è evidente che sei sempre sui social network invece di studiare!

Lorenzo: Guarda che anche tu, se studiassi tutto il giorno, avresti bisogno di staccare per un po'...

Gianna: Ma sei sempre davanti a uno schermo Lorenzo!

Lorenzo: Gianna, mica posso isolarmi! Sai che ho 2.000 amici e followers. Tu se ne avessi tanti non faresti lo stesso?

Gianna: Sì, 2.000 amici di cui di persona non ne conosci nemmeno un terzo.

Lorenzo: Che c'entra? Perché tu i tuoi li conosci tutti?

Gianna: No, ma io uso i social soprattutto per lavoro, mica faccio la... collezione di "mi piace".

Lorenzo: Uffa, non fare la rompiscatole, mica sono l'unico che sta su Facebook.

Gianna: Sì, ma poi ti lamenti che non riesci a laurearti, gli altri superano gli esami e tu stai a chiacchierare sui social!

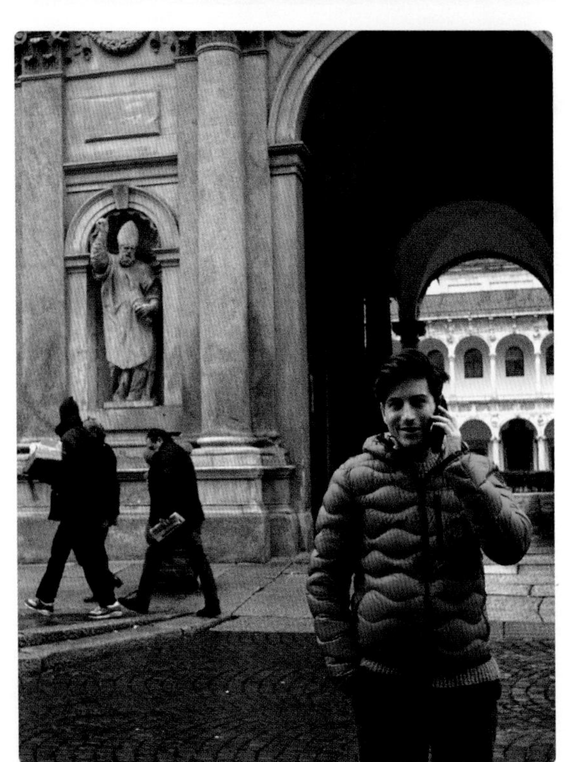

Lorenzo: Scusami se ho una vita sociale. Lo studio non è tutto, sai.

Gianna: Infatti, c'è anche il lavoro. Va be', lasciamo perdere.

Lorenzo: Gianna, se avessi voluto sentire delle critiche sarei tornato a vivere con i miei...

Gianna: Se continui a postare selfie e non ti laurei, mi sa che ci torni presto.

2 Osservate le espressioni evidenziate nel dialogo e abbinate le due colonne sull'uso di queste espressioni.

1. Ho lavorato troppo al PC,	☐	a. dimmi la verità mica le solite bugie!
2. Quando ti lamenti,	☐	b. ma sono sicuro che non c'entra nulla.
3. Dimmi come sono andate le cose, però	☐	c. devo staccare, sono stanco.
4. Hanno arrestato Mario,	☐	d. sei un vero rompiscatole!

3 Scegliete il verbo giusto e completate il dialogo tra Lorenzo e Gianna.

Gianna... A proposito di quello che dicevamo ieri, guarda che ho trovato!!

"ALESSIO ESPOSITO è tra i 5 influencer più famosi d'italia"
I suoi video divertenti sono seguiti dai giovani e dai loro genitori. Ha dichiarato: "Sono la mia seconda grande famiglia!"

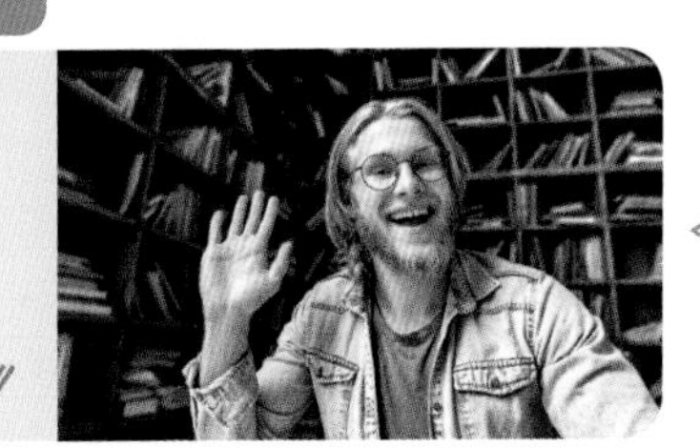

"Il lavoro del futuro? L'INFLUENCER!"
Uno smartphone e una fotocamera: i giovani guadagnano così!

Lorenzo... Non penserai / vorrai (1) mica di essere un influencer?! Ahahahaha

Sto pensando che se riuscissi a gestire meglio il mio tempo, dovrei / potrei (2) studiare e curare la mia pagina Instagram.

Ma per fare cosa?

Ma fidati! Non fare la solita... ho letto che se si raggiungevano / si raggiungono (3) 10.000 follower, la pubblicità ti comincia a pagare! Non è una perdita di tempo!

Sì, certo... se tu avessi / fossi (4) qualcosa di interessante da postare, potrei anche capirlo... e poi, ti dico una cosa... se ti impegnavi / ti impegnassi (5) all'università così come ti impegni a scorrere le pagine Facebook, saresti già laureato e avresti un lavoro.

Grazie per il supporto, eh?! Stai tagliando le ali a un futuro grande influencer!

4 Lavorate in coppia. Alcune coppie, a scelta, riassumono il dialogo di A1 con una frase di circa 10-15 parole, mentre le altre con due frasi di circa 15-20 parole. Poi, confrontate i vostri riassunti.

5 Nel dialogo iniziale abbiamo visto "*Se più tardi sei al bar, magari passo a trovarti*", ora osservate e completate la tabella sul periodo ipotetico del 1° tipo.

Periodo ipotetico del *1° tipo*

Se oggi vai in palestra, vengo con te.
Se oggi andrai in palestra, verrò con te.

Il .... o il futuro semplice indicativo nella frase che esprime la condizione (che inizia con *se*)	Il presente o il .... indicativo nella frase che esprime la conseguenza

Il periodo ipotetico della **realtà** esprime un'ipotesi, nella condizione, reale o molto probabile.

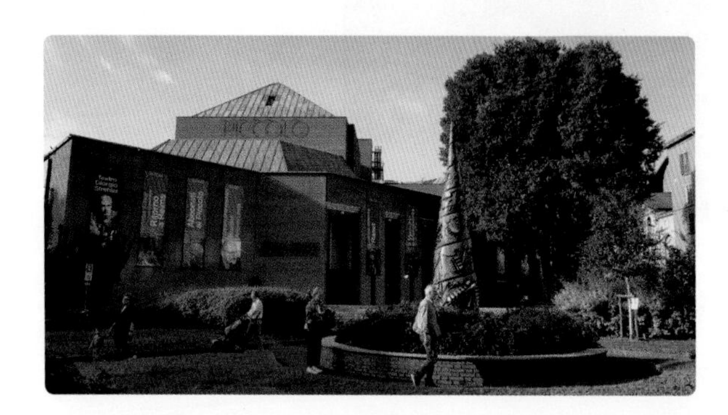

6 Completate liberamente le frasi che seguono.

1. Se esce la nuova serie TV...
2. Se scarichi questa applicazione per la corsa...
3. Se ci sarà bel tempo questo fine settimana...
4. ...potremo partire anche domani.
5. ...non arrivano a teatro in tempo.
6. ...ti fa bene all'umore!

7 Sempre nel dialogo A1, Lorenzo dice:

Se studiassi tutto il giorno, avresti bisogno di staccare per un po'.

Completate la tabella sul periodo ipotetico del 2° tipo.

Periodo ipotetico del *2° tipo*

Se andassi in palestra, verrei con te.

L'............................ **congiuntivo** nella frase che esprime la condizione (che inizia con *se*)	Il .... **presente** nella frase che esprime la conseguenza

Il periodo ipotetico della **possibilità** esprime un'ipotesi, nella condizione, probabile ma non è sicuro che si realizzi.

8 a Completate il testo, coniugando i verbi tra parentesi.

Se mi .... (1. *chiedere*) che libro vorrei essere .... (2. *rispondere*) un bel librone polveroso, lasciato lassù sull'ultimo scaffale della libreria, non perché brutto, bensì perché troppo difficile da capire. Se .... (3. *essere*) un libro, ... (4. *avere*) almeno quattrocento pagine, la copertina .... (5. *essere*) grigia scura con qualche pennellata di rosso e di verde mare. Se .... (6. *dare*) importanza ai colori non .... (7. *essere*) un caso. In realtà, il mio desiderio sarebbe un altro, essere un quadro. E se .... (8. *essere*) un quadro, ... (9. *volere*) essere dentro una cornice adeguata al soggetto, protetto da un vetro spesso e opaco che non riflette la luce ed esposto in una galleria o in una casa dove ci sono molti visitatori che si fermano davanti a me con le espressioni più varie. Bello. Mi piacerebbe proprio.

b In coppia, verificate le vostre risposte.

es. 1-5 p. 13

B Complimenti!

15 CD 2

1 Ascoltate i mini dialoghi e indicate in quali la reazione è positiva e in quali è negativa.

	positiva	negativa
1.		
2.		
3.		
4.		
5.		
6.		
7.		
8.		

15 CD 2

2 Ascoltate di nuovo e completate la tabella con le espressioni dei dialoghi.

Congratularsi - approvare	Disapprovare
....!	....!
Complimenti!	....!
....	....!
Questa sì che è una bella idea!	Ma quando mai?!

3 Sei *A*: parla a *B*...

del nuovo cellulare che hai comprato

dello sciopero generale di domani

del torneo che hai vinto a calcetto con la tua squadra

Sei *B*: rispondi a quello che ti dice *A* con le espressioni appena ascoltate, poi parla ad *A*...

dell'esame all'università che hanno rimandato

della tua intenzione di rimanere a casa a vedere la TV

del nuovo video che hai postato su Instagram

4 Osservate e completate la tabella sul periodo ipotetico del 3° tipo.

Periodo ipotetico del *3° tipo*

Se fossi andato in palestra, sarei venuto con te.

Il .... congiuntivo nella frase che esprime la condizione (che inizia con *se*)	Il .... passato nella frase che esprime la conseguenza

Il periodo ipotetico dell'**impossibilità** esprime un'ipotesi improbabile, per questo irrealizzabile, che non può più diventare realtà perché si riferisce a una condizione passata.

5 Ora coniugate il verbo tra parentesi e completate le frasi.

1. Se mi .... (*avvisare* - tu), sarei venuto anche io alla riunione.
2. Se ieri fossi venuto con noi, ... (*conoscere* - tu) Daniela.
3. Se .... (*prenotare* - noi) ieri, avremmo trovato posto al ristorante.
4. Se avessi studiato abbastanza, ... (*superare* - tu) l'esame senza problemi.

6 Osservate la tabella e, in coppia, scrivete una frase simile.

Ipotesi al passato con conseguenza nel presente

Se non fossi andato in palestra, oggi non saresti così in forma.

Il .... congiuntivo nella frase che esprime la condizione (che inizia con *se*)	Il .... presente nella frase che esprime la conseguenza

Per un riepilogo e per vedere altre forme di periodo ipotetico, andate all'Approfondimento grammaticale a pagina 203.

es. 6-11 p. 133

C Non toglietemi lo smartphone!

1 Osservate e commentate queste foto.

2 Rispondete.

1. Quanto spesso usate lo smartphone durante la giornata e per fare cosa?
2. Secondo voi, fate un uso sano del cellulare? E i vostri amici?
3. Ormai gli smartphone sono indispensabili. Cosa provate quando non lo avete con voi?
4. Pensate, cosa vorreste o non vorreste fare con lo smartphone in futuro?

3 Leggete il testo e rispondete alle domande.

"COSÌ MI SONO LIBERATA DA FACEBOOK"

ROMA - Ho disattivato il mio account Facebook da oltre un mese. Dopo otto anni in cui, dei miei 900 amici, ho visto nascere i loro figli, morire i loro gatti, crescere i loro amori, ho condiviso gioie e dolori, alla fine ho scelto di smettere di guardare le foto delle loro vacanze e dei loro panini.

L'ho fatto perché di Facebook ero diventata dipendente. Dalla mattina - ancora nel letto - alla colazione, passando per il bagno. Poi in macchina, al lavoro, dopo il lavoro, durante l'aperitivo mentre l'amico parla e tu lo ascolti ma non lo guardi perché gli occhi sono incollati sulla pagina biancoblu, a cena, dopocena, al cinema, al concerto, a letto. Addormentarsi su Facebook. Come se fosse normale.

Ne ho parlato con gli amici e ho capito che non ero la sola ad avere il problema. Per noi, gente con più di trenta anni, senza figli, spesso senza lavoro, abbondante vita sociale e tanto tempo a disposizione, "scrollare" è diventato una dipendenza. E con scrollare intendo quel movimento del dito indice che accarezza verso l'alto lo schermo di un cellulare per visualizzare a cascata gli aggiornamenti dei principali social network.

Io il 4 agosto ho deciso e ho disattivato il mio account. Facebook mi ha chiesto perché e io ho risposto perché passavo troppo tempo online; lui mi ha suggerito che avrei potuto ridurre le notifiche, io gli ho detto che non mi interessava più; lui ha giocato la carta del senso di colpa mostrandomi le foto dei miei migliori amici e dicendomi che a loro sarei mancata, non ho vacillato e così io e Facebook ci siamo lasciati.

Da più di un mese non sono più su Facebook e non ne ho mai sentito la mancanza. Quando mi sveglio accendo la radio, faccio colazione e guardo fuori dalla finestra magari leggendo le mail e i messaggi che ora gli amici mi scrivono più numerosi, in bagno leggo una rivista e durante l'aperitivo riscopro quanto sono belli gli occhi verdi del mio amico. A cena, seduta davanti a Maria e Silvia le trovo entrambe intente a scrollare mentre parlo. Glielo faccio notare, si scusano e spero che presto possano tornare a guardarmi anche loro. La sera mi addormento leggendo un libro. Che belle le sere senza Facebook.

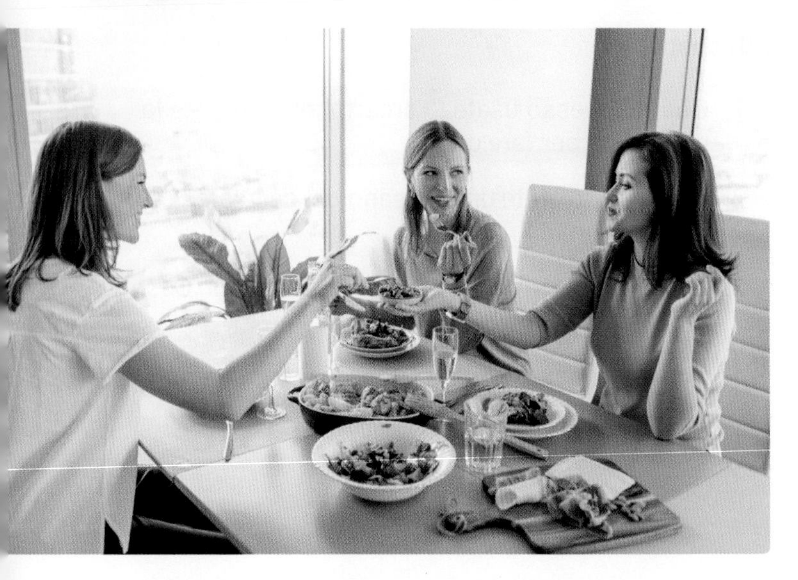

Da più di un mese mi diverte riscoprire il piacere di telefonare o andare a trovare gli amici ogni volta che avrei dovuto scrivergli un messaggio privato e mi emoziona ascoltare i racconti delle loro vacanze, immaginare spiagge e canoe, senza averli già visti fotografati sulle loro bacheche. C'è il timore di perdere il contatto con il virale e le nuove mode, di dimenticare il compleanno di Giulio, di venire a conoscenza con 48 ore di ritardo della morte dell'ultimo famoso. L'ho vissuto, ma la soddisfazione di essere fuori da una dipendenza che mi stava rendendo una versione peggiore di me stessa è più forte dell'emozione per l'invito al party più ambito della stagione.

Eppure qualcosa sento di averlo perso. Si tratta dell'effetto megafono, di quel passaparola veloce e intrusivo che solo un annuncio su Facebook può garantire. Così per trovare un monolocale per un amico ora mi tocca uscire di casa e parlare con i vicini, chiedere informazioni. Forse l'esito della ricerca non sarà così rapido e certo come quello di un post, ma nel percorso verso la mia informazione avrò stretto la mano a tre persone nuove.

adattato da *inchieste.repubblica.it*

1. Cosa pensate della scelta fatta dalla protagonista? In quali delle situazioni che descrive vi riconoscete?
2. Quali sono, secondo voi i pregi e i difetti dei social network? Motivate la vostra risposta.

4 **Vi piacciono i videogiochi? Ci giocate spesso o conoscete qualcuno che ci gioca? Secondo voi, quali sono gli aspetti positivi e negativi di questo passatempo? Discutetene insieme.**

5 **Quali di queste parole conoscete già? Riuscite a immaginare l'argomento del brano che ascolteremo?**

dipendenza ❖ *patologia* ❖ *rabbia*
abuso ❖ *terapia* ❖ *eccessivo*

6 **Ascoltate il brano "Giovani e dipendenza da videogiochi" e indicate quale affermazione è vera o falsa.**

	V	F
1. In vacanza i giovani non dovrebbero portare né tablet né computer.		
2. Spesso i giovani chattano con sconosciuti.		
3. I giovanissimi sono soprattutto dipendenti da giochi violenti.		
4. La dipendenza dai videogiochi è la semplice dipendenza dalla rete.		
5. I genitori dovrebbero conoscere i giochi usati dai figli.		
6. I genitori dovrebbero imparare a giocare meglio dei loro figli.		

7 Osservate la tabella su alcuni dei più importanti usi della particella *ci* e provate ad abbinarli alle funzioni che esprimono, come nell'esempio.

Usi di *ci*

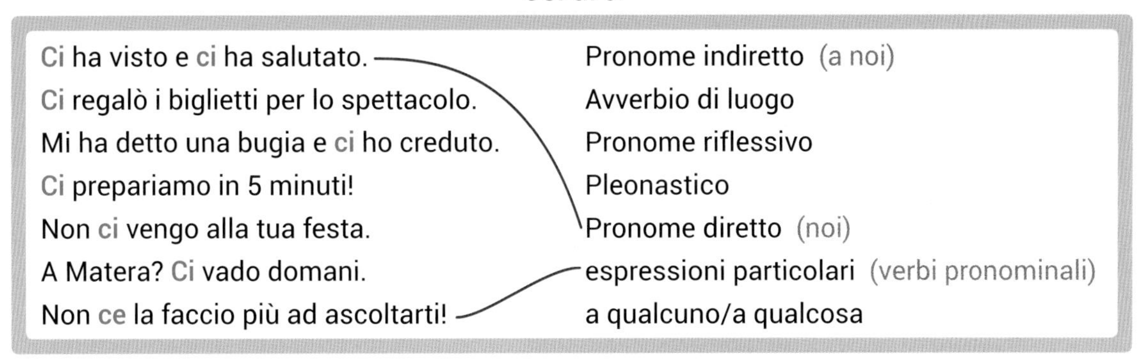

Ci ha visto e ci ha salutato.	Pronome indiretto (a noi)
Ci regalò i biglietti per lo spettacolo.	Avverbio di luogo
Mi ha detto una bugia e ci ho creduto.	Pronome riflessivo
Ci prepariamo in 5 minuti!	Pleonastico
Non ci vengo alla tua festa.	Pronome diretto (noi)
A Matera? Ci vado domani.	espressioni particolari (verbi pronominali)
Non ce la faccio più ad ascoltarti!	a qualcuno/a qualcosa

Per una lista completa degli usi di ci *potete consultare l'Approfondimento grammaticale a pagina 204.*

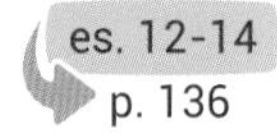
es. 12-14 p. 136

D Sempre connessi

1 Leggete questa pagina web promozionale e poi individuate l'offerta migliore per ogni cliente.

A

B

C

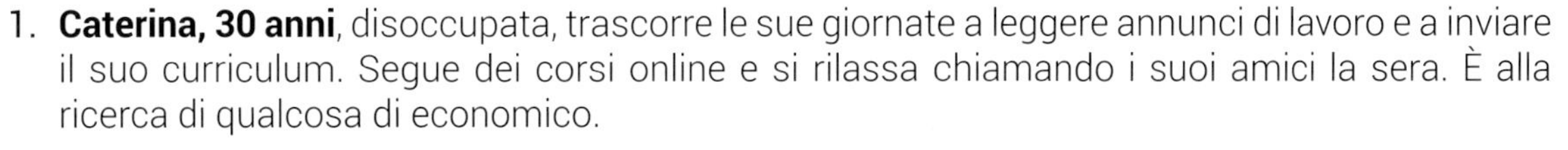

1. **Caterina, 30 anni**, disoccupata, trascorre le sue giornate a leggere annunci di lavoro e a inviare il suo curriculum. Segue dei corsi online e si rilassa chiamando i suoi amici la sera. È alla ricerca di qualcosa di economico. 
2. **Renato, 55 anni**, professore universitario di Filosofia, viaggia molto spesso in tutta Europa per tenere seminari e conferenze. È alla ricerca di una tariffa che gli permetta di poter inviare email, di fare videoconferenze e di poter vedere film durante i suoi viaggi. Il cinema, infatti, è la sua passione. 
3. **Alessandra, 18 anni**, studentessa di liceo, ha tantissime passioni e vuole condividerle con i suoi amici. È alla ricerca di una tariffa economica ma che le permetta di essere sempre connessa per ascoltare musica, postare foto e storie sui social e guardare le sue serie tv preferite. 

2 In gruppi. Scegliete un'offerta dell'attività precedente, create un poster pubblicitario con slogan e informazioni principali e presentatelo alla classe. Poi votate il migliore.

3 Osservate la tabella, poi abbinate gli esempi agli usi della particella *ne*.

Usi di *ne*

1.	• Hai saputo di Gianni e Elisa?	• No, non ne so niente. Racconta!
2.	• È così grave la situazione?	• Sì, e non sanno come uscirne.
3.	• Quante mail inviate al giorno?	• Poche, ma ne riceviamo moltissime.

[3] **ne partitivo** ☐ **di qualcosa/qualcuno** ☐ **da un luogo/da una situazione**

Per una lista completa degli usi di ne*, consultate l'Approfondimento grammaticale a p. 205.*

4 Completate le frasi con *ci* o *ne*.

1. Mi ha offerto di lavorare nella sua azienda e gli ho risposto che .... penserò.
2. Le confesso che purtroppo di tecnologia non .... so molto.
3. Credevo che .... fosse anche lei a vedere l'ultimo spettacolo alla Scala.
4. Di cellulari .... avrò cambiati almeno una decina. Non .... credete?
5. Che bello cenare in giardino! Dovremmo approfittar .... di più, sai?
6. Michele .... ha convinti a fare l'esame il prossimo lunedì. Speriamo di riuscir ....!

es. 15-16 p. 137

5 Tra gli strumenti tecnologici, sicuramente lo smartphone è quello che ci permette di fare più cose. Voi per quali scopi lo usate? Vi è mai capitato di guardare un film o la vostra serie preferita sul cellulare? Confrontatevi e parlate di com'era il vostro primo cellulare e di com'è invece oggi. Quali sono le innovazioni tecniche che più apprezzate nel vostro ultimo smartphone?

6 Leggete i testi (A e B) e poi indicate a quale dei due si riferiscono le affermazioni sotto.

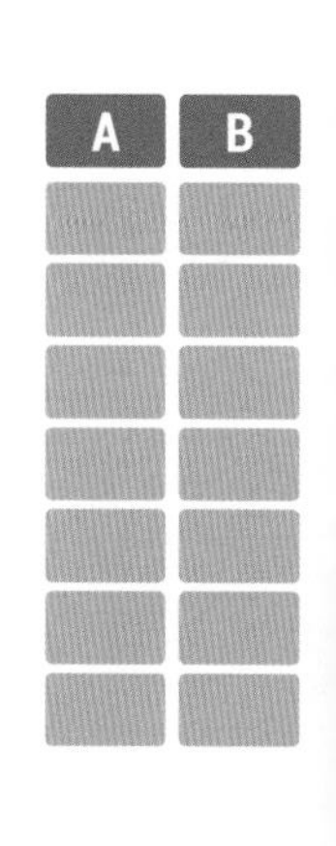

1. C'è un incremento degli spettatori nelle sale.
2. I film che vengono distribuiti arrivano in poche sale e per poco tempo.
3. Le piattaforme come Netflix non offrono solo streaming ma producono anche film.
4. I film pensati per piattaforme di streaming non sono adatti al grande schermo.
5. Netflix permette di realizzare film che alcuni produttori non vorrebbero produrre.
6. C'è chi crede che non sia giusto far partecipare agli Oscar i film offerti in streaming.
7. I guadagni di Netflix provengono dagli abbonamenti.

La tesi che Netflix o altre piattaforme di streaming uccidano il cinema in realtà è stata smentita da alcuni studi realizzati da *EY's Quantitive Economics e Statistics* sulla relazione tra la frequenza nelle sale e lo streaming.

I risultati mostrano che coloro che guardano abitualmente contenuti in streaming, sono anche tra le persone che vanno al cinema con più frequenza. Quindi Netflix non determina la diminuzione di persone nelle sale.

Al contrario, pare che il numero di persone che vanno al cinema sia aumentato. L'anno scorso, infatti, c'è stato un aumento del 5% sul numero di biglietti venduti. Inoltre, l'analista Micheal Pachter, ha affermato che, secondo le sue stime, il numero dovrebbe aumentare ancora dell'1% quest'anno, stabilendo un nuovo record.

Un ulteriore motivo per cui Netflix non sia un pericolo per il cinema non si basa su dati statistici, ma è un dato oggettivo.

Netflix non è più una semplice piattaforma di streaming che distribuisce contenuti ma adesso produce e investe cifre esorbitanti per offrire film e serie tv di qualità.

A questo proposito, Edward Norton ha lodato Netflix proprio perché ha deciso di produrre un film in bianco e nero e interamente in lingua spagnola, in cui probabilmente nessun produttore cinematografico avrebbe mai investito.

Ci sono alcuni elementi per cui la piattaforma di streaming Netflix, come altre piattforme, può essere considerata deleteria per l'industria del cinema.

In primo luogo, non tutti i film prodotti da Netflix sono distribuiti poi in sale cinematografiche. Inoltre, quelli che vengono distribuiti, sono disponibili in cinema selezionati per un periodo di tempo limitato.

Christopher Nolan è convinto della pericolosità delle piattaforme di streaming. Il regista e produttore britannico, infatti, ritiene che un film adatto al formato televisivo non possa essere considerato al pari dei film prodotti dai grandi studi cinematografici. Di conseguenza, se un film viene distribuito per un periodo limitato nelle sale non dovrebbe nemmeno poter essere candidato agli Oscar.

Una sottile differenza, che però – per Nolan – è determinante per capire cos'è vero cinema e cosa non lo è.

Tutte le piattaforme streaming sono un grande cambiamento nell'industria cinematografica. Gli *studios* attualmente guadagnano dalla distribuzione dei film in sala. Netflix non ha bisogno di sfondare il botteghino per generare profitto perché guadagna grazie agli abbonati che gli consentono di avere un'entrata più o meno fissa. Quest'entrata, però viene completamente spesa per i contenuti. Infatti, per mantenere stabile il numero di abbonati è necessario avere continuamente contenuti in arrivo.

adattati da *www.ciackclub.it*

7 **Fate un unico riassunto dei due testi che avete letto, includendo gli aspetti positivi e quelli negativi delle piattaforme di streaming. Poi discutete con i compagni ed esprimete la vostra opinione riguardo al tema.**

E Vocabolario e abilità

1 **a** Abbinate le immagini alle parole, come nell'esempio.

b Lavorate in coppia. Completate le frasi con le parole date e abbinatele alle immagini.

cartella ❖ *batteria* ❖ *pagine web* ❖ *tasti* *app (applicazione)* ❖ *email*

1. Questa .... per organizzare il programma quotidiano è fantastica!
2. Per copiare un testo con la tastiera, prima lo seleziono e poi premo i .... Ctrl + C.
3. Ieri ho ricevuto un'.. da Stefania, erano mesi che non mi scriveva!
4. I file del progetto sono tutti nella .... che si chiama "ufficio".
5. Queste .... le ha create Massimo, te lo dicevo che è veramente in gamba.
6. La .... di questo cellulare si scarica subito, ormai è da sostituire.

2 Obbligo-verità

Tutti i giocatori si dispongono in cerchio. Un giocatore (che chiamiamo "primo giocatore") sceglie un altro giocatore ("secondo giocatore") e gli chiede di rispondere a una domanda di questo tipo: "*Cosa faresti se...?*".
Il secondo giocatore deve rispondere prima di tutto in modo sincero, se risponde anche in modo corretta guadagna 2 punti e ne toglie 1 al primo giocatore che ha formulato la domanda. Se risponde in maniera errata perde 1 punto e ne fa guadagnare 1 al primo giocatore.
Se si rifiuta di rispondere, perché non vuole dire la verità, dovrà fare un "obbligo" deciso sempre dal primo giocatore (ad esempio, *Scrivi alla lavagna il congiuntivo del verbo "supporre"*, *Trova due sinonimi della parola "bello"*, ecc.).
Se alla domanda "obbligo" risponde correttamente vince 1 punto, se risponde in maniera errata ne perde 1 e ne fa guadagnare 1 al primo giocatore che ha formulato la domanda "obbligo". In ogni caso, il turno passa al secondo giocatore che a sua volta sceglie un terzo giocatore e il gioco continua.
Il gioco potrebbe finire quando hanno giocato tutti e lo scopo è fare quanti più punti possibile. Buon divertimento!

3 Ascolto Quaderno degli esercizi (p. 141)

4 Situazioni

1. ***A***: ti sei appena trasferito in Italia e vuoi comprare una scheda SIM italiana. Entri in un negozio di telefonia e chiedi informazioni.
   B: Sei il/la commesso/a di un negozio di telefonia e devi aiutare ***A*** a scegliere l'offerta più adatta a lui/lei. Puoi utilizzare le informazioni dell'attività D1 a pagina 45.
2. ***A***: stai viaggiando in treno e il passeggero seduto accanto a te, che è ***B***, decide di guardare tutti gli episodi della sua serie preferita sul suo smartphone, ma senza cuffie o auricolari. Fagli capire che ti sta disturbando.
   B: rispondi ad ***A*** ed esprimi il tuo punto di vista.

120-140

5 Scriviamo

1. Nonostante tu abbia pagato regolarmente l'abbonamento mensile a una piattaforma di streaming, il tuo profilo non funziona e ti appare un messaggio di errore che ti invita a pagare nuovamente. Scrivi un'email al servizio clienti per spiegare il tuo problema e per chiedere assistenza.
2. "La tecnologia dovrebbe migliorare la tua vita, non diventare la tua vita." Rifletti su questa affermazione e spiega, secondo te, qual è il rapporto che abbiamo con la tecnologia al giorno d'oggi e quali conseguenze ne derivano.

es. 17-21 p. 139

p. 105
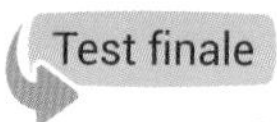
Test finale

Leonardo da Vinci (1452-1519)

Uno dei personaggi italiani più famosi al mondo: non è stato solo un grande pittore, ma anche scrittore, scenografo, architetto, scienziato, un precursore* dei tempi. Le sue opere di ingegneria e le sue innumerevoli invenzioni* ne sono la prova.

Sopra uno dei tanti progetti di macchine idrauliche di Leonardo, ma anche la bicicletta e una ricostruzione dell'automobile che ideò.

L'ITALIA E LA SCIENZA

1 **Leggete il testo e associate ogni scienziato alla sua invenzione.**

Molti sono gli scienziati italiani che, con invenzioni e scoperte, hanno dato il loro contributo al progresso dell'umanità. Vediamo i più famosi:

Galileo Galilei (1564-1642)

È stato il fondatore del metodo scientifico sperimentale*. Tra le sue invenzioni ricordiamo il termoscopio*, il compasso*, il microscopio* e il perfezionamento del telescopio*. Grazie a quest'ultimo ha potuto scoprire i satelliti di Giove e le macchie solari.

Occupandosi di astronomia, Galilei sosteneva la teoria di Copernico, secondo la quale è la Terra a girare intorno al Sole e non il contrario, come invece sosteneva la Chiesa in quei secoli. Infatti, per evitare la condanna della Chiesa, Galilei ha dovuto rinnegare* pubblicamente le sue teorie.

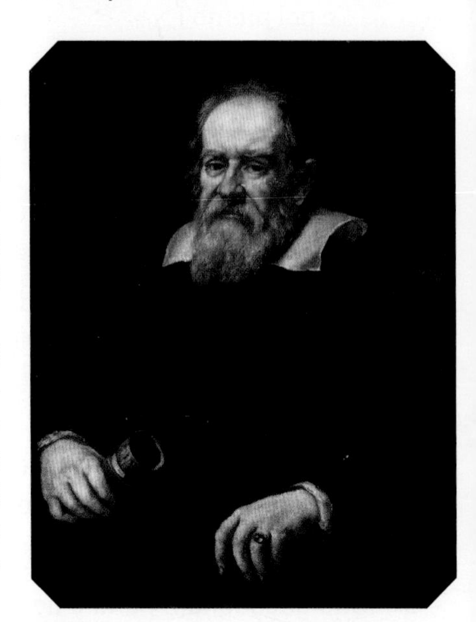

Alessandro Volta (1745-1827)

Dal suo nome deriva il Volt, l'unità di misura dell'elettricità. Nel 1779, insegna Fisica sperimentale all'Università di Pavia ed è già conosciuto per l'invenzione dell'elettroforo, uno strumento che serviva per accumulare* cariche elettriche*. Ma è del 1800 la sua grande invenzione: la batteria elettrica, che ha dato inizio all'uso pratico dell'elettricità.

Antonio Meucci (1808-1889)

Nel 1863 ha costruito un apparecchio telefonico, usando la tecnica di trasmissione della voce che usiamo ancora oggi. Purtroppo non aveva i soldi né per brevettare* né per produrre la sua invenzione. Dopo aver combattuto una lunga battaglia legale contro Graham Bell, che aveva registrato nel frattempo il brevetto di un apparecchio simile a quello di Meucci, è morto in povertà. Nel 2002 però anche il Congresso americano ha finalmente riconosciuto Meucci come l'inventore del telefono.

Guglielmo Marconi (1874-1937)

È stato il primo a intuire la possibilità di utilizzare le onde elettromagnetiche per trasmettere messaggi a distanza senza l'uso di fili. Nel 1896 ha brevettato il suo apparecchio trasmittente (una specie di radio) e l'anno seguente è riuscito a trasmettere segnali a una nave ad oltre 15 km di distanza. Negli anni successivi ha realizzato altri impressionanti esperimenti, come il primo collegamento radiotelegrafico attraverso l'Oceano Atlantico, e nel 1909 ha ottenuto il premio Nobel per la Fisica.

Con le sue invenzioni, Marconi ha cambiato il mondo ed è giustamente considerato il "padre" delle telecomunicazioni.

1. Alessandro Volta ❖ 2. Galileo Galilei
3. Guglielmo Marconi ❖ 4. Antonio Meucci

Alcuni Nobel italiani in campo scientifico

Enrico Fermi ha ricevuto il Nobel per la Fisica nel 1938 per la scoperta della radioattività artificiale. Partecipò alla creazione della prima bomba atomica.

Giulio Natta ha ricevuto il Nobel per la Chimica nel 1963 insieme a Karl Ziegler per la scoperta del propilene isotattico (Moplen), cioè la plastica leggera di molti utensili quotidiani.

Rita Levi-Montalcini ha ricevuto il Nobel per la Medicina nel 1986 per le sue scoperte sul sistema nervoso, utili per la cura di malattie come l'Alzheimer.

2 Ci sono stati degli scienziati o inventori famosi nel vostro Paese? In piccoli gruppi, fate una ricerca e poi presentate le informazioni ai vostri compagni.

Attività online

Glossario. ***precursore:*** chi anticipa nel tempo idee e scoperte; ***invenzione:*** oggetto ideato, progettato, creato e che prima non esisteva; ***sperimentale:*** detto di un metodo che si basa sull'esperienza e sugli esperimenti; ***termoscopio:*** strumento capace di indicare, ma non di misurare, un cambiamento di temperatura in un corpo; ***compasso:*** strumento usato per disegnare circonferenze o per misurare brevi distanze; ***microscopio:*** *strumento capace di ingrandire oggetti molto piccoli, che non si vedono ad occhio nudo;* ***telescopio:*** strumento per vedere oggetto molto lontani; ***rinnegare:*** non riconoscere più un'idea, una teoria, una fede in cui si credeva; ***accumulare:*** raccogliere in gran quantità; ***carica (elettrica):*** quantità di elettricità contenuta in un corpo; ***brevettare:*** avere il brevetto, cioè un documento ufficiale che riconosce a una persona la proprietà di un'invenzione e il diritto di sfruttarla.

AUTOVALUTAZIONE

Che cosa ricordi delle unità 7 e 8?

1 Sai...? Abbina le due colonne.

1. fare un'ipotesi realizzabile
2. presentare un fatto come facile
3. fare una domanda indiretta
4. fare un'ipotesi impossibile
5. disapprovare

- [ ] a. *Vogliono 400 euro di caparra? Ma per favore!*
- [ ] b. *L'esame... è stato facile alla fine!*
- [ ] c. *Se avessi comprato la moto, avrei fatto un viaggio in Puglia.*
- [ ] d. *Se chiami alle 13, ti risponderà Marzia.*
- [ ] e. *Mi chiedo chi abbia scritto una cosa così.*

2 Abbina le frasi. Attenzione, nella colonna a sinistra c'è una frase in più.

1. Marta non sa scaricare il programma.
2. Credevo che in Italia
3. Non è possibile!
4. Se mi portasse il software
5. Complimenti, come avete fatto?
6. Ricordate Chiara?

- [ ] a. Hanno bocciato Anna all'esame.
- [ ] b. potrei installarlo sul tuo PC.
- [ ] c. Ci ha invitato a casa sua in montagna.
- [ ] d. È assurdo... è così facile!
- [ ] e. producessero più energia solare.

3 Completa.

1. Il più grande vulcano attivo in Europa: ....
2. Il "padre" delle telecomunicazioni: ....
3. *Ci* può sostituire vari tipi di pronomi, scrivine tre: ....
4. Il congiuntivo trapassato di *essere* (*noi*): ....
5. Nome del luogo dove tengo tutti i miei file: ....

4 Scrivi i verbi o i nomi derivati.

1. installazione ....
2. connettersi ....
3. stampare ....
4. riciclaggio ....
5. spreco ....
6. inventare ....
7. salvaguardare ....

Controlla le soluzioni a pagina 189.
Sei soddisfatto/a?

Duomo di Amalfi, Campania

L'arte... è di tutti!

Unità 9

Glossary p. 222

Per cominciare...

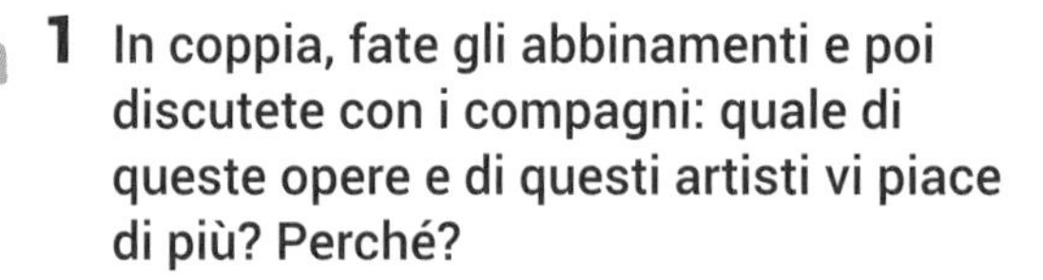

1 In coppia, fate gli abbinamenti e poi discutete con i compagni: quale di queste opere e di questi artisti vi piace di più? Perché?

1. **Caravaggio**, *Ragazzo con il liuto* (XVI sec.); 2. **Leonardo da Vinci**, *La Gioconda* (XVI sec.); 3. **Michelangelo**, *Il Giudizio Universale* (XVI sec.); 4. **Tiziano**, *Donna allo specchio* (XVI sec.); 5. **De Chirico**, *Mistero e malinconia di una strada* (XX sec.); 6. **Botticelli**, *La Primavera* (XV sec.); 7. **Giotto**, *Ultima Cena* (XIV sec.); 8. **Raffaello**, *La scuola di* Atene (XVI sec.)

18 CD 2

2 Ascoltate il dialogo. Quali artisti del punto precedente avete sentito nominare?

18 CD 2

3 Ascoltate di nuovo e indicate le affermazioni corrette.

1. Michela vuole:
   - ☐ a. rilassarsi insieme a Gianna facendo un quiz sull'arte;
   - ☐ b. testare le conoscenze sull'arte di Gianna;
   - ☐ c. aiutare Gianna a prepararsi per un esame sull'arte;
   - ☐ d. fare un quiz online sull'arte per vincere un premio.

2. *La Gioconda* di Leonardo da Vinci:
   - ☐ a. rappresenta una scena della Madonna con Cristo;
   - ☐ b. è stata sostituita con una copia;
   - ☐ c. è stata rubata e ritrovata;
   - ☐ d. è esposta in un museo inglese.

3. Caravaggio è stato:
   - ☐ a. il più grande pittore del Sedicesimo secolo;
   - ☐ b. un pittore del Rinascimento;
   - ☐ c. un grande artista del 1600;
   - ☐ d. un artista contemporaneo a Botticelli.

4. Gianna:
   - ☐ a. non vuole chiedere aiuto a Lorenzo;
   - ☐ b. ha vinto 300 euro al quiz;
   - ☐ c. è vittima di uno scherzo di Michela;
   - ☐ d. deve comprare un quadro e una cornice.

In questa unità impariamo...

- *a riportare una notizia di cronaca*
- *a confermare e chiedere conferma*
- *a leggere e interpretare un'opera d'arte*
- *a parlare di arte*
- *a dare istruzioni e vietare in modo formale*
- *alcuni proverbi italiani*

- *la forma passiva*
- *il si passivante*

- *alcune informazioni e curiosità sui musei, le opere d'arte e gli artisti italiani*

A Cos'è, un quiz sull'arte?

1 Leggete il dialogo e verificate le risposte all'attività precedente. Poi completate gli spazi. Le soluzioni sono nella pagina accanto.

Michela: Gianna, vieni che facciamo insieme questo quiz!

Gianna: Cos'è, un quiz sull'arte? Perché no? Vai.

Michela: Allora... La statua di *David* di Michelangelo in Piazza della Signoria a Firenze è una copia. Dove è esposto l'.................................. (1) ?

Gianna: Facile, nell'Accademia, no?

Michela: Esatto, brava. Due: nel 1911 un famosissimo dipinto è stato rubato dal Louvre ed è stato ritrovato solo dopo due anni. Di quale opera si tratta?

Gianna: *La Gioconda* di Leonardo da Vinci. E la rubò un italiano, se non sbaglio.

Michela: Ma tu sei proprio brava. Prossima .... (2).

Gianna: Ma... rispondo solo io?

Michela: Eh, sì, vediamo quanti punti farai. Quante persone vengono raffigurate nel *Cenacolo*?

Gianna: Beh, 13: Cristo e i 12 apostoli.

Michela: Sì, questa era facile. Quarta domanda: viene chiamato Barocco il periodo artistico .... (3) o dopo il Rinascimento?

Gianna: Dopo credo.

Michela: Esatto, 4 punti, mi sa che mi batterai. Quinta e ultima domanda: quale di questi artisti è considerato il più grande pittore del '600? a. Raffaello, b. Caravaggio o c. Botticelli?

Gianna: Beh, solo Caravaggio è del '600, no?

Michela: Brava, hai .... (4) la prova!

Gianna: Quale prova, il quiz!

Michela: Veramente era una prova: dovevo selezionare la persona che andrà a comprare un .... (5) per l'ufficio del direttore! Sei stata selezionata!

Gianna: Ahaha, mi sento onorata. Cosa devo fare?

Michela: Scegliere un dipinto italiano del Rinascimento o del Barocco e una cornice. Hai 300 euro a .... (6).

Gianna: Bene, mi piace. Magari mi faccio aiutare da Lorenzo.

Michela: Ah, si intende di arte?

Gianna: Ma no, nel caso il quadro fosse pesante!

2 **Trovate i derivati delle parole date, seguendo i suggerimenti tra parentesi.**

1. dipinto: (*verbo*) ....
2. collezione: (*verbo*) ....
3. mostrare: (*sostantivo*) ....
4. scultore: (*sostantivo*) ....
5. affrescare: (*sostantivo*) ....
6. artista: (*aggettivo*) ....
7. copiare: (*sostantivo*) ....

3 **Leggete ora l'articolo sul furto de *La Gioconda* avvenuto nel 1911, di cui parla Michela nel dialogo iniziale. Completate il testo con i verbi che seguono.**

era stato rubato ❖ *sono ospitati* ❖ *sono stati portati* ❖ *sono sospettati* ❖ *è stato dato* ❖ *era stato messo*

IL MATTINO

La Gioconda è stata rubata!

Secondo le fonti della polizia francese, l'allarme .... (1) ieri mattina dal pittore francese Louis Béroud, che era andato al Louvre proprio per realizzare una copia del celebre quadro di Leonardo da Vinci.

Doveva essere una normale giornata di lavoro per l'artista Louis Béroud, che si era recato al Louvre, durante il giorno di chiusura, per copiare uno dei capolavori che .... (2) nel museo parigino. Ieri mattina era il turno della Monna Lisa, l'affascinante donna ritratta da Leonardo da Vinci. Il pittore ha però trovato davanti a sé una cornice vuota, senza il famoso quadro. All'inizio l'artista e il signor Poupardin, il guardiano che .... (3) in allarme proprio da Béroud, hanno pensato che il quadro fosse in uno studio fotografico, autorizzato dal museo. Ma, dopo un controllo, si sono accorti che effettivamente il quadro .... (4).

La polizia francese ha iniziato subito le ricerche: i guardiani e gli operai, che lavorano nel museo, ... (5) già in caserma e vengono interrogati proprio in queste ore. Persino due grandi artisti, Guillaume Apollinaire e Pablo Picasso, ... (6) e potrebbero essere accusati del furto a causa di alcune dichiarazioni fatte in passato.

4 **Secondo voi, come è finita la storia (vera) del furto de *La Gioconda*? Usando la vostra fantasia, scrivete la seconda parte della vicenda. Poi controllate su internet se il vero finale corrisponde al vostro.**

5 **Rileggete il dialogo A1 e individuate i verbi alla forma passiva. A quale tempo verbale sono coniugati: passato, presente, futuro? E i verbi incontrati nell'articolo in A3?**

1.originale, 2. domanda, 3. prima, 4. superato, 5. quadro, 6. disposizione

6 Osservate e completate la tabella.

La forma passiva

Forma attiva:	Il ladro	ruba	un dipinto.
Forma passiva:	Un dipinto	è rubato	dal ladro.

Attiva	Passiva
Gli spettatori guardano la mostra.	La mostra .... dagli spettatori.
Giorgione .... *La tempesta*.	*La tempesta* è stata dipinta da Giorgione.
Tutte le domeniche i miei zii offrivano sempre il dolce.	Tutte le domeniche, il dolce .... dai miei zii.

Usiamo la costruzione passiva, solo con i verbi transitivi, quando vogliamo dare importanza all'azione (*un dipinto è rubato*) e non a chi la compie (*il ladro*).

Per fare la forma passiva:

- l'oggetto dell'azione diventa il soggetto e il soggetto diventa l'agente, cioè chi compie l'azione
- il verbo è composto dall'ausiliare *essere* o *venire* (coniugati al tempo del verbo attivo) + il ....

Attenzione! Possiamo usare l'ausiliare *venire* **solo** con i tempi semplici:

Es. Molti leggerebbero l'articolo. ➔ L'articolo verrebbe letto da molti.

Per i pronomi diretti alla forma passiva, consultate l'Approfondimento grammaticale a pagina 206.

7 Completate le frasi mettendo il verbo tra parentesi alla forma passiva.

1. La notizia (*pubblicare*) ieri su tutti i social network italiani.
2. Questa mostra (*organizzare*) a Palazzo Strozzi a Firenze il prossimo anno.
3. A Ferrara, la bicicletta (*usare*) da moltissimi cittadini.
4. Le auto elettriche (*comprare*) da molte più persone, se costassero meno.
5. Roberto spera che il libro (*pubblicare*) da una grande casa editrice.

8 Create una frase usando le seguenti parole. Attenzione, le parole non sono in ordine.

1. casa | ristrutturare | prossima primavera
2. vendere | opere d'arte | collezionista | Antonio | un mese fa
3. a livello internazionale | condurre | Interpol | indagine
4. inaugurazione | critico d'arte | invitare | qualche giorno fa
5. quadro | esporre | Galleria Borghese | questa settimana

es. 1-7 p. 14

B Vietato non amare l'arte

19 CD 2

1 Ascoltate i mini dialoghi e abbinateli alle foto. Attenzione c'è un mini dialogo in più!

19 CD 2

2 Ascoltate di nuovo e completate la tabella con alcune espressioni che avete ascoltato.

Confermare	Chiedere di confermare
.., è certo!	*È vero che...?*
Ti/Le posso garantire che...	*Ma ....?*
Lo so bene/perfettamente!	*Mi segui/segue?*
È sicuro che...!	*Davvero...?*
Le/.. che...	*Sul ....?*
Non scherzo...!	*È (tutto) chiaro?*
È noto!	*Scusa/Scusi, ha detto...?*

3 A coppie. Scrivete due mini dialoghi con le espressioni viste nell'attività precedente.

....

....

....

4 Osservate la tabella.

La forma passiva con *dovere* e *potere*

Tutte le opere dovranno essere esposte il giorno prima dell'inaugurazione della mostra.
Un grande capolavoro deve essere ammirato da tutti.
Un quadro d'autore non può essere comprato da tutti, perché spesso costa molto.

Con i verbi modali non è possibile usare l'ausiliare *venire*, ma usiamo:
verbo modale + ausiliare *essere* all'infinito + participio passato

5 Completate le frasi.

1. Mi raccomando Marco, il pacco (*dovere inviare*) entro oggi.
2. Questo quadro (*potere dipingere*) con delle tonalità di colore più scure.
3. I Musei Vaticani non (*potere visitare*) in sole due ore.
4. Quest'opera d'arte non (*potere vendere*) per così poco!

es. 8-11 p. 148

6 **Leggete il testo e le didascalie delle immagini e indicate le affermazioni presenti.**

MICHELANGELO BUONARROTI

È uno dei più grandi artisti di tutti i tempi. Nasce a Caprese nel 1475. Dopo le prime opere si trasferisce a Roma dove, nel 1500, scolpisce la *Pietà* che può essere ammirata in San Pietro in Vaticano. Tornato a Firenze, dipinge *La sacra famiglia* (Uffizi) e scolpisce il *David*, allora collocato in Piazza della Signoria mentre oggi l'originale si trova nell'Accademia. Nel 1508 Michelangelo comincia a realizzare l'affresco della Cappella Sistina. Con gravi problemi alla vista, a causa delle difficili condizioni di lavoro, nel 1512 termina il lavoro e l'anno dopo scolpisce un'altra statua importante nella sua produzione, il *Mosè*, che si trova in San Pietro in Vincoli. Dopo un altro soggiorno a Firenze, nel 1534 torna a Roma dove, fino al 1541, lavora all'affresco del *Giudizio Universale* sempre nella Cappella Sistina. Nell'ultima fase della sua vita si dedica soprattutto all'architettura, con la progettazione di Piazza del Campidoglio, oggi sede del Comune di Roma, e l'edificazione della cupola di San Pietro. Muore nel 1564 a Roma.

Gli affreschi della volta della Cappella Sistina dopo il restauro (durato molti anni e costato parecchi milioni di euro): uno dei più grandi capolavori artistici di tutti i tempi. Tra le figure e gli episodi biblici si possono osservare Il peccato originale *(1) e, più in basso,* La creazione dell'uomo *(2).*

Il restauro del Giudizio Universale *ha fatto riemergere dopo cinque secoli gli autentici e vivaci colori usati dal grande maestro. L'opera rappresenta la fine del mondo e la condanna definitiva dei peccatori che si trovano intorno a Dio.*

- [ ] 1. Il talento di Michelangelo fu riconosciuto molto presto.
- [ ] 2. Il lavoro nella Cappella Sistina gli provocò problemi di salute.
- [ ] 3. Preferiva scolpire statue piuttosto che dipingere.
- [ ] 4. Il *David* è la sua opera più importante.
- [ ] 5. Concluse gli affreschi della Cappella Sistina in circa vent'anni.
- [ ] 6. Fu l'architetto della famosa cupola di San Pietro.
- [ ] 7. I soggetti delle sue opere erano soprattutto religiosi.
- [ ] 8. L'ultimo restauro della Cappella Sistina è durato cinque anni.

C Opere e artisti

20 D2 **1** Roma è famosa anche per le sue fontane. Nelle foto sotto abbiamo le più visitate dai turisti. Sapete come si chiamano? Ascoltate il brano e verificate le vostre risposte.

....

20 D2 **2** Ascoltate il brano e completate le affermazioni (massimo quattro parole).

1. I lavori, su progetto di Nicola Salvi, ...
2. Una celebre tradizione vuole che porti fortuna lanciare una moneta nella fontana, perché in questo modo si ....
3. Il Papa potè finanziare la fontana disegnata da Bernini grazie ad alcune ....
4. Il gigante che rappresenta il Rio della Plata è stato raffigurato con il braccio alzato ....
5. La fontana della Barcaccia, in piazza di Spagna, è la meno appariscente ....
6. Bernini progettò una vecchia barca semiaffondata, una "barcaccia", che giace ....

3 Rispondete alle domande.

1. Perché è famosa la Fontana di Trevi?
2. Dove si trova la Fontana dei Quattro Fiumi?
3. Cosa hanno in comune la Fontana dei Quattro Fiumi e la Barcaccia?

4 Osservate la tabella e poi riformulate le frasi che seguono, cambiando le parti evidenziate.

La forma passiva con il verbo *andare*

Questo problema va risolto subito.	=	Questo problema deve essere risolto subito.
I rifiuti vanno riciclati.	=	I rifiuti devono essere riciclati.

Consultate l'Approfondimento grammaticale a pagina 207.

1. La legge deve essere rispettata da tutti.
2. Il portone del condominio deve essere chiuso a chiave dopo le 22:00.
3. Le tasse devono essere pagate entro il 30 giugno.
4. I bambini devono essere accompagnati dai genitori.
5. Questi pacchi dovevano essere spediti ieri. Perché sono ancora qui?

es. 12-14 p. 150

21 CD 2

5 Leggete la biografia di Gian Lorenzo Bernini. Poi ascoltate il brano. Quale opera descrive?

Gian Lorenzo Bernini (Napoli 1598 - Roma 1680) è considerato uno dei più grandi artisti italiani di sempre e uno dei massimi esponenti del Barocco. Insieme al padre Pietro, anche lui famoso scultore, si trasferisce a Roma dove conosce le famiglie più potenti dell'epoca, che gli affidano la realizzazione di varie opere scultoree. Nel 1623 Maffei Barberini, mecenate dell'artista, diventa Papa e da allora a Bernini vengono affidati anche importanti progetti architettonici e urbanistici. Alla morte di Papa Urbano VIII, Bernini incontra delle difficoltà dovute alla poca simpatia che il nuovo Papa, Innocenzo X, prova per le persone vicine al suo predecessore. Ma, grazie alla sua arte, l'artista riesce comunque a farsi apprezzare e a "trasformare" e impreziosire Roma. Tra le sue opere più famose ricordiamo numerose sculture, tra cui *Apollo e Dafne*, il *Ratto di Proserpina*, l'*Estasi di Santa Teresa*, il baldacchino all'interno della Basilica di San Pietro e il colonnato di Piazza San Pietro, la *Fontana dei Quattro Fiumi* e le statue che decorano il ponte di Castel Sant'Angelo.

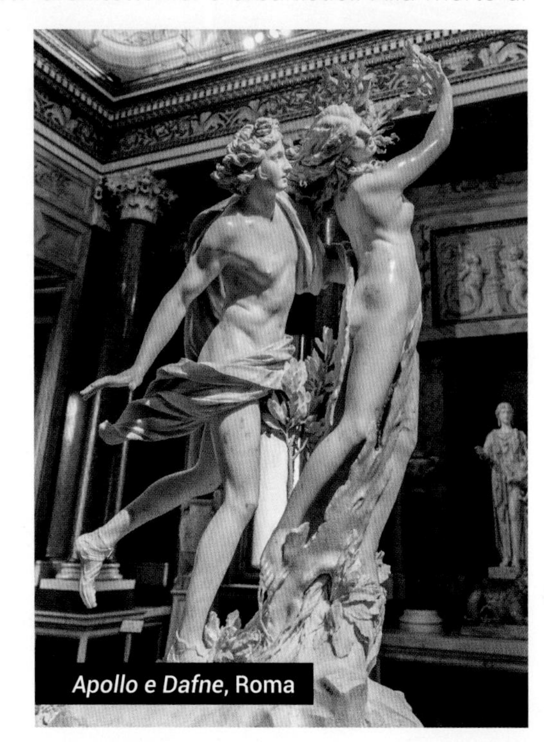
***Apollo e Dafne*, Roma**

21 CD 2

6 Riascoltate il brano e indicate se le affermazioni sono vere (V) o false (F).

	V	F
1. Bernini realizzò la scultura quando era giovane.		
2. Lo scultore non è mai stato soddisfatto del risultato, nemmeno 40 anni dopo.		
3. Bernini, per il soggetto della scultura, si ispirò a Ovidio.		
4. Apollo era stato colpito da Eros da una freccia di piombo e si era innamorato di Dafne.		
5. Dafne non ricambiava l'amore di Apollo.		
6. L'opera rappresenta la scena della trasformazione di Dafne in una pianta di alloro.		
7. L'iscrizione alla base della scultura indica il nome dell'autore e la data di realizzazione dell'opera.		

D Che belle mostre! Ci andiamo?

1 In coppia. Osservate le locandine di queste mostre e rispondete alle domande.

La mostra è sospesa. Si invitano gli interessati a seguire la pagina Facebook del Museo Civico Archeologico di Bologna.

1. Se si segue una conferenza a quale mostra andiamo?
2. Cosa viene rappresentato nelle fotografie della mostra di Milano?
3. Se si incontrano gli artisti a quale mostra si va?
4. Dove e a che ora si tiene l'inaugurazione della mostra su Mantegna? Cosa ha di particolare questa mostra?
5. Perché seguire la pagina Facebook del Museo Civico Archeologico di Bologna?

2 Completate la tabella.

Il *si* passivante

Nei musei italiani vengono fatte molte mostre.	→	Nei musei italiani si fanno molte mostre.
Ogni giorno sono postate milioni di foto.	→	Ogni giorno .... milioni di foto.
I giornali vengono letti sempre meno.	→	I giornali si leggono sempre meno.
In futuro saranno usate di più le auto elettriche.	→	In futuro .... di più le auto elettriche.

Il *si* passivante è una forma passiva impersonale ed è spesso preferibile quando non sappiamo chi compie l'azione. Il verbo (*si useranno*) ha sempre un soggetto (*le auto*) con cui concorda.

Per ulteriori spiegazioni, consultate l'Approfondimento grammaticale a pagina 207.

3 Abbinate le frasi di sinistra con quelle di destra, come nell'esempio.

1. Per questo lavoro
2. Grazie al commercio online, la spesa
3. In Italia, si producono
4. Ci sarebbe meno inquinamento
5. Ormai quasi tutti i musei

- [ ] a. si possono visitare online.
- [ ] b. se si prendessero i mezzi pubblici.
- [ ] c. si fa su internet.
- [ ] d. moltissimi tipi di verdura e frutta.
- [1] e. si richiede la conoscenza di due lingue.

es. 15-16 p. 152

Mostra di Arte povera al Colosseo Quadrato

22 CD 2

4 Ascoltate i mini dialoghi e completate la tabella.

Dare istruzioni	Vietare in modo formale
Si avvisa... / Si avvisano...	....
....	....
Si pregano...	
.... *che...*	

5 A coppie. Inventate due mini dialoghi con queste espressioni.

6 Osservate le prime due frasi e completate le altre due.

Il *si* passivante nei tempi composti

Se si fosse costruito un altro parcheggio vicino alla stazione della metro, sarebbe stato meglio.
Questi ottimi risultati si sono ottenuti dopo molte prove con l'orchestra.

In Italia non (*investire*) si .... mai .... abbastanza soldi nella ricerca e nell'università.

Per vincere il campionato, (*dovere*) si .... vincere molte partite, anche difficili.

Consultate l'Approfondimento grammaticale a pagina 207.

es. 17-19 p. 152

E L'arte prende vita

1 a Leggete e completate il testo. Scegliete una delle proposte di completamento.

Il protagonista di questo racconto ha convinto Liana, la compagna di un suo amico, che lavora come guardiana al Louvre, a farlo entrare di nascosto nel Museo perché pare che, quando i turisti non ci sono, i quadri si "animino" e inizino a parlare tra di loro.

Dopo l' orario di chiusura andammo, con un taxi, al Museo e, giunti ad una porta laterale, Liana mi presentò una delle guardie, che mi osservò ben bene e finì per intascare la busta contenente il denaro necessario a lasciarmi passare.
Il mio cauto ingresso avvenne due ore più tardi, quando scese la notte, e la vita, intorno al Louvre, ... (1) a calmarsi. Dalla guardia, che continuava a portarsi l'indice alla bocca, fui condotto alla Grand Galerie, nella Quinta Sala, dove c'era Liana che abbandonò la sua sedia per venirmi incontro e suggerirmi di rimanere accanto a lei e di aspettare. A non più di sette-otto metri pendeva dal muro il .... (2) della Belle Ferronnière che, con le luci attenuate, pareva non meno misterioso di quello di Monna Lisa. Restammo in silenzio per mezz'ora, fissando il .... (3), fino a quando un rumore sottile non ne uscì e, mentre rabbrividivo, l'immagine della Belle Ferronnière si materializzò e prese a parlare. «Finalmente se ne sono andati. Li aspettano i loro pullman, pullman di provinciali, di pensionati: gente che non ha mai capito niente della vita, figurarsi .... (4) arte. Gente incompetente, priva della minima idea personale, incapace di osservare un quadro senza il commento di una guida. Le guide! Cresciute con l'ambizione di essere artisti, professori, critici. E ridotti a pastori di pecore umane. C'è quel Roussillot, specialista secondo lui di italiano, la mia lingua, che ripete .... (5) ventisette anni lo stesso discorso. Arriva davanti a me, controlla che sia lì intatta, e inizia: "La Belle Ferronnière, ritratto di cerchia leonardesca, attribuito da alcuni allo stesso Da Vinci. Così chiamato in seguito a una confusione con la Belle Ferronnière amante di Francesco I, anche perché ferronnière indicava nel Sedicesimo .... (6) il nastro che tratteneva i capelli sulla fronte. Come si poteva meglio apprezzare quando era appeso a fianco della Gioconda, la .... (7) di realizzazione avvicina i due dipinti. Sia dunque essa una Duchessa di Mantova; o Cecilia Gallerani nata nel 1465, favorita di Ludovico il Moro, duca di Milano (1452-1508); o ancora Lucrezia Crivelli amante dello stesso duca, il .... (8) della Ferronnière, dicevo, non può paragonarsi a quello della Gioconda, che vedremo non appena si sarà diradata la folla che sempre l'assedia, nella Salle des Etats". E qui, senza non dico un inchino, ma un semplice saluto, quel pappagallo mi lascia.

adattato da *Una notte con la Gioconda* di G. Clerici

Ritratto di dama (Belle Ferronnière) di Leonardo

	a.	b.	c.	d.
1.	comincia	finì	iniziò	volle
2.	volto	dipinto	bronzo	pittore
3.	quadro	muro	paesaggio	vuoto
4.	per l'	con l'	come	dell'
5.	da	per	in	di
6.	anno	periodo	secolo	piano
7.	cornice	tecnica	pittura	fantasia
8.	ritratto	marito	gesto	artista

-80

b Poco dopo, nel racconto di Clerici, anche la Gioconda inizia a parlare. Secondo voi, cosa dice? Scrivete un breve testo, immaginando le parole di Monna Lisa.

2 Sapete cosa sono i *tableau vivant*? Osservate l'immagine a destra e, con i compagni, fate delle ipotesi.

3 Lavorate in coppia. Osservate questi proverbi italiani e scegliete l'opzione che secondo voi è più corretta come nell'esempio.

1. I panni sporchi si lavano in lavanderia / in famiglia.
2. Una rondine non fa primavera / male.
3. Tra il dire e il lavorare / fare c'è di mezzo il mare.
4. Quando il gatto non c'è i topi lo cercano / ballano.
5. L'abito non fa il monaco / la moda.
6. Non tutto il male vien per nuocere / da solo.
7. Impara l'arte e mettila / prendila da parte.
8. L'appetito / la fame vien mangiando.
9. Le bugie hanno le gambe lunghe / corte.
10. Il buongiorno si vede dal mattino / a mezzogiorno.
11. Il mattino / Il ricco ha l'oro in bocca.
12. Il lupo perde il pelo ma non i denti / il vizio.

4 Rispondete alle domande e confrontatevi con i compagni.

1. Quali di questi proverbi non avete capito e cosa non è chiaro? Quale invece vi ha colpito di più e perché? Parlatene con i vostri compagni.
2. Quali esistono anche nella vostra lingua? Li usate spesso? Cercate di tradurre in italiano due o tre proverbi del vostro Paese. Poi leggeteli ai vostri compagni e, se non capiscono, spiegateli.

es. 20 p. 15

F Vocabolario e abilità

1 In coppia, trovate tra queste tutte le parole relative al mondo dell'arte.

pittura
ufficio architetto
collezione
muro opera statua
capolavoro scultore
galleria astratta
affresco mostra
volto

2 Abbinate le parole alle immagini.

1 ☐

2 ☐

3 ☐

a. natura morta
b. ritratto
c. paesaggio

3 Raccontate, oralmente o per iscritto, la storia che segue.

4 Ascolto Quaderno degli esercizi (p. 155)

Cattedrale, Palermo

5 Situazioni

1. **Sei *A***: sei appena arrivato a Palermo e, scendendo dalla nave, vedi un'ufficio informazioni. Ne approfitti per chiedere alcune informazioni su luoghi e monumenti che vorresti visitare:
   - *la Cattedrale di Palermo*
   - *la Valle dei Templi di Agrigento*
   - *il Palazzo dei Normanni*
2. **Sei *B***: lavori all'ufficio informazioni. Con l'aiuto delle informazioni a pagina 195, rispondi alle domande di ***A***.

6 Scriviamo

Hai scoperto un sito internet che si occupa di raccolte fondi per restaurare opere d'arte e monumenti in pericolo o abbandonati del tuo Paese. Decidi di scrivere anche tu un post su un'opera d'arte a rischio a cui sei affezionato, per convincere gli altri utenti a fare una donazione.

es. 21-24 p. 154 p. 106 Test finale

Botticelli, *La Primavera*, 1480 circa

MUSEI D'ITALIA

L'Italia ha il merito di concentrare sul suo territorio una straordinaria quantità di musei, siti archeologici* e monumenti, visitati ogni anno da milioni di turisti. Vediamone alcuni tra i più famosi.

GALLERIA DEGLI UFFIZI

FIRENZE

Giorgio Vasari costruisce questo edificio tra il 1560 e il 1580. È uno dei musei più visitati in Italia, con più di 4 milioni di visitatori ogni anno, e ospita una collezione di opere di scultura e di pittura che coprono otto secoli di storia dell'arte, dal Duecento al Novecento. Gli Uffizi ospitano capolavori di Cimabue, Giotto, Botticelli, Michelangelo, Raffaello, Tiziano e Caravaggio.

Caravaggio, *Deposizione*, 1600-04 ca.

Michelangelo, *Tondo Doni*, 1504-06

Raffaello, *La Scuola di Atene*, 1509-11

MUSEI VATICANI

ROMA

Nel centro di Roma, nello Stato del Vaticano, troviamo uno dei musei con il maggior numero di visitatori al mondo (è il quarto in classifica, con più di 6 milioni di visitatori ogni anno): i Musei Vaticani. Oltre al *Polittico* Stefaneschi*, una delle opere più importanti di Giotto, i Musei ospitano le Stanze di Raffaello, con la famosissima *Scuola di Atene*, e l'opera più grandiosa di Michelangelo, la Cappella Sistina.

Michelangelo, *La Cappella Sistina*, 1508-12

I **10** MUSEI PIÙ VISITATI IN ITALIA:

1. *Parco archeologico del Colosseo*
2. *Galleria degli Uffizi*
3. *Parco archeologico di Pompei*
4. *Galleria dell'Accademia di Firenze*
5. *Castel Sant'Angelo*
6. *Museo Egizio*
7. *La Venaria Reale*
8. *Reggia di Caserta*
9. *Villa Adriana e Villa D'Este*
10. *Museo Archeologico Nazionale di Napoli*

Giuseppe Pelizza da Volpedo, *Quarto Stato*, 1898-1901

Amedeo Modigliani, *Ritratto di Paul Guillaume*, 1916

MUSEO DEL NOVECENTO

MILANO

È uno dei musei di arte contemporanea più famosi d'Italia: inaugurato* nel 2010, il museo si trova nel cuore di Milano, in piazza Duomo.

Nelle sue sale possiamo ammirare circa 400 opere che coprono il secolo scorso: tra gli artisti esposti troviamo Pelizza da Volpedo, Modigliani, Boccioni, oltre che opere di artisti delle avanguardie* internazionali, quali Picasso, Klee, Braque e Kandinskij.

Leggete i testi e indicate se le affermazioni sono vere (V) o false (F).

	V	F
a. La Galleria degli Uffizi è il museo italiano più visitato d'Italia, con più di 4 milioni di visitatori.		
b. Agli Uffizi possiamo trovare anche opere di arte contemporanea.		
c. Le Stanze di Raffaello si trovano all'interno della Cappella Sistina.		
d. Possiamo ammirare opere di Giotto sia nelle Gallerie degli Uffizi sia nei Musei Vaticani.		
e. Nel Museo del Novecento a Milano sono esposte solo opere del XX secolo.		
f. Il Museo del Novecento ospita solo opere di artisti italiani.		

L'ARTE RUBATA

Quando passeggiamo per le sale dei musei e delle gallerie non immaginiamo che su quei muri possano mancare delle opere d'arte. E invece si calcola che le opere italiane che sono state rubate durante le dominazioni e le guerre del XIX e XX secolo siano più di 1600, tra cui un'importante statua di Michelangelo, due tele* di Canaletto e dipinti della scuola di Tiziano. L'Italia, con l'aiuto di esperti d'arte e un reparto specializzato dei Carabinieri, continua a cercare queste opere per restituirle ai musei o ai collezionisti a cui sono state rubate.

Glossario. ***sito archeologico:*** luogo di interesse archeologico, dove abbiamo resti di edifici o monumenti e testimonianze dell'antichità; ***polittico:*** dipinto su tavola, su legno, questo di Giotto è un trittico perché costituito da tre pezzi o elementi; ***inaugurare:*** aprire un'opera pubblica e non, ad esempio un museo o un ospedale, all'uso di tutti; ***avanguardia:*** movimento artistico o letterario che sperimenta nuove forme, di solito in contrasto con la tradizione; ***tela:*** opera pittorica, quadro, dipinto.

Attività online

AUTOVALUTAZIONE

Che cosa ricordi delle unità 8 e 9?

1 Sai...? Abbina le due colonne. Attenzione, nella colonna di destra c'è una frase in più.

1. fare un'ipotesi possibile
2. chiedere conferma
3. approvare
4. congratularsi
5. vietare

☐ a. *Potessi andare al mare, lo farei.*
☐ b. *Complimenti per il monolocale!*
☐ c. *È severamente vietato utilizzare bicchieri di plastica.*
☐ d. *Sul serio è un quadro di Modigliani?*
☐ e. *Potremmo andare al mare, se tu prendessi le ferie.*
☐ f. *Andare alla mostra? È una bella idea!*

2 Abbina le frasi.

1. Presto sapremo
2. Ma è assurdo
3. Le possiamo garantire
4. Quando ci sentiremo al telefono,
5. Ma ha fatto tutto da solo?

☐ a. che avrà indietro i soldi del suo biglietto.
☐ b. Lo ha aiutato suo fratello.
☐ c. preferirei parlare dell'organizzazione delle vacanze.
☐ d. se avevano detto la verità.
☐ e. che la gente usi così tanto lo smartphone.

3 Completa le frasi con i verbi mancanti.

1. Con le moderne misure di sicurezza è molto difficile che si .... (*riuscire*) a rubare una famosa opera d'arte.
2. Ieri i ladri del quadro di Schifano .... (*arrestare*) dai Carabinieri.
3. Se Meucci .... (*avere*) il denaro necessario, ... (*brevettare*) la sua invenzione, il telefono.
4. Per essere assunti in questo lavoro, ... (*richiedere*) competenze informatiche.
5. .... (*ritrovare*) tutte le opere che erano state rubate.

4 Trova l'intruso.

1. dipendenza | abuso | terapia | denaro | patologia
2. collezione | capolavoro | calore | restauro | affresco
3. si postano | si alzano | si ristrutturano | si vedono | si attivano
4. Botticelli | Leonardo | Michelangelo | Picasso | Modigliani

Controlla le soluzioni a pagina 189.
Sei soddisfatto/a?

 La Reggia di Caserta, Campania

Paese che vai, problemi che trovi

Unità 10

Glossary p. 224

Per cominciare...

1 Lavorate in coppia. Osservate i titoli delle notizie e commentateli con i vostri compagni: cos'è successo, secondo voi?

CORRIERE DELLA SERA
Blitz della Direzione Investigativa Antimafia a Reggio Calabria, 12 arresti
Vasta operazione di Polizia, gli arrestati sono accusati di associazione mafiosa

2 Ascoltate l'inizio del dialogo tra Lorenzo e il suo amico Ugo. Secondo voi, a quale reato dell'attività precedente si riferiscono?

3 Ascoltate ora l'intero dialogo e completate le frasi (massimo quattro parole).

1. Signora, noi vendiamo polizze per la casa, sa, ci sono tanti ....
2. Devo chiamare mio nipote che si ricorda meglio dove sono i ....
3. E ha chiamato me, non la polizia, in modo che il ladro ....
4. Le ho detto: "Nonna, secondo me ....
5. Quindi, ho chiamato la polizia che è arrivata subito e ....

In questa unità impariamo...

- *a raccontare un'esperienza negativa*
- *a riportare le parole di qualcuno*
- *a gestire i turni di parola*
- *a esprimere indifferenza*
- *a parlare di problemi sociali*
- *il discorso indiretto*
- *quali sono i maggiori problemi che affliggono la società italiana*

A Ci sono tanti furti in questo periodo...

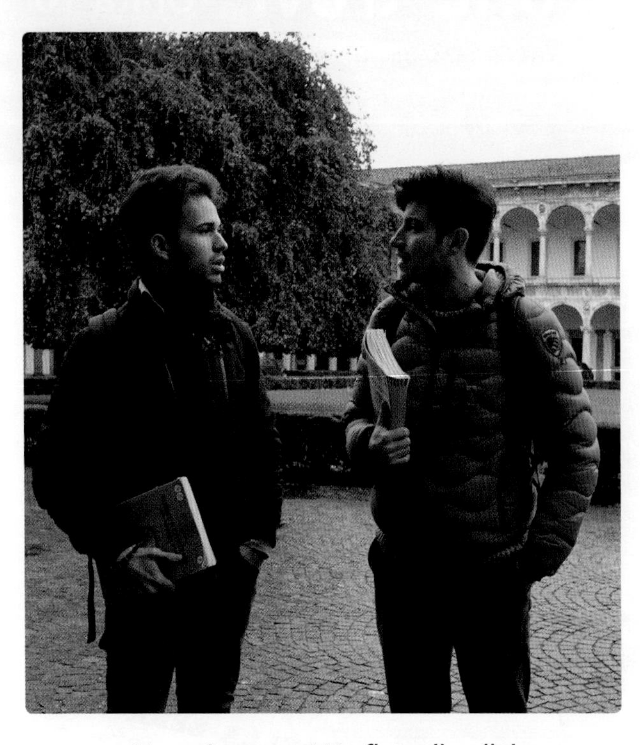

1 Leggete il dialogo e verificate le vostre risposte dell'attività precedente.

Ugo: È ufficiale: ho una super nonna!

Lorenzo: Perché?

Ugo: Allora ieri le sono entrati i ladri in casa: due persone con la scusa di venderle un'assicurazione.

Lorenzo: Oddio poverina! E lei che ha fatto?

Ugo: Le hanno detto: «Signora, noi vendiamo polizze per la casa, sa ci sono tanti furti in questo periodo!»

Lorenzo: Ma guarda che faccia tosta!

Ugo: Mentre uno si è seduto con lei in cucina l'altro le ha detto: «Io devo valutare gli oggetti che ha in casa» e ha cominciato a girare per le camere.

Lorenzo: Ma questo è il colmo! E lei non si è insospettita?

Ugo: Come no! Ha finto di collaborare e poi ha detto al ladro: «Senta, devo chiamare mio nipote che si ricorda meglio dove sono i vari oggetti di valore e quanti soldi abbiamo in casa». E ha chiamato me, non la polizia, in modo che il ladro non sospettasse nulla.

Lorenzo: Hai capito la nonna?!

Ugo: Mi ha detto: «Ugo, sai dov'è quell'anello d'oro di tua madre? Lo voglio far vedere ai signori dell'assicurazione».

Lorenzo: E tu?

Ugo: Io ho capito che qualcosa non andava e le ho detto: «Nonna, secondo me questi sono dei ladri» E lei ha risposto: «Ovvio, perciò ho telefonato a te così mi aiuti... a ricordare». Quindi, ho chiamato la polizia che è arrivata subito e li ha arrestati!

Lorenzo: Caspita! Davvero una super nonna!

Ugo: Eh, sì, i poliziotti le hanno detto: «Signora Elsa, lei è un fenomeno, la nomineremo 'agente Baldini'»!

Lorenzo: Un attimo: tua nonna si chiama Elsa Baldini?! Oddio, ma lo sai che la settimana scorsa abbiamo avuto una conversazione telefonica... come dire... interessante? Va be', ora ti racconto...

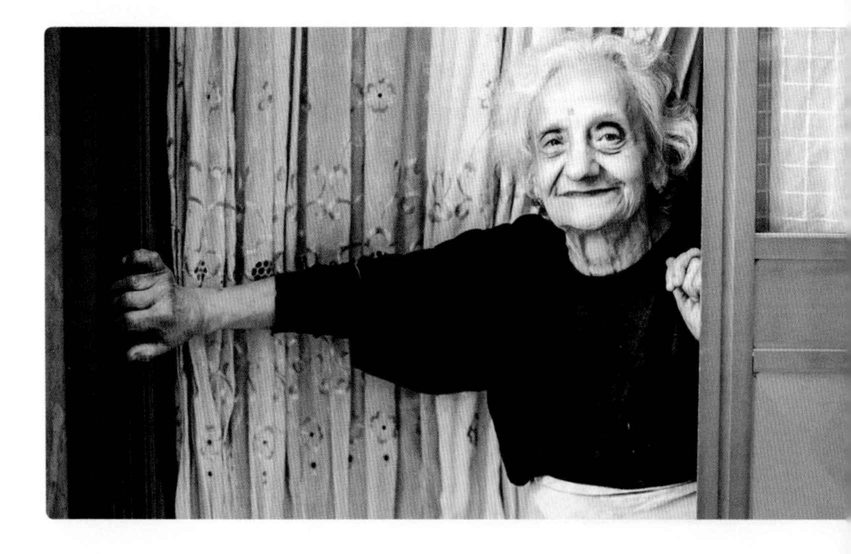

2 Indicate il significato di queste espressioni all'interno del dialogo.

1. Lorenzo dice "Che faccia tosta" per dire che i ladri:
   - ☐ a. avevano il viso coperto
   - ☐ b. non hanno avuto vergogna
   - ☐ c. non hanno sorriso alla nonna
2. Con "Ma questo è il colmo!" Lorenzo intende che la situazione è:
   - ☐ a. assurda
   - ☐ b. divertente
   - ☐ c. rischiosa
3. Lorenzo esclama "Hai capito la nonna?!", riferendosi alla nonna di Ugo, perché non:
   - ☐ a. capisce il comportamento di lei
   - ☐ b. si aspettava la reazione avuta da lei
   - ☐ c. ha capito cosa ha detto lei
4. Il poliziotto dice alla nonna "Lei è un fenomeno!" perché la nonna:
   - ☐ a. è stata vittima di una truffa
   - ☐ b. è stata molto brava a reagire
   - ☐ c. ha arrestato i due ladri

3 Lorenzo e Gianna parlano al telefono. Completate il dialogo con i verbi dati.

avrebbero ❖ *doveva* ❖ *sono* ❖ *sapeva* ❖ *doveva*

Lorenzo: Ehi Gianna! Tutto bene?

Gianna: Ciao Lorenzo!

Lorenzo: Ciao! Ah... senti, ieri ho incontrato Ugo, non immagini che storia mi ha raccontato! Mi ha detto che ieri .... (1) entrati i ladri in casa della nonna con la scusa di venderle un'assicurazione. Mi ha spiegato che erano due: uno si è seduto in cucina con la nonna a parlare e l'altro le ha detto che .... (2) valutare gli oggetti che la nonna aveva in casa.

Gianna: Noo, povera signora! Le hanno rubato qualcosa?

Lorenzo: No! Ma non è finita qui! La nonna ha capito la situazione e ha inventato una scusa per chiamare Ugo, dicendo al ladro che .... (3) chiamare il nipote perché lui .... (4) meglio dove erano gli oggetti di valore! Ugo ha capito che si trattava di ladri, così ha chiamato la polizia e li hanno arrestati.

Gianna: Che storia! È riuscita a mantenere il sangue freddo, incredibile! Io non so se ci sarei riuscita! Potevano farle del male...

Lorenzo: Sì hai ragione, ma, senti, ora arriva il colpo di scena! Alla fine, i poliziotti hanno detto alla signora che era un fenomeno e che l'.................... (5) nominata AGENTE BALDINI!

Gianna: Baldini?... ma è la stessa Elsa Baldini che conosciamo noi?!

70 **4** Siete dei giornalisti dell'ANSA (Agenzia Nazionale Stampa Associata), la prima e la più importante agenzia di informazione in Italia, e dovete scrivere una breve notizia in cui raccontate il tentativo di truffa nei confronti della nonna di Ugo.

5 Osservate le frasi tratte dai dialoghi e individuate le differenze.

...l'altro le ha detto: *«io devo valutare gli oggetti che ha in casa»*	➜	*...l'altro le ha detto che* *doveva valutare gli oggetti che la nonna aveva in casa*
...i poliziotti le hanno detto: *«Signora Elsa, lei è un fenomeno, la nomineremo 'agente Baldini'!»*	➜	*...i poliziotti le hanno detto che* *era un fenomeno e l'avrebbero nominata 'agente Baldini'!*

6 Completate la tabella.

Discorso diretto e indiretto (I)

Discorso diretto	Discorso indiretto
PRESENTE Lorenzo ha detto: "Sono io il vincitore."	**IMPERFETTO*** Lorenzo ha detto che .... lui il vincitore.
IMPERFETTO Lui disse: «Quando ero piccolo, nuotavo spesso al mare.»	**IMPERFETTO** Lui disse che quando era piccolo, nuotava spesso al mare.
PASSATO PROSSIMO Disse: "Non ho mai rubato nulla."	**TRAPASSATO PROSSIMO*** Disse che non .... mai ....nulla.
TRAPASSATO PROSSIMO Mi ha detto: "Ero entrato prima di te."	**TRAPASSATO PROSSIMO** Mi ha detto che era entrato prima di me.
FUTURO Ha detto: "Ti chiamerò."	**CONDIZIONALE COMPOSTO*** Ha detto che mi avrebbe chiamato.
CONDIZIONALE SEMPLICE O COMPOSTO Disse: "Non *dovresti* aprire agli sconosciuti." Ha detto: "*Avrei* voluto stare con te."	**CONDIZIONALE COMPOSTO** Disse che non ....* aprire agli sconosciuti. Ha detto che .... stare con lei.

Per altri esempi, consultare l'Approfondimento grammaticale a pagina 208.
**Il cambio di tempo verbale non è necessario se gli effetti dell'azione permangono ancora nel tempo.*

7 Trasformate le frasi al discorso indiretto.

1. "Ogni anno passiamo volentieri le nostre vacanze a Capri."
   – I signori Bassani dissero che ....
2. "I ladri si sono presentati come assicuratori."
   – La testimone ha detto che ....
3. "Quando ero piccolo, le scuole cominciavano il primo ottobre."
   – Daniele mi ha detto che ....
4. "Le faremo sapere quando avremo i risultati."
   – L'infermiere disse che ....
5. "Avrei preferito venire in bicicletta."
   – Cecilia ha detto che ....

es. 1-5 p. 15

B Me ne infischio!

1 Ascoltate i dialoghi e abbinateli alle immagini.

b

c

2 Quali espressioni per gestire i turni di parola o per esprimere indifferenza ricordate dall'ascolto? Scrivetele nella tabella e dopo ascoltate di nuovo per verificare le vostre risposte.

Gestire i turni di parola	Esprimere indifferenza
……………, lasciami parlare	*Ma ……………!*
Adesso tocca a me! Secondo me, invece,...	*E con ciò? …………… niente!*
Vorrei dire ……………!	*Me ……………!*
…………… sopra!	*E allora?!*

3 Lavorate in gruppi di tre persone. Lo Studente *A* chiede un'opinione allo Studente *B*, il quale esprime indifferenza. Lo Studente *C* non è d'accordo e vuole intervenire anche lui per spiegare il suo punto di vista. Ogni studente può scegliere uno degli argomenti.

È giusto installare un allarme e un sistema di telecamere nel condominio?

Pensate che sia una buona idea il poliziotto di quartiere per garantire la sicurezza dei cittadini e dei commercianti?

È giusto o sbagliato chiudere gli stadi al pubblico dopo atti di violenza?

4 Nel passaggio dal discorso diretto a quello indiretto cambiano anche gli indicatori di spazio e di tempo. In coppia completate le frasi con *quel giorno, dopo, quel, il giorno precedente*.

Discorso diretto e indiretto (II)

Discorso diretto	Discorso indiretto
«*Questo* biglietto è mio.»	Gianna ha detto che .... biglietto era suo.
«*Ora* non si può fare niente.»	Disse che in quel momento non si poteva fare niente.
«*Oggi* non mi voglio allenare.»	Disse che .... non si voleva allenare.
«Lo faremo domani.»	Abbiamo detto che lo avremmo fatto il giorno seguente.
«Non ti preoccupare. L'ho fatto *ieri*.»	Alessandro disse che non mi dovevo preoccupare perché lo aveva fatto ....
«Tornerò *fra* tre giorni.»	Ha detto che sarebbe tornato .... tre giorni.

Nota: il cambiamento di questi indicatori non è sempre obbligatorio.

Massimo dice (oggi): "Ti chiamerò *domani*." Massimo ha detto (oggi) che ti chiamerà *domani*.

Per altri esempi di indicatori con i loro corrispettivi indiretti, consultate l'Approfondimento grammaticale a pagina 208.

es. 6-8 p. 16

5 Trasformate le frasi dal discorso diretto a quello indiretto e viceversa.

1. La signora Falchi dice: "I miei gioielli erano qui e ora non ci sono più."
....
....
2. L'ispettore ha detto che i ladri erano entrati la notte precedente.
....
....
3. Il direttore dice: "Queste saranno le vostre nuove scrivanie."
....
....
4. Elena mi disse che solo allora capiva cosa era successo.
....
....
5. Luca dice: "L'anno scorso sono andato a Venezia con la mia compagna."
....
....

C Dipendenze

1 Osservate l'immagine e descrivetela.

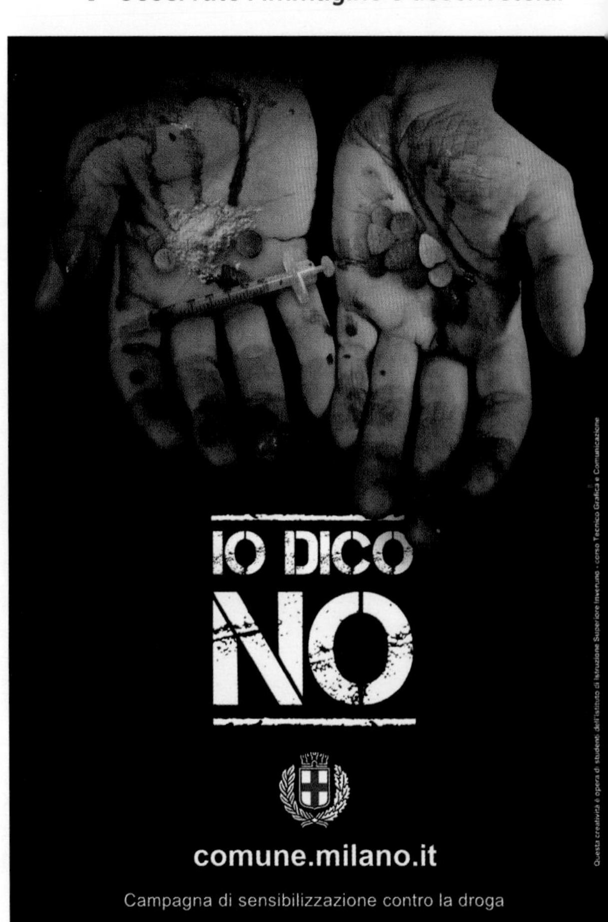

2 Ora rispondete alle domande e confrontatevi con i vostri compagni.

1. Qual è, secondo voi, lo scopo di questa immagine?
2. Ci sono state campagne di sensibilizzazione simili nel vostro Paese?
3. Secondo voi, è facile dire di no alla droga?

3 In coppia, osservate e commentate l'infografica sul consumo di droghe in Italia, sul guadagno che ricavano le varie mafie e sulle persone in cura presso i servizi sanitari. Qual è il dato che vi colpisce di più? Perché?

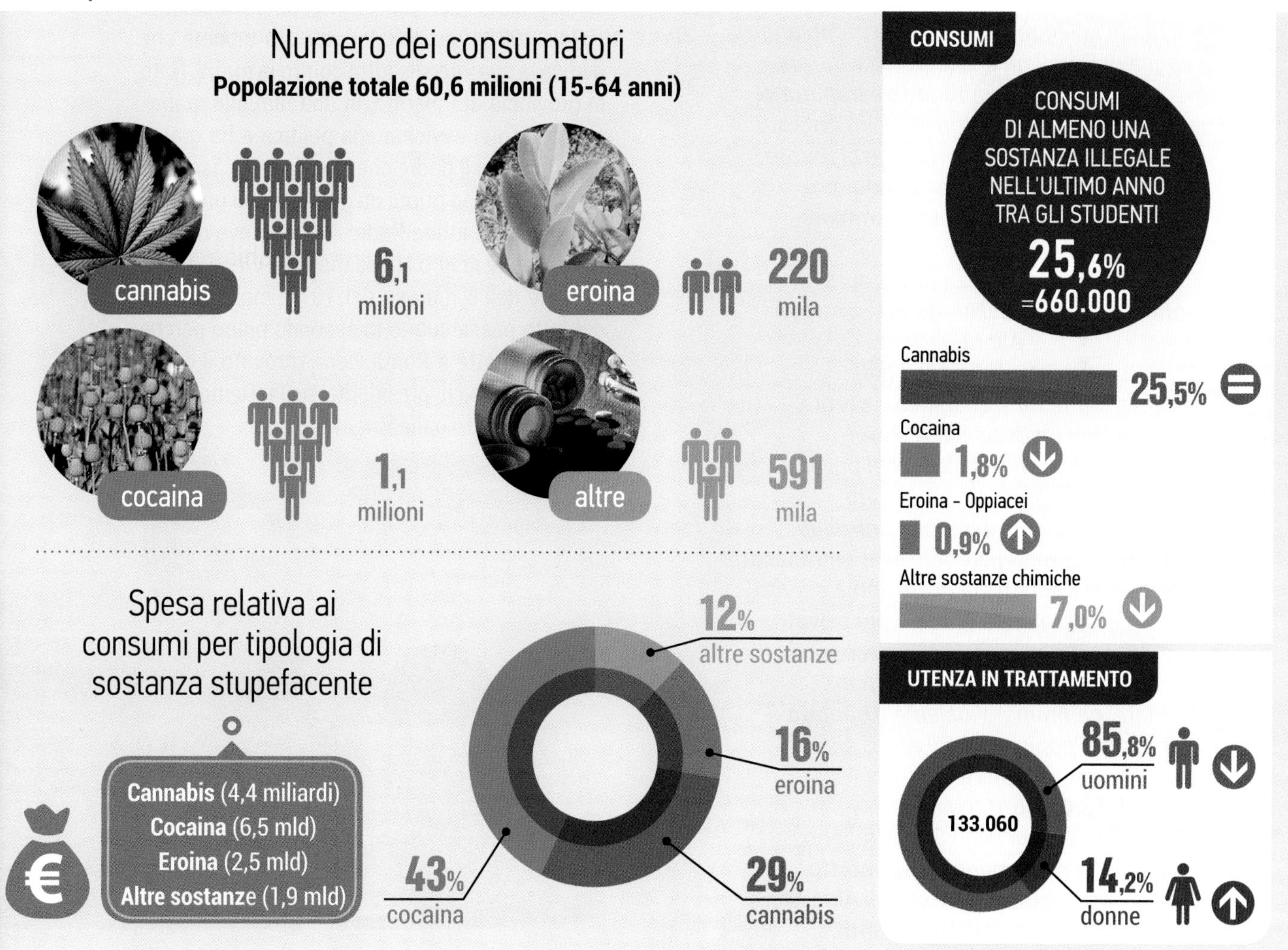

4 Ascoltate il servizio del telegiornale e indicate le affermazioni presenti.

- [ ] 1. Spesso l'aspetto di queste droghe è simile a quello delle caramelle.
- [ ] 2. Sono soprattutto i giovani in età scolastica i maggiori consumatori di droghe leggere.
- [ ] 3. Uno dei sintomi che provoca l'uso di queste droghe è l'alterazione dell'umore.
- [ ] 4. Spesso per i consumatori di queste droghe è difficile superare lo stato depressivo.
- [ ] 5. Queste droghe sintetiche danneggiano in maniera momentanea il cervello con stati di delirio.
- [ ] 6. Il cervello viene danneggiato sia dall'uso prolungato che dalla tossicità della droga.
- [ ] 7. La pericolosità delle altre sostanze contenute nelle pasticche è maggiore della droga stessa.
- [ ] 8. Non c'è possibilità di guarire dai danni causati al cervello da queste droghe.

es. 9-12
p. 161

D Cos'è la mafia?

1 Osservate il titolo della sezione e leggete la canzone "I cento passi" dei Modena City Ramblers, tratta dall'omonimo film di Marco Tullio Giordana. Riuscite a immaginare di cosa parla?

Nato nella terra dei vespri e degli aranci,
tra Cinisi e Palermo parlava alla sua radio
Negli occhi si leggeva la voglia di cambiare,
la voglia di Giustizia che lo portò a lottare.
Aveva un cognome ingombrante e rispettato,
di certo in quell'ambiente da lui poco onorato.
Si sa dove si nasce ma non come si muore
e non se un ideale ti porterà dolore.
Ma la tua vita adesso puoi cambiare
solo se sei disposto a camminare,
gridando forte senza aver paura
contando cento passi lungo la tua strada
Allora
1,2,3,4,5,10,100 passi! (x4)
Poteva come tanti scegliere e partire,
invece lui decise di restare.
Gli amici, la politica, la lotta del partito
alle elezioni si era candidato.
Diceva da vicino li avrebbe controllati,
ma poi non ebbe tempo perché venne ammazzato.
Il nome di suo padre nella notte non è servito,
gli amici disperati non l'hanno più trovato.
Allora dimmi se tu sai contare,
dimmi se sai anche camminare,
contare, camminare insieme a cantare
la storia di Peppino e degli amici siciliani
Allora
1,2,3,4,5,10,100 passi! (x4)
Era la notte buia dello Stato Italiano,
quella del nove maggio settantotto.
La notte di via Caetani, del corpo di Aldo Moro,
l'alba dei funerali di uno stato.
Allora dimmi se tu sai contare,
dimmi se sai anche camminare,
contare, camminare insieme a cantare
la storia di Peppino e degli amici siciliani.
Allora
1,2,3,4,5,10,100 passi! (x4)

2 Ascoltate o guardate il videoclip della canzone su Youtube e in gruppo fate delle ipotesi sulla storia di Peppino Impastato. Chi era? Cosa faceva? Cosa sognava? Confrontatevi con i compagni per ricostruire la vicenda.

3 Leggete il testo e verificate le vostre ipotesi.

Protagonista del film è Peppino Impastato (1948-1978), giornalista, attivista e poeta che dedica la sua vita alla lotta contro la mafia. Nato in provincia di Palermo, in una famiglia mafiosa, al liceo si avvicina alla politica e ha grandi contrasti con il padre che lo caccia di casa. Con gli amici creano prima un giornale, poi un circolo culturale e infine Radio Aut, da dove denuncia e prende in giro i boss mafiosi. Viene ucciso la notte dell'8 maggio del 1978, ma la gravità del fatto passa subito in secondo piano perché la stessa notte a Roma viene ritrovato il corpo di Aldo Moro, il presidente della Democrazia Cristiana rapito dalle Brigate Rosse.

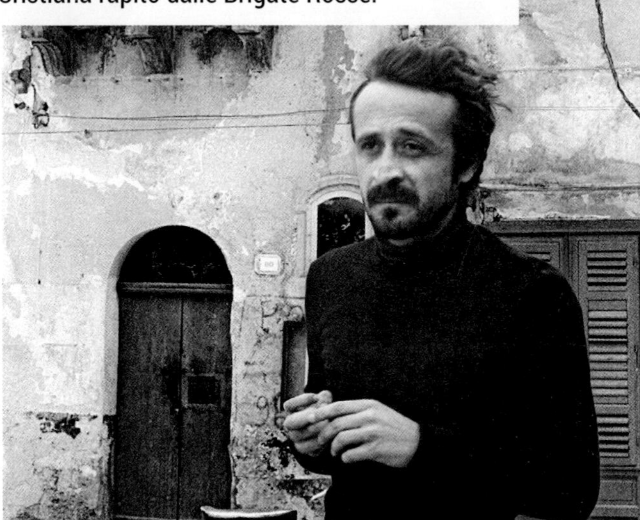

4 La drammatica storia di Peppino, a cui sono dedicati il film e la canzone, è comune a molte altre vittime di mafia. Insieme ai compagni, rispondete alle seguenti domande e discutete dell'argomento:

1. Potete dare una definizione del termine *mafia*?
2. Quali sono gli stereotipi legati alla mafia che conoscete?
3. Secondo voi, come si manifesta la mafia nella vita di tutti i giorni?
4. Nel vostro Paese è presente? Se lo è, in quali zone e in quali settori è presente?

5 In coppie: *A* legge il testo 1 e *B* legge il testo 2, ciascuno prende appunti. Poi chiudete il libro e riassumete al compagno il testo letto.

1 La mafia al Nord e al Sud

Come si "nasconde" la mafia nell'Italia settentrionale

La mafia, o meglio le varie "mafie", nascono nel Sud Italia, ma si sono sviluppate e operano anche nel Nord Italia. Qui le mafie si mimetizzano all'interno della politica che amministra i beni pubblici, molto ambiti dagli imprenditori ai quali permettono di aggiudicarsi appalti di valore economico enorme grazie a procedure poco trasparenti, in cambio di grandi somme di denaro.

La mafia è presente anche nelle Società pubbliche nelle quali permette facili assunzioni e avanzamenti di carriera. È quest'ultima la mafia "in giacca e cravatta", espressione di persone insospettabili, ben vestite e profumate.

La mafia del Nord è quella che ha rapporti con le banche e l'alta finanza, quella che decide chi deve lavorare e chi no. Certo non uccide fisicamente, ma uccide il sistema economico, il rispetto del diritto e della giustizia. La mafia che opera nel Sud fa paura con le armi e la violenza ed è al servizio di quella radicata al Nord, che dà ordini di sotterrare nei territori del Meridione veleni tossici e morte.

adattato da *www.antimafiaduemila.com*

2 L'ECOMAFIA E LO SMALTIMENTO ILLEGALE DI RIFIUTI

Nell'ultima relazione della Direzione Investigativa Antimafia (DIA) si evidenzia come già da alcuni decenni le organizzazioni criminali hanno compreso la reale portata del business dei rifiuti, soprattutto grazie alle pene meno severe rispetto agli altri settori criminali.
Il lungo processo dei rifiuti (produzione – raccolta – trasporto – smaltimento) vede la presenza di diversi "attori", ma un ruolo fondamentale viene svolto dagli imprenditori che hanno la necessità di liberarsi dei rifiuti prodotti dalla propria azienda. Spesso c'è la volontà di liberarsi illegalmente dei rifiuti per abbattere i costi di produzione e ottenere una posizione di vantaggio rispetto ad altre aziende che affrontano tutte le spese previste dalla legge. Ed è qui che entra in gioco l'organizzazione mafiosa.
30 anni fa *Legambiente* e l'Arma dei carabinieri presentarono il primo "Rapporto sulla criminalità ambientale in Italia": in quell'occasione, fu creato il termine *ecomafia*, che entrò nei dizionari della lingua italiana. Già allora emergeva un quadro preoccupante sull'illegalità ambientale nel nostro Paese e sul ruolo che giocava in questo settore la criminalità organizzata, riconfermato proprio dall'ultima relazione della DIA.

adattato da *www.snpambiente.it*

6 Indovina cosa penso.

In squadre da 4 persone. L'insegnante scrive delle categorie, che trova anche nella Guida didattica, su dei foglietti che mette in un contenitore. Un giocatore di ogni squadra pesca una categoria e scrive su un foglio 5 parole collegate a quella categoria. Il giocatore comunica ai compagni la categoria e loro diranno 5 parole ciascuno, cercando di indovinare quelle scritte sul foglio. Per ogni parola indovinata, la squadra vince due punti.

es. 13-14 p. 163

E Migranti di oggi, migranti di ieri

1 a **Osservate queste due foto di italiani all'estero e descrivetele. Quando sono state scattate? Quali differenze notate?**

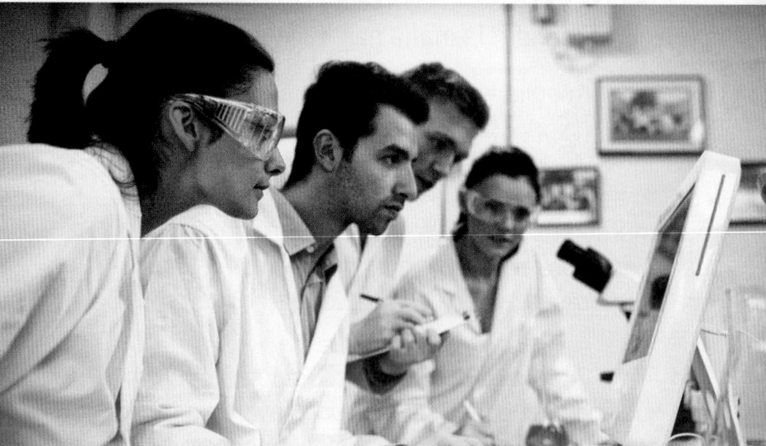

b **Gli italiani sono sempre stati un popolo di migranti. Rispetto al passato, cosa è cambiato, chi sono i nuovi migranti italiani?**

Osservate:

emigrare – emigrato	→	andare via dal proprio Paese
immigrare – immigrato	→	venire qui dal proprio Paese

2 **Leggete il testo e indicate se le affermazioni sono vere o false.**

Caro Direttore,

in questo momento, l'Italia non è un Paese che si prende cura dei suoi giovani. Il nostro è un Paese in grande affanno, incapace di trattenere i propri laureati, che sta rapidamente invecchiando e che sui giovani ha smesso di credere e investire. In particolare, al Sud l'emigrazione verso il Nord Italia o all'estero sta portando ad un impoverimento del capitale umano, e non solo, impressionante. Un vero dramma sociale: lo spopolamento di interi paesi e città, destinati a morire.

Non siamo più di fronte ai viaggi con la valigia di cartone che sono rimasti scolpiti nella nostra memoria verso Ellis Island di chi nulla aveva da perdere e sognava un nuovo mondo da conquistare e dove ripartire da zero. Oggi assistiamo alla "fuga dei cervelli", i nostri giovani, preparati, qualificati e ben istruiti, con già alcune esperienze estere, lasciano il Paese dopo un'attenta pianificazione, con il supporto economico dei genitori (quando possibile) e con la possibilità di iniziare una nuova vita all'estero da classe dirigente. E non è una tendenza che coinvolge soltanto gli studenti laureati o universitari. L'età in cui matura l'idea di partire riguarda appieno gli studenti delle scuole superiori. L'Italia, non solo sta perdendo la propria futura classe dirigente, ma sta rinunciando anche solo alla formazione dei ragazzi.

Le cause sono tante, molto complesse, e vengono da lontano. Questa però non può essere una giustificazione per non provare a reagire. Il primo passo per risolvere un problema è riconoscerne l'esistenza. Cosa fare quindi? Quali opportunità e prospettive concrete il Paese può offrire ai nostri giovani per evitare di perderli?

adattato da www.agenziagiovani.it

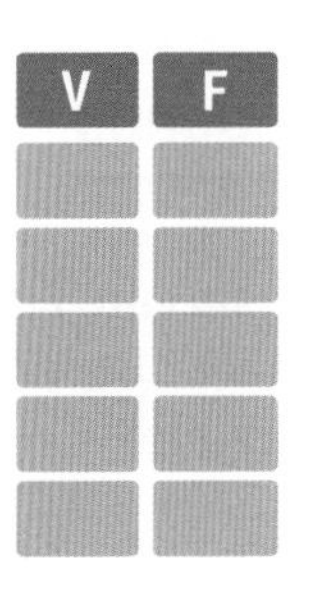

	V	F
1. L'Italia sta investendo molto sui giovani.		
2. I giovani lasciano il Paese e l'età media della popolazione aumenta.		
3. I giovani italiani migrano e portano con loro educazione e competenze.		
4. Tra vent'anni l'Italia non avrà più una classe dirigente.		
5. Bisogna riconoscere l'esistenza del problema per provare a risolverlo.		

3 Rispondete alle domande.

1. Secondo voi, quali sono le cause o le motivazioni che spingono le persone a emigrare? Quali emozioni vive una persona costretta a lasciare il suo Paese?
2. Il fenomeno della "fuga dei cervelli" è presente anche nel vostro Paese oppure ci sono altri tipi di emigrazione?
3. Come si potrebbe arginare questo problema o come si potrebbe trasformare in un fenomeno positivo?

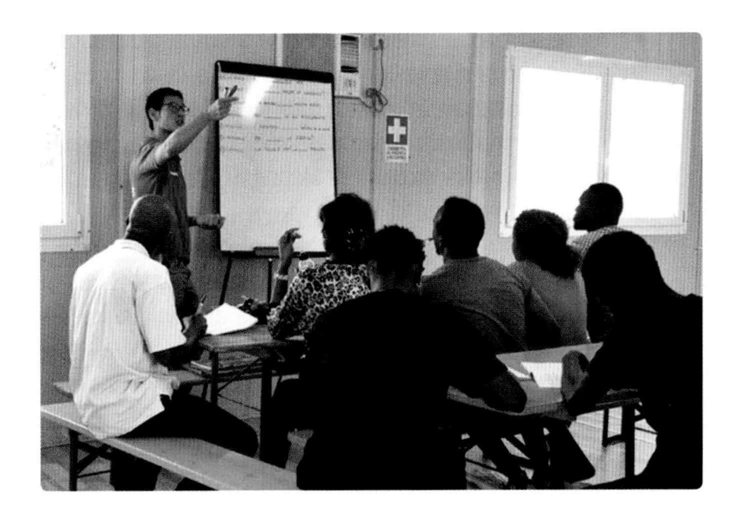

4 Osservate la tabella.

Il periodo ipotetico nel discorso indiretto

Discorso diretto		Discorso indiretto
«Se *investiamo* nella ricerca, i nostri giovani non *lasciano* il Paese.»	➜	Giorgia ha detto che se investiamo nella ricerca, i nostri giovani non lasciano il Paese.
Questa ipotesi è contemporanea al momento in cui Giorgia la dice: i tempi e i modi non cambiano.		
«Se *investiamo* nella ricerca, i nostri giovani non *lasciano* il Paese.»	➜	Giorgia ha detto che se avessimo investito nella ricerca, i nostri giovani non avrebbero lasciato il Paese.
Questa ipotesi è anteriore al momento in cui Giorgia la dice: il periodo ipotetico diventa del terzo tipo.		
«Se *investissimo* nella ricerca, i nostri giovani non *lascerebbero* il Paese.»	➜	Giorgia ha detto che se avessimo investito nella ricerca, i nostri giovani non avrebbero lasciato il Paese.
Questa ipotesi è anteriore al momento in cui viene detta: il periodo ipotetico diventa del terzo tipo.		
«Se *avessimo investito* nella ricerca, i nostri giovani non *avrebbero lasciato* il Paese.»	➜	Giorgia ha detto che se avessimo investito nella ricerca, i nostri giovani non avrebbero lasciato il Paese.
Il periodo ipotetico di terzo tipo non cambia.		

5 Pensate e scrivete una lettera al Ministro per le politiche giovanili in cui spiegate una vostra idea o un vostro progetto per attirare in Italia giovani preparati e con titoli di studio.

es. 15-17
p. 164

F Essere donna

1 a Osservate l'immagine della copertina del libro: a cosa vi fa pensare? Secondo voi, a cosa si riferisce il titolo? Perché è al femminile?

b Leggete la recensione del libro e rispondete alle domande.

Forse prima che come libro, Ferite a morte, è conosciuto per lo spettacolo teatrale che la stessa Dandini ne ha tratto, chiamando sul palco figure diverse di donne, giornaliste, scrittrici, attrici, tutte vestite di nero, ciascuna a dare la propria voce raccontando in prima persona la storia di una donna uccisa da un uomo. Il libro è appunto la raccolta di alcune di queste storie. Come dice la stessa Dandini: «Ho letto decine di storie vere e ho immaginato un paradiso popolato da queste donne e dalla loro energia vitale. Sono mogli, ex-mogli, sorelle, figlie, fidanzate, ex-fidanzate che non hanno rispettato le regole assegnate dalla società, e che hanno pagato con la vita questa disubbidienza. Così mi sono chiesta: «E se le vittime potessero parlare?» ...Ferite a morte vuol dare voce a chi da viva ha parlato poco o è stata poco ascoltata, con la speranza di dare coraggio a chi può ancora salvarsi.»
Dunque si tratta di storie scritte dalle protagoniste da 'dopo morte', una sorta di Antologia di Spoon River al femminile, ogni storia molto breve e rivolta al momento conclusivo, quello dell'uccisione. La prima comincia con una frase formidabile: «Avevamo il mostro in casa e non ce ne siamo accorti».
A differenza di parecchi libri usciti ultimamente in Italia riguardo alla violenza sulle donne, *Ferite a morte* non ha lo sguardo rivolto solo al femminicidio in Italia ma, nella seconda parte del libro, si parla della situazione in altri paesi del mondo. L'autrice, in collaborazione con Maura Misiti, demografa e ricercatrice del CNR, raccoglie sotto forma di schede informative, la descrizione di pratiche molto diverse tra loro, ma con una radice comune, l'avere come oggetto della violenza la donna in quanto donna. Dalle uccisioni e stupri di donne in situazioni di guerra, alle donne bruciate a causa della dote in alcuni stati dell'Asia meridionale, dall'aborto di feti femmine e l'infanticidio delle bambine in Cina, India e Bangladesh alle uccisioni in massa di donne in Messico (pensiamo alla città messicana di Ciudad Juàrez, diventata simbolo del femminicidio oggi): sono solo alcune delle situazioni illustrate nelle schede, che nel linguaggio molto asciutto e diretto dei dati, danno un quadro impressionante della vastità e trasversalità della violenza che gli uomini esercitano sulle donne.
Nella parte finale, sono segnalate invece politiche e misure adottate da vari Stati per far fronte alla gravità della situazione.

- Chi è l'autrice e da che cosa è stato tratto il libro?
- Di che cosa parla il libro nella prima e nella seconda parte?
- Sapete cos'è la violenza di genere? Com'è la situazione nel vostro Paese?
- "Femminicidio" è un termine composto da due parole che già conoscete: che cosa significa secondo voi?

2 a Nel testo dell'attività 1b si parla di "regole assegnate dalla società" alle donne. Secondo voi, è giusto che una società imponga delle "regole" solo alle donne? Quali sono le regole che la società impone alle donne? Si tratta di regole scritte o non scritte?

b Leggete e commentate alcune "regole" tratte da La guida della buona moglie pubblicata negli anni '50 del secolo scorso da un giornale americano. Cosa è cambiato da allora? Quale tra queste "regole" vi sembra più strana e assurda? Quale quando eravate piccoli/e vi sembrava "più normale"/ meno strana?

1. Prepara la cena prima in modo da averla pronta al ritorno del marito: fagli capire che lo hai pensato e che ti prendi cura dei suoi bisogni anche durante la sua assenza.
2. Smetti di occuparti delle faccende domestiche almeno 15 minuti prima del suo ritorno a casa per sistemarti, indossare qualcosa di pulito, ritoccare il trucco e mettere un fiocco nei capelli.

3. Fagli trovare la casa pulita: prima del suo arrivo entra nelle stanze un'ultima volta e controlla che sia tutto in ordine, che non ci sia polvere.
4. Prepara i bambini per il suo arrivo: lavagli le mani, il viso, mettigli i vestiti puliti, calmali se piangono o sono agitati.
5. Anche se avrai tante cose da dirgli non farlo al suo arrivo perchè non è il momento giusto. Aspetta che sia lui ad iniziare e ricorda sempre che i suoi argomenti sono più importanti dei tuoi.

3 Ora leggete l'articolo 3 della Costituzione Italiana e scrivete due o tre regole nel rispetto della parità di genere tra uomo e donna.

LA PARITÀ DI GENERE NELLA COSTITUZIONE ITALIANA – ARTICOLO 3:
Tutti i cittadini hanno pari dignità sociale e sono eguali davanti alla legge, senza distinzione di sesso, di razza, di lingua, di religione, di opinioni politiche, di condizioni personali e sociali.
È compito della Repubblica rimuovere gli ostacoli di ordine economico e sociale, che, limitando di fatto la libertà e l'eguaglianza dei cittadini, impediscono il pieno sviluppo della persona umana e l'effettiva partecipazione di tutti i lavoratori all'organizzazione politica, economica e sociale del Paese.

G Vocabolario e abilità

1 Scrivete i sostantivi che derivano dai verbi e viceversa.

arrestare ▶ ....
minacciare ▶ ....
aiutare ▶ ....
disubbidire ▶ ....
violentare ▶ ....

rapina ▶ ....
spaccio ▶ ....
migrante ▶ ....
assassinio ▶ ....
clientelare ▶ ....

28 CD 2 **2 Ascolto**
Quaderno degli esercizi (p. 167)

3 Parliamo

1. **Studente *A***: tua figlia vuole sposarsi con un ragazzo ma tu sai che in passato questo ragazzo è stato accusato di spaccio di droga. Hai paura per tua figlia e quindi cerchi di convincerla a cambiare idea.
2. **Studente *B***, sei la figlia: cerchi di spiegare ai tuoi genitori che il tuo ragazzo non è mai stato dichiarato colpevole e cerchi di tranquillizzarli.

4 Scriviamo

Leggete questi titoli di cronaca, sceglietene uno e provate a scrivere un articolo per la sezione cronaca del giornale.

1. Trova la forza di denunciare anni di violenze: arrestato il compagno.
2. Chiusa un'azienda e arrestato il proprietario: faceva affari con la mafia.
3. Novara, due giovani arrestati. Spacciavano nei boschi.

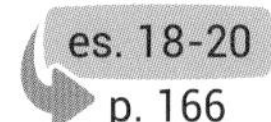
es. 18-20 p. 166

p. 107
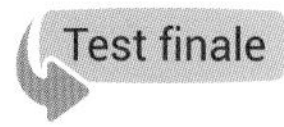
Test finale

I PROBLEMI DELL'ITALIA

1 **Leggete i testi e completateli con le seguenti parole:**

finiscono ❖ *nero* ❖ *anziani* ❖ *stranieri* ❖ *giovanile*
sicurezza ❖ *aumentare* ❖ *genitori*

DISOCCUPAZIONE e SOTTOCCUPAZIONE

Uno dei principali problemi della società italiana è sicuramente la disoccupazione: il Belpaese è infatti ai primi posti della classifica europea per percentuale di disoccupati (circa il 10%) e, soprattutto, per la disoccupazione.................................... (1) (circa il 26%, dai 15 ai 24 anni). Una diretta conseguenza del problema della disoccupazione è la sottoccupazione, cioè il lavoro precario, il lavoro saltuario* e quello in .... (2), che gli italiani spesso sono costretti ad accettare per non restare disoccupati. Questa situazione economica instabile impedisce ai giovani di crearsi una famiglia e spesso li costringe a vivere con i loro .... (3) o a emigrare all'estero.

L'IMMIGRAZIONE IRREGOLARE

Nonostante i numerosi problemi che ogni giorno affronta, l'Italia è ancora considerato un Paese di grandi opportunità: proprio per questo è meta* di molti .... (4) che cercano una vita migliore. Alcuni di questi, entrano clandestinamente* nel Paese e spesso .... (5) nelle mani della criminalità organizzata, che li sfrutta e li costringe a lavorare in nero. Altri, appena arrivati in Italia, chiedono asilo politico* perché sono in pericolo nel loro Paese e vengono assistiti dalle strutture pubbliche.

CALO DEMOGRAFICO

L'Italia conta circa 60 milioni di abitanti, ma la sua crescita demografica ha un segno negativo già da alcuni anni: a causa della mancanza di lavoro e di una .... (6) economica, molti giovani tardano a creare una famiglia e l'età di quando si ha il primo figlio cresce sempre di più, il risultato è che ogni anno nascono sempre meno bambini. Nel frattempo, aumenta il numero di .... (7), rendendo l'Italia un Paese "vecchio". Per fortuna, a rallentare questi dati ci sono gli immigrati: i cittadini stranieri infatti fanno .... (8) la popolazione del Belpaese sia perché richiedono la cittadinanza italiana, sia perché fanno più figli.

LA MAFIA NEL CINEMA E NELLA REALTÀ

Il cinema e la televisione hanno spesso la tendenza* a romanzare la realtà, cioè ad aggiungere elementi di fantasia che possano rendere le storie raccontate più interessanti e affascinanti.

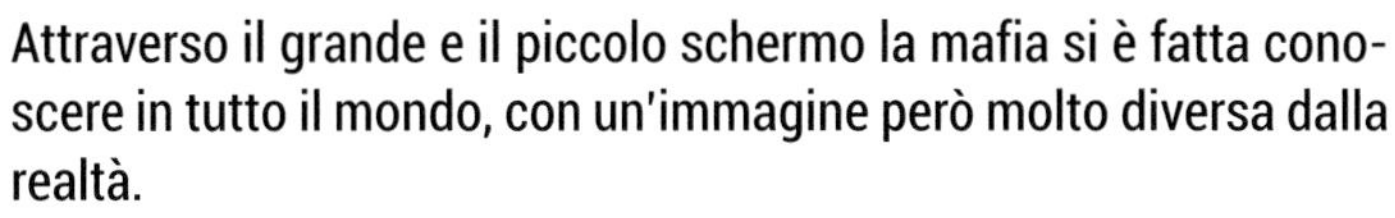

Attraverso il grande e il piccolo schermo la mafia si è fatta conoscere in tutto il mondo, con un'immagine però molto diversa dalla realtà.

Nella maggior parte dei film e delle serie tv, infatti, il mondo mafioso viene rappresentato come un mondo legato alle tradizioni, all'ordine, all'onore e al rispetto degli anziani; un mondo in cui la famiglia è un valore fondamentale.

La realtà invece, è molto diversa. La mafia è un'organizzazione criminale fortemente gerarchica* e che usa la violenza per imporsi sulla società. Gestisce numerose attività legali e illegali, come lo spaccio di droga e l'estorsione. Nel corso degli anni, si è macchiata* di numerosi omicidi, non solo per eliminare i membri di altri gruppi mafiosi, ma anche politici, giornalisti, avvocati, magistrati, attivisti che volevano contrastare l'organizzazione criminale, e semplici cittadini uccisi per sbaglio.

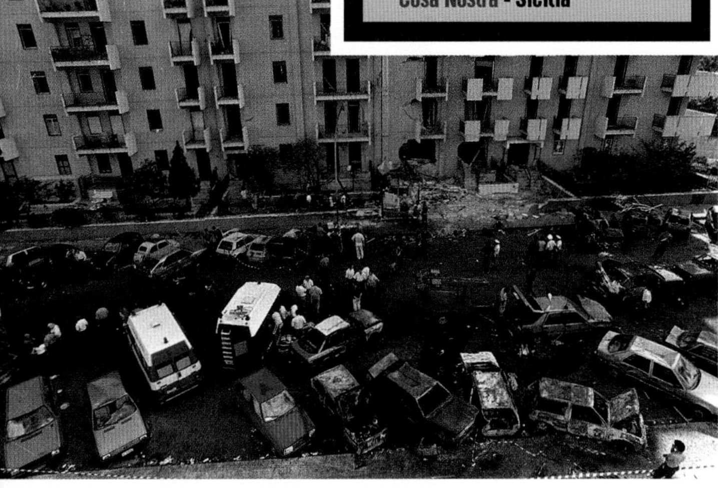

uglio 1992. In via D'Amelio a Palermo la mafia fa esplodere una bomba che uccide il magistrato Paolo Borsellino e i suoi 5 agenti di scorta.

2 Avete mai visto un film o una serie che parla di mafia? Leggete il testo qui in basso e commentate con i vostri compagni quello che scrive l'insegnante: siete d'accordo con le opinioni dei ragazzi? Voi che idea avete della mafia?

L'EFFETTO DELLA MAFIA IN TV SUI GIOVANI

Scrive un insegnante:

"La fiction, la serie TV che ha come protagonista il boss mafioso Totò Riina, corre il rischio di far assumere a Riina il ruolo di modello da seguire e imitare: potente, ricco, vincente. [...] I mafiosi sono ricchi e potenti, mentre i poliziotti conducono vite modeste quando non squallide*. L'immagine che ne risulta è quella dei VINTI in una società tutta basata sui valori dell'apparire, in cui esisti solo se hai e appari. [...] I ragazzi sono stati profondamente attratti dalle figure vincenti, tanto [...] da improntare i loro giochi sulla emulazione* di quanto vedevano. Sconvolgente soprattutto la constatazione che nel gioco delle parti tutti volevano essere Riina o uno dei suoi scagnozzi* e venivano scelti i nomi dei mafiosi persino per le squadre di calcio. Intervistati, i ragazzi dicevano che lui è da ammirare perché fa quello che vuole, dà lavoro a tante persone e non si fa prendere."

adattato da www.centroimpastato.com

Glossario. *lavoro saltuario:* lavoro occasionale, non continuo; *meta:* punto d'arrivo del viaggio; *clandestinamente:* di nascosto; *asilo politico:* rifugio dato agli stranieri per motivi politici; *tendenza:* orientamento, predisposizione; *gerarchico:* tipo di organizzazione basata su un ordine graduato, i gradi superiori controllano e comandano i gradi inferiori; *macchiarsi:* coprirsi di gravi colpe, "sporcando" il proprio onore; *squallido:* misero, povero; *emulazione:* imitare cosa fa o come si comporta un'altra persona; *scagnozzo:* persona che è al servizio di un potente e ne esegue passivamente gli ordini

3 Sapete cosa significa *omertà*? In coppia, cercate su un dizionario italiano il significato.

Attività online

Che cosa ricordi delle unità 9 e 10?

1 Sai...? Abbina le due colonne.

1. confermare qualcosa ☐
2. esprimere indifferenza ☐
3. riportare il discorso di qualcuno ☐
4. chiedere conferma ☐
5. gestire i turni di parola ☐

a. *Posso dire una cosa? E la prego di non interrompermi!*
b. *Non me ne frega niente del calcio.*
c. *Le assicuro che si risolverà tutto!*
d. *Carlo mi disse che doveva partire con la famiglia.*
e. *È vero che l'uso di droga è diffuso anche tra i giovanissimi?*

2 Abbina le frasi.

1. Mi ha detto che non ero necessario. ☐
2. Mio nonno è anche su Instagram! ☐
3. Mia madre mi disse ☐
4. Gentili spettatori, ☐
5. Se si pagassero meno i biglietti dei musei ☐

a. che non avrei dovuto comprare casa in campagna
b. siete pregati di dirigervi verso le uscite.
c. Ma che faccia tosta e che maleducato!
d. ci sarebbero molti più visitatori.
e. Veramente?! Hai capito il nonnetto!

3 Completa.

1. Nel discorso indiretto "domani" diventa: ....
2. Il nome della mafia pugliese: ....
3. Cosa significa emigrare: ....
4. Castel Sant'Angelo si trova a: ....
5. Cosa significa "spacciare": ....

4 Abbina le parole alle definizioni:

clientelismo ❖ *disobbedire* ❖ *calo demografico*
stupefacente ❖ *affresco* ❖ *abuso* ❖ *femminicidio*

1. Un'opera d'arte dipinta su un muro: ....
2. Diminuzione della percentuale delle nascite: ....
3. Utilizzo o consumo eccessivo di qualcosa: ....
4. In politica, favorire qualcuno per proprio interesse: ....
5. Uccisione di una donna: ....
6. Rifiutarsi di rispettare un ordine o un'indicazione: ....
7. Un altro modo per dire "droga": ....

Controlla le soluzioni a pagina 189.
Sei soddisfatto/a?

I trulli di Alberobello, Puglia

Che bello leggere! Unità 11

Glossary p. 227

Per cominciare...

1 In coppia, abbinate a ciascun libro il genere letterario. Attenzione: c'è un'immagine in meno!

- [ ] romanzo storico
- [ ] giallo
- [ ] fiaba
- [ ] opera teatrale
- [ ] saggio
- [ ] romanzo d'amore
- [ ] biografia

2 Vi piace leggere? Qual è il vostro genere preferito? Qual è l'ultimo libro che avete letto?

29 CD 2

3 Ascoltate il dialogo e indicate le informazioni presenti.

- [ ] 1. Gianna ha chiesto a Lorenzo di leggerle l'oroscopo.
- [ ] 2. Lorenzo inizia sempre la sua giornata leggendo l'oroscopo.
- [ ] 3. Lorenzo in realtà legge l'oroscopo per abitudine.
- [ ] 4. Gianna in passato ci credeva, ma ora non lo legge più.
- [ ] 5. Lorenzo non riesce a ricordare il giorno del compleanno di Gianna.
- [ ] 6. Ieri era il compleanno della nonna di Lorenzo e lui l'ha dimenticato.
- [ ] 7. La nonna di Lorenzo e il padre di Gianna compiono gli anni lo stesso giorno.
- [ ] 8. Alla fine Lorenzo decide di comprare alla nonna un libro.

In questa unità impariamo...		
	• *a parlare di libri e di testi letterari* • *a parlare dell'oroscopo*	• *il gerundio semplice e passato* • *il participio semplice e passato* • *l'infinito semplice e passato*
		• *curiosità e informazioni sulla letteratura italiana*

A Un problema da risolvere

29 CD 2

1 Leggete o riascoltate il dialogo per verificare le vostre risposte all'attività precedente.

Lorenzo: "Oggi potrebbe essere una bella giornata..."
Gianna: In che senso?
Lorenzo: "...se riuscite a risolvere un problema in fretta!"
Gianna: Che problema, Lorenzo?!
Lorenzo: "Però attenzione: la memoria non è il vostro forte!"
Gianna: Ma che stai dicendo? Ah, stai leggendo l'oroscopo!
Lorenzo: Sì, perché lo dici così?
Gianna: Ma credi ancora a queste cose? Ti facevo più intelligente...
Lorenzo: Guarda che c'è tanta gente che inizia la giornata consultando l'oroscopo.
Gianna: Lo so, ma tu ci credi o no?
Lorenzo: Mah... non è che ci creda proprio... diciamo che leggere l'oroscopo è più un'abitudine...

Gianna: Sai, anch'io lo facevo un tempo, ma poi, dopo aver capito che erano solo cretinate, ho smesso: avevo 16 anni...
Lorenzo: Comunque, tranquilla, lo so che non bisogna prenderlo sul serio...
Gianna: Meno male! ...Ma secondo te, in che modo "potrebbe essere una bella giornata"?
Lorenzo: Non lo so, guarda! E poi dice che "la memoria non è il mio forte!"
Gianna: E chissà che problema dovrai risolvere...
Lorenzo: Mannaggia, ho proprio un vuoto, non riesco a ricordare!
Gianna: Eh... un incontro, un compleanno, forse?
Lorenzo: Un compleanno?! Non mi viene niente in mente.

Gianna: Di tua nonna per caso?
Lorenzo: Eh? Oddio, è vero! Come fai a saperlo?
Gianna: Perché compie gli anni lo stesso giorno di mio padre, ne parlavamo l'altro giorno, non ti ricordi?
Lorenzo: Ah... auguri! E perché non l'hai detto subito?
Gianna: Ma non ci ho pensato, credevo che lo ricordassi già!
Lorenzo: Ecco il problema da risolvere... A quest'ora che faccio, che regalo le compro?
Gianna: Boh, io a mio padre ho preso un libro... potresti fare lo stesso!
Lorenzo: Brava, un libro! Che libro?
Gianna: Il problema lo devi risolvere tu, mica io... Però hai visto? Alla fine, l'oroscopo era tutto giusto, non sei contento?

2 Lavorate a coppie e spiegate a voce cosa esprimono queste espressioni tratte dal dialogo.

"mica io..."
"Meno male!"
"Ti facevo più..."
"Mannaggia!"
"In che senso?"
"ho proprio un vuoto..."

3 Gianna è a cena con il fratello, la cognata e i genitori per festeggiare il compleanno del padre. Completate il dialogo con le parole date.

facendo ❖ *avendo perduto* ❖ *guardando* ❖ *spendere* ❖ *prendere* ❖ *avendo vinto*

Gianna: Papà, questo è il mio regalo. Spero ti piaccia.
padre: Ma no, Gianna! Ragazzi, quante volte vi ho detto che non dovete .... (1) soldi per me... Vediamo..."Il ladro di merendine" di Camilleri. Grazie Gianna, non dovevi!
Gianna: Ti piace? .... (2) un premio letterario, ho pensato che valesse la pena leggerlo, che ti sarebbe piaciuto.
padre: Brava, hai fatto bene! Proprio ieri sera .... (3) in TV una puntata di Montalbano, pensavo di comprare alcuni libri di Camilleri.
Gianna: Questo non è proprio un giallo, è un romanzo poliziesco che ha come protagonista il commissario Montalbano che cerca gli elementi tra due omicidi. Ma quando c'è Montalbano c'è anche il lato umano: François, il bambino protagonista, ... (4) entrambi i genitori, viene adottato grazie a Montalbano e alla sua compagna Livia.
Carlo: Io l'ho letto, papà, è davvero bello, molto avvincente. Ma .... (5) Camilleri un uso continuo del dialetto siciliano insieme all'italiano... sei sicuro di riuscirlo a capire?
padre: Beh, se non capisco qualcosa, ti chiamo, così mi aiuti tu!
Gianna: A proposito di Sicilia... Carlo, dov'è la cassata che ci hai portato da Palermo?
Carlo: In frigo. La vado a .... (6), così papà spegne le candeline!

4 Dopo aver letto il dialogo precedente, completate la tabella.

Il gerundio presente

consultare	leggere	sentire
consult....................	legg....................	sentendo

Il gerundio presente o semplice indica sempre un'azione contemporanea a quella della frase principale.

Sorridendo, Lorenzo è tornato a casa.

La lista dei verbi irregolari al gerundio è nell'Approfondimento grammaticale a pagina 210.

5 Osservate le frasi e poi abbinatele alla funzione che esprime il gerundio.

1. Ieri sera guardando in TV una puntata di Montalbano, pensavo di comprare alcuni libri di Camilleri.
2. C'è tanta gente che inizia la giornata consultando l'oroscopo.
3. Sbrigandoti, potresti arrivare in tempo in stazione.
4. Essendo stanco, ho preferito non uscire

a. Modo
b. Azioni simultanee
c. Causa
d. Ipotesi

6 Osservate l'esempio tratto dal dialogo dell'attività A3 e completate la tabella.

"Ti piace? Avendo vinto un premio letterario, ho pensato che valesse la pena leggerlo, che ti sarebbe piaciuto."

Il gerundio passato

Gerundio semplice di .... o *essere* + participio passato

Il gerundio passato o composto esprime un'azione avvenuta prima di un'altra.

Avendo già letto questo libro, ne compro un altro.

Per ulteriori informazioni sul gerundio consultate l'Approfondimento grammaticale a pagina 211.

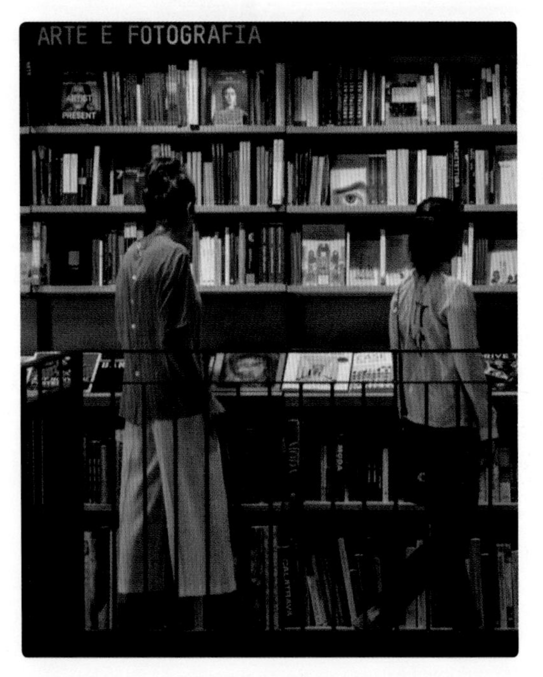

7 Completate le frasi inserendo il gerundio semplice o composto.

1. .... (*uscire*) di casa, ho incontrato Roberta che andava in libreria.
2. .... (*leggere*) un romanzo storico, potresti imparare anche qualcosa di interessante.
3. .... (*trovare*) in casa i gioielli rubati, i Carabinieri li hanno arrestati.
4. .... (*svegliarsi*) presto ogni mattina, la sera vado a dormire alle 10.
5. .... (*studiare*) bene, Lorenzo ha superato l'esame.

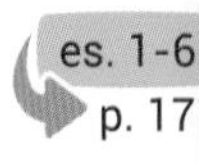
es. 1-6
p. 17

B Di che segno sei?

1 a In coppia. Conoscete i nomi dei segni zodiacali in italiano? Scrivete il nome giusto sotto ogni simbolo, come negli esempi. Aiutatevi con il testo dell'attività 2.

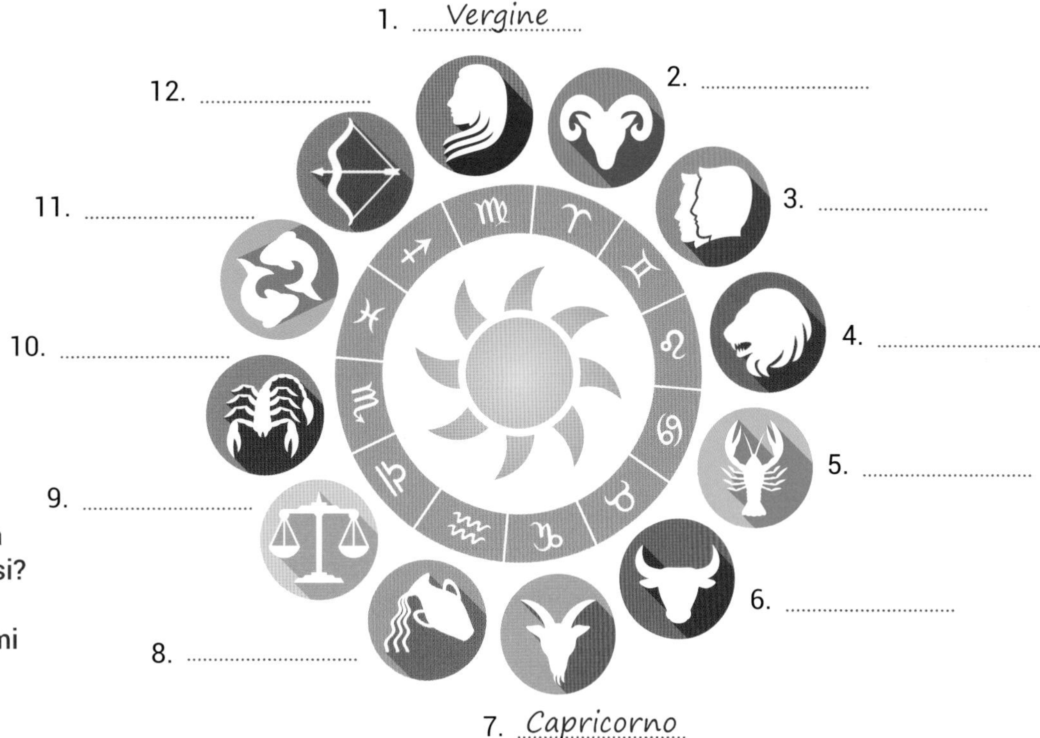

b Anche nella vostra cultura sono gli stessi? Con un compagno, confrontatevi sui nomi che i segni zodiacali hanno nella vostra lingua.

2 Leggete il vostro segno zodiacale. Siete davvero così? Parlatene.

Ariete Le parole d'ordine per loro sono passionalità e coraggio. Grandi lavoratori, preferiscono dedicare all'amore pochi, ma intensi momenti.

Toro I nati sotto il segno del Toro amano molto gli amici e la semplicità. Pazienti e poco romantici, preferiscono storie lunghe e tranquille.

Gemelli Spiritosi e intelligenti. Particolarmente sensibili agli stati d'animo e ai pensieri di chi li circonda, giocano sulle frasi e le parole a doppio senso.

Cancro Sono i più romantici e sognatori dello zodiaco; cercano negli altri tenerezza e protezione. Hanno bisogno di emozioni e di parole dolci e sono molto fedeli.

Leone Amano esibire la loro bellezza, esteriore e interiore. Sono seducenti e hanno un'energia straordinaria. Ma si annoiano facilmente.

Vergine Le loro caratteristiche sono la puntualità, la precisione e l'altruismo. Non sempre trovano il coraggio di esprimere i loro sentimenti, perciò preferiscono scriverli.

Bilancia Non molto stabili, soprattutto in momenti di particolare stanchezza. In compenso, sono estroversi e creativi. Tolleranti, sanno evitare gli scontri con gli altri.

Scorpione Sono provocatori, ma anche molto ambiziosi e attratti dal potere. Spesso si lasciano catturare da relazioni difficili, ma sanno sempre riprendersi dalle difficoltà.

Sagittario Molto ottimisti, non perdono mai il loro buon umore. Si innamorano facilmente, ma si sposano tardi, a volte dopo lunghi fidanzamenti.

Capricorno Sono capaci di sopportare la fatica. Tipi molto concreti non sprecano tempo né energia. Di solito vivono a lungo e con gli anni sembrano ringiovanire.

Acquario Sono eccentrici, fantasiosi e attratti dalla libertà di pensiero: gli studi lunghi non sono per loro. Sanno stupire con sorprese e idee originali.

Pesci Essendo forse troppo romantici, per loro i sentimenti contano più della razionalità. Alcune volte si comportano in modo imprevedibile.

3 In genere, credete all'oroscopo? Quando e quanto può influenzarvi? Che cosa cambiereste nella descrizione del vostro segno zodiacale? E negli altri?

4 Osservate e completate le tabelle inserendo le parole date.

oggetto ❖ *participio* ❖ *impersonale* ❖ *esclamative* ❖ *ordini* ❖ *preposizioni*

L'infinito presente

Allacciarsi le cinture. / Non *superare* la linea gialla. / *Compilare* il modulo. / Luca, non *mangiare* tutta la cioccolata!	→	per dare .... o istruzioni in modo .... o come imperativo negativo.
Camminare fa bene. / Tra il *dire* e il *fare* c'è di mezzo il mare. / Questo *discutere* mi uccide.	→	come soggetto o .... e può essere preceduto da articoli, ... e aggettivi.
A *vederli* prima!	→	in alcune frasi .... che esprimono un'ipotesi (Se li avessi visti prima!) o un desiderio (Magari li avessi visti...)

Altre funzioni dell'infinito nell'Approfondimento grammaticale a pagina 212.

L'infinito passato

Nelle frasi secondarie l'infinito presente esprime un'azione contemporanea all'azione principale. Ho visto Lorenzo *andare* a casa. = Ho visto Lorenzo mentre andava a casa. (io-lui) Ho visto Lorenzo *andando* a casa. = Ho visto Lorenzo mentre andavo a casa. (io-io)
L'infinito passato esprime un'azione avvenuta prima di un'altra. Sono venuti a casa mia dopo *essere passati* in libreria.
L'infinito passato si forma con: ausiliare *essere* o *avere* + ... passato

5 Trasformate le frasi usando l'infinito quando possibile.

1. Se avessimo cercato prima i biglietti, li avremmo trovati sicuramente! →
   ....
2. Solo dopo che avrete finito i compiti, potrete andare al parco. →
   ....
3. Ho sentito un giornalista che parlava di questo nuovo romanzo. →
   ....
4. Usate le uscite di emergenza e non correte. →
   ....
5. Matteo ha deciso che si trasferirà a Napoli prima della fine dell'anno. →
   ....

es. 7-12
p. 173

C Due classici da leggere!

1 Leggete le due recensioni e poi indicate a quale dei due testi corrispondono le affermazioni sotto.

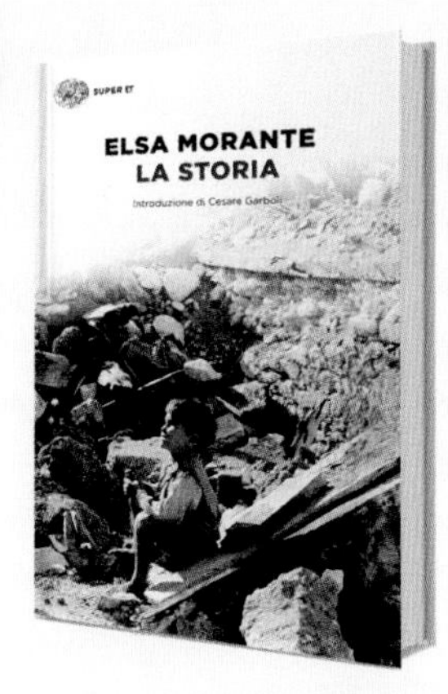

La Storia è il romanzo più celebre, ma anche il più discusso di Elsa Morante. Pubblicato nel 1974, racconta la storia di Ida Ramundo, una vedova ebrea che vive a Roma insieme a suo figlio Ninuzzo, negli anni difficili della Seconda guerra mondiale e delle leggi razziali. La protagonista, che fa la maestra elementare, viene violentata da un soldato tedesco e dà alla luce il piccolo Useppe, un bambino fragile e sofferente. Ida dovrà combattere per la sua sopravvivenza e per quella dei figli non solo durante la guerra, ma anche negli anni successivi: perderà la casa a causa dei bombardamenti e dovrà trasferirsi insieme ad altri sfollati nel quartiere di Pietralata; sarà costretta addirittura a rubare per nutrire il figlio più piccolo.
Con la drammatica vicenda di Ida, l'autrice mostra e critica apertamente i traumi che la guerra lascia sul popolo che la subisce, condannando le persone a una vita di miseria e povertà, senza alcuna speranza per il futuro.

adattato da *www.italialibri.net*

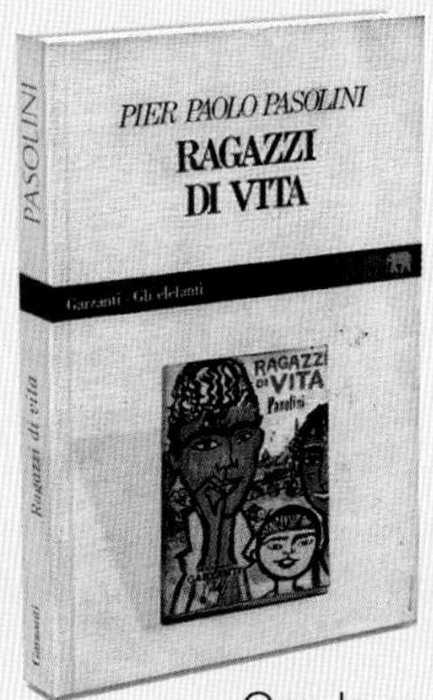

Ragazzi di vita è un'opera neorealista del 1955, ambientata nelle borgate romane, i quartieri più popolari di Roma. Lo scrittore, Pier Paolo Pasolini, non crea un vero e proprio romanzo con una trama lineare, ma narra le vicende interessanti ed emozionanti di un gruppo di ragazzi dei quartieri poveri della periferia romana, e i loro tentativi di guadagnarsi un po' di soldi, più o meno onestamente. I personaggi, nonostante vivano in condizioni difficili e di estrema povertà, sono giovani e desiderano godersi la vita proprio come i loro coetanei benestanti. Purtroppo, quando ci riescono, i soldi che hanno guadagnato o rubato si perdono altrettanto velocemente.
Con la sua opera Pasolini mostra ai lettori la vita dell'altra Italia del boom economico, quella che vorrebbe vivere nel benessere ma che è condannata a un'esistenza tragica.

adattato da *www.centrostudipierpaolopasolinicasarsa.it*

	A	B
1. È un romanzo ambientato a Roma durante la guerra.		
2. L'opera è stata pubblicata circa 10 anni dopo la fine della Seconda guerra mondiale.		
3. Descrive le storie di giovani che vivono nei quartieri poveri di Roma.		
4. I protagonisti sono costretti a rubare, per poter vivere la vita che desiderano.		
5. La storia mostra le drammatiche conseguenze del dopoguerra in Italia.		
6. Il dolore e la miseria non scompaiono con la fine della guerra.		

2 Rispondete:
1. Che cosa hanno in comune i due romanzi?
2. Quale dei due romanzi vi sembra più interessante? Perché?

3 Inserite negli spazi sotto i verbi, i sostantivi e gli aggettivi evidenziati presenti nelle recensioni. Poi usate quelli che volete per scrivere la recensione di un libro che avete letto.

4 Nei due testi precedenti abbiamo incontrato participi come *benestante*, *pubblicato*, *sofferente*. In coppia, osservate e completate la tabella.

Il participio

Participio presente

parlare → parlante | sorridere → sorridente | uscire → uscente

aggettivo: Questo è un libro molto .... (*interessare*)!
sostantivo: Elisa è una brava .... (*cantare*).
verbo: La nostra è una squadra .... (*vincere*)?

Participio passato

pubblicare → pubblicato | vendere → venduto | capire → capito

aggettivo: Ho comprato una macchina .... (*usare*).
sostantivo: Andiamo a fare una .... (*passeggiare*).
verbo: (esprime un'azione avvenuta prima di un'altra): Una volta .... (*partire*), non sono più tornato indietro.

Per ulteriori informazioni, consultate l'Approfondimento grammaticale a pagina 213.

5 Completate le frasi con la parola mancante (aggettivo, sostantivo o verbo) derivato dal verbo tra parentesi.

1. Devo comprare una nuova .... per l'ufficio. (*stampare*)
2. Solo una volta .... di casa, abbiamo notato che nevicava. (*uscire*)
3. .... la cena, Mario ha deciso di andare a fare una passeggiata. (*finire*)
4. Visto che mi ero perso, ho chiesto indicazioni a un .... (*passare*)
5. .... tutte le valigie in macchina, Martina salutò l'amica e partì. (*mettere*)

es. 13-17 p. 176

D Il teatro come opera letteraria

1 Vi piace il teatro? Secondo voi, vedere uno spettacolo a teatro o leggere un'opera teatrale è uguale? Cosa apprezzate dell'uno e cosa dell'altro?

30 D2

2 Ascoltate il brano che parla di due grandi autori italiani e indicate le affermazioni corrette.

1. Le opere di Pirandello si basano sulla convizione che la realtà sia:
   - ☐ a. falsa
   - ☐ b. oggettiva
   - ☐ c. relativa
2. I personaggi di Pirandello:
   - ☐ a. cercano di definire la loro identità
   - ☐ b. sono vittime della follia
   - ☐ c. sono dei personaggi inconclusi
3. Secondo Pirandello, gli uomini hanno costante bisogno di:
   - ☐ a. mentire a se stessi
   - ☐ b. ingannare gli altri
   - ☐ c. non crearsi illusioni
4. De Filippo debuttò al San Carlo di Napoli con *Napoli milionaria*:
   - ☐ a. prima della II guerra mondiale
   - ☐ b. durante la II guerra mondiale
   - ☐ c. dopo la II guerra mondiale
5. L'opera *Filumena Marturano*:
   - ☐ a. diventa un film grazie alla regia di De Sica
   - ☐ b. è diretta al cinema da De Filippo stesso
   - ☐ c. al cinema, ha come protagonista De Sica
6. Filumena Marturano, alla fine:
   - ☐ a. convince Domenico a riconoscere il loro figlio
   - ☐ b. si sposa con l'amato Domenico
   - ☐ c. dice a Domenico che sono tutti e tre figli suoi

3 Completate il testo inserendo una parola in ogni spazio, come nell'esempio.

Il successo: «Nel 1942, con i miei fratelli decidemmo di passare al teatro, con una compagnia nostra e con copioni scritti da noi. Debuttammo a Milano, ... (1) Odeon. Ma chi ci conosceva? Le poltrone .... (2) per metà vuote, però alla fine il pubblico gridava: "Viva Napoli". Un .... (3) scrisse un lungo articolo e nei giorni seguenti tutte le file .... (4) riempirono!».
Il più bel ricordo: «È nella mia città che ho avuto la commozione più profonda. Fu ....*alla*.... (5) prima di Napoli milionaria nel '45. C'era la fame e tanta gente disperata. Ottenni il teatro San Carlo per una .... (6). [...] Io facevo Gennaro Esposito, un povero e bravo uomo, che viene portato via dai tedeschi e, ... (7) torna, trova un figlio ladro, la moglie che fa il mercato nero, si è arricchita e .... (8) ha tradito, e la figlia che ha fatto l'amore con un soldato americano. Gennaro, con tolleranza, ... (9) capire ai famigliari che non è finito niente, che la .... (10) continua. Recitavo e sentivo intorno a me un silenzio terribile. .... (11) dissi l'ultima battuta: "Deve passare la nottata" e scese il sipario, ci fu un silenzio ancora .... (12) otto, dieci secondi, poi scoppiò un applauso furioso e anche un pianto irrefrenabile; tutti piangevano e anch'io piangevo. Avevo detto il dolore di tutti».

tratto da *un'intervista a Eduardo De Filippo*

Luigi Pirandello, al centro, con i tre fratelli De Filippo (da sinistra: Peppino, Eduardo e Titina). Pirandello aveva un'immensa stima per i De Filippo, che avevano già interpretato con successo una sua commedia, *Il berretto a sonagli*. Secondo lui costituivano una forza nuova e autentica del teatro.

4 Abbinate le parole ai disegni. Che cosa notate?

a. teatro ❖ b. teatrino c. libro ❖ d. librone e. ragazzo ❖ f. ragazzacc

5 Osservate la tabella.

Le parole alterate

In italiano possiamo alterare le parole in base alla:

dimensione	qualità
Diminutivo: • ino/a: *fiorellino, stradina* • ello/a: *alberello, storiella* • etto/a: *libretto, casetta*	**Dispregiativo/Peggiorativo:** • accio/a: *tempaccio, giornataccia, parolaccia*
Accrescitivo: • one: *tavolone, librone* • ona: *macchinona, casona*	**Vezzeggiativo:** • uccio/a: *cavalluccio, casuccia, boccuccia*

6 Completate le frasi con la forma alterata corretta delle parole date.

1. È da tre ore che piove a dirotto! Che ....! (*tempo*)
2. Ti faccio vedere un .... per far ripartire il PC quando si blocca. (*trucco*)
3. Hai acceso anche il camino? Ecco perché c'è questo bel .... (*caldo*)
4. Per le persone del Toro non andrà bene nulla, sarà una .... (*giornata*)
5. Per mangiare tutti insieme ci siederemo intorno a questo .... (*tavolo*)

es. 18-21 p. 177

E Librerie e libri

1 In coppia, discutete con un compagno:

- Che rapporto avete con i libri? Quanti libri leggete in un anno?
- In quale momento della giornata e dove vi piace leggere? C'è un periodo dell'anno in cui leggete di più?
- Preferite i libri cartacei o digitali? Vi piace andare in libreria o acquistare online? Motivate le vostre risposte.

2 Ascoltate ora un'intervista a un libraio. Secondo voi, anche nel vostro Paese i risultati sarebbero gli stessi?

3 Ascoltate di nuovo e completate le informazioni con le parole mancanti (massimo quattro).

1. Gli italiani storicamente sono poco ....
2. Bene o male, si invoglia poco il bambino o la bambina di turno a confrontarsi con letture ....
3. Il lettore "forte" è un... intanto si dice da sempre ....
4. Le grandi case editrici spesso scelgono di pubblicare cose già in qualche modo sapendo e scegliendo ....
5. Il pubblico femminile si confronta ancora ...., romanzi d'amore ma anche non.
6. I giovani, come al solito, sono anche il tipo di pubblico più ....

4 Leggete il testo e indicate solo le affermazioni presenti.

L'AVVENTURA DI UN LETTORE

Da tempo Amedeo tendeva a ridurre al minimo la sua partecipazione alla vita attiva. [...] L'interesse all'azione sopravviveva però nel piacere di leggere; la sua passione erano sempre le narrazioni di fatti, le storie, l'intreccio delle vicende umane. Romanzi dell'Ottocento, prima di tutto, ma anche memorie e biografie; e via via fino ad arrivare ai gialli e alla fantascienza, che non disdegnava ma che gli davano minor soddisfazione anche perché erano libretti brevi: Amedeo amava i grossi tomi e metteva nell'affrontarli il piacere fisico dell'affrontare una grossa fatica. [...]

Nel libro trovava un'adesione alla realtà molto più piena e concreta, dove tutto aveva un significato, un'importanza, un ritmo. Amedeo si sentiva in una condizione perfetta: la pagina scritta gli appariva la vera vita, profonda e appassionante, e alzando gli occhi ritrovava un casuale ma gradevole accostarsi di colori e

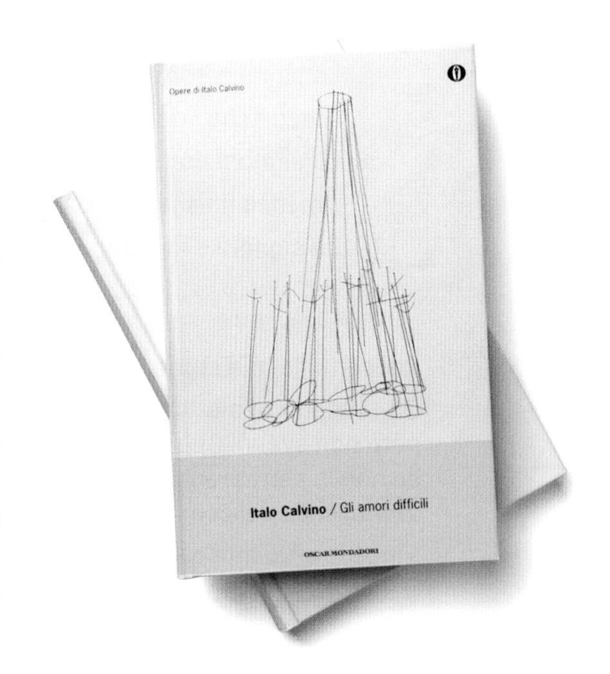

sensazioni, un mondo accessorio e decorativo, che non poteva impegnarlo in nulla. La signora abbronzata, dal suo materassino, gli fece un sorriso e un cenno di saluto, lui rispose pure con un sorriso e un vago cenno e riabbassò subito lo sguardo. Ma la signora aveva detto qualcosa:

– Eh?

– Legge, legge sempre?

– Eh...

– È interessante?

– Sì.

– Buon proseguimento!

– Grazie.

Bisognava che non alzasse più gli occhi. Almeno fino alla fine del capitolo. Lo lesse d'un fiato. [...]

– Ma...

Amedeo fu costretto ad alzare il capo dal libro.

La donna lo stava guardando, ed i suoi occhi erano amari.

– Qualche cosa che non va? – lui chiese.

– Ma non si stanca mai di leggere? – disse la donna. – Non sa che con le signore si deve fare conversazione? – aggiunse con un mezzo sorriso che forse voleva essere solo ironico, ma ad Amedeo, che in quel momento avrebbe pagato chissà cosa per non staccarsi dal romanzo, sembrò addirittura minaccioso. "Cos'ho fatto, a mettermi qui!", pensò. Ormai era chiaro che con quella donna al fianco non avrebbe più letto una riga.

adattato da *Gli amori difficili* di Italo Calvino

- [ ] 1. Amedeo preferisce leggere libri lunghi e voluminosi.
- [ ] 2. Amedeo è un tipo sportivo.
- [ ] 3. Ha comprato un libro da leggere in spiaggia.
- [ ] 4. Per Amedeo, la letteratura è più importante della vita reale.
- [ ] 5. La signora sta leggendo una rivista di moda.
- [ ] 6. La signora sorride e interrompe Amedeo dalla lettura.
- [ ] 7. Amedeo ha voglia di parlare del suo libro con la signora.
- [ ] 8. La signora vorrebbe che Amedeo parlasse con lei.
- [ ] 9. Amedeo finisce il libro prima di parlare con la signora.
- [ ] 10. La signora è in compagnia delle sue amiche.

5 Racconta la mia storia

Gli studenti si mettono in cerchio e l'insegnante comincia una storia, tratta da un libro famoso (che però non svela). Gli studenti dovranno continuare a turno la storia, per almeno 30 secondi, inventando se non la conoscono o raccontandola se hanno riconosciuto il romanzo. Chi non riesce a continuare la storia, esce dal cerchio.

Vince lo studente che rimane al suo posto fino alla fine.

Vocabolario e abilità

1 **Vita da libri! Immaginate di essere un libro e di voler raccontare la vostra vita. Aiutatevi con le immagini e con le parole date.**

editore ❖ *presentare* ❖ *lettore* ❖ *pubblicare* ❖ *personaggi* ❖ *libraio* ❖ *vetrina*
autore ❖ *successo* ❖ *copie* ❖ *titolo* ❖ *tipografo* ❖ *stampare* ❖ *copertina* ❖ *comprare*

2 **Ascolto** Quaderno degli esercizi (p. 179)

es. 22-24 p. 179

3 **Situazione**

Sei ***A***: devi fare un regalo di compleanno e hai pensato di comprare un bel libro. Vai in una libreria italiana e chiedi aiuto al libraio per scegliere il romanzo giusto. A pagina 193 trovi informazioni sulle persone a cui dovresti fare il regalo (devi sceglierne una).

Sei ***B***: sei il libraio e conosci abbastanza bene la letteratura italiana. A pagina 196 trovi le informazioni per aiutare A e rispondere alle sue domande.

4 **Scriviamo**

«Ho scoperto che i migliori compagni di viaggio sono i libri: parlano quando si ha bisogno, tacciono quando si vuole silenzio. Fanno compagnia senza essere invadenti. Danno moltissimo, senza chiedere nulla». A partire da questa affermazione, rifletti sull'importanza dei libri e della lettura nella vita di ognuno di noi ed esponi il tuo punto di vista.

p. 108
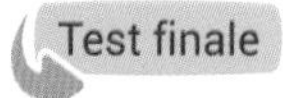

CLASSICI DELLA LETTERATURA ITALIANA

1 Leggete e completate i testi con le parole date a destra.

La Divina Commedia

È il capolavoro di Dante Alighieri, ma anche un'opera fondamentale per la letteratura italiana e mondiale. Composto tra il 1306-07 e il 1321 circa, è un poema diviso in tre .... (1) (chiamate cantiche): Inferno, Purgatorio e Paradiso, ciascuna a loro volta suddivise in 33 canti, più uno introduttivo nell'Inferno. Dante è il primo poeta a utilizzare la lingua volgare per gli scritti letterari.

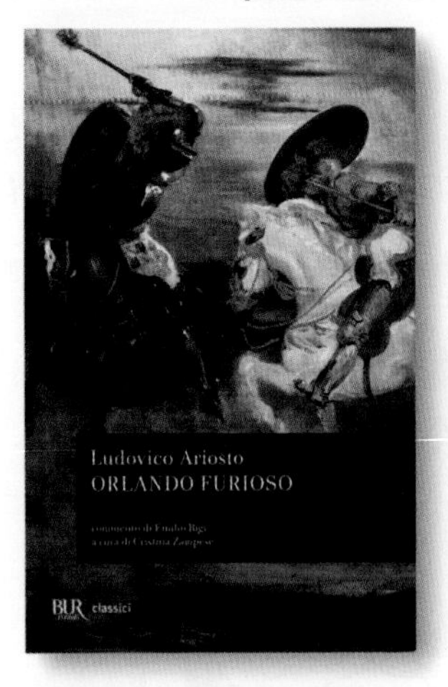

L'Orlando furioso

Ludovico Ariosto pubblica il suo .... (2) epico* cavalleresco nel 1516. L'opera narra con elegante ironia le vicende dei cavalieri di Carlo Magno, seguendo due temi principali: la guerra dei cristiani contro i musulmani e la ricerca di Angelica da parte di Orlando e degli altri cavalieri, tutti innamorati di lei.

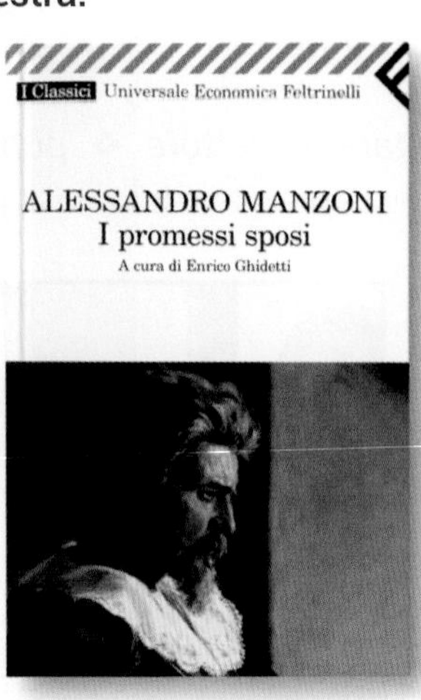

I promessi sposi

Il romanzo di Alessandro Manzoni, pubblicato nel 1827, è uno dei primi grandi .... (3) in lingua italiana. Si tratta di un romanzo storico e narra la storia di Renzo e Lucia, due giovani innamorati nella Lombardia dei primi decenni del 1600 sotto la dominazione spagnola, i quali sono costretti a superare diversi ostacoli per vivere il loro amore.

Il fu Mattia Pascal

È un romanzo, che potremmo definire psicologico, di Luigi Pirandello pubblicato nel 1904.
.... (4) la storia di Mattia Pascal, che decide di cominciare una nuova vita con un nuovo nome, lontano dalla sua vecchia famiglia. Questo tentativo fallisce e il protagonista decide di ritornare alla sua vita "precedente", ma trova tutto cambiato e soprattutto non c'è più posto per lui.

GLI ITALIANI E LA LETTURA

Nell'ultimo anno, solo il 41% degli italiani ha letto un libro

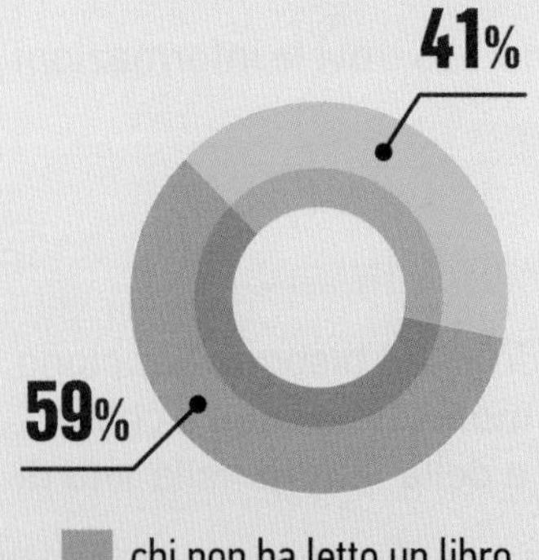

Le donne leggono più degli uomini

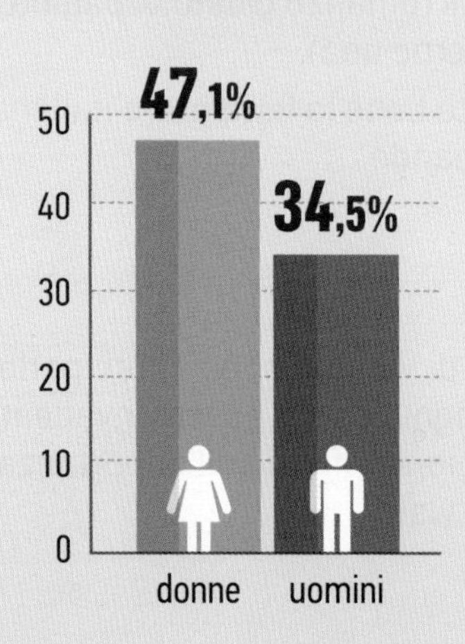

Il Trentino Alto Adige è la regione con più lettori, la Sicilia quella con meno

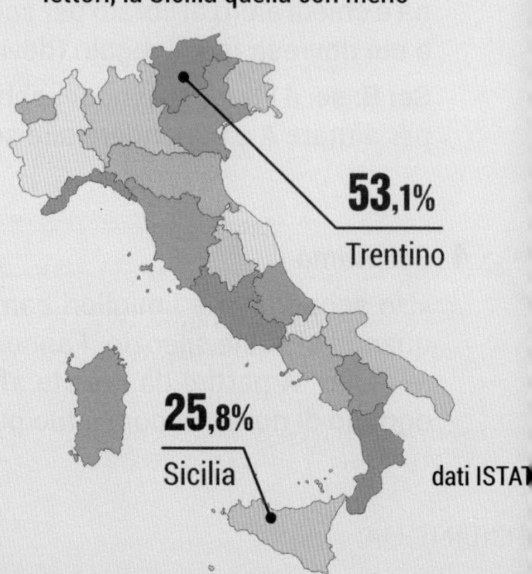

dati ISTAT

romanzi ❖ *poema* ❖ *racconta* ❖ *ambientandolo* ❖ *realista*
parti ❖ *protagonista* ❖ *pubblica*

Il nome della rosa

Nel 1980 viene pubblicato il romanzo più famoso di Umberto Eco. È un giallo in cui il .... (5), il frate Guglielmo da Baskerville, indaga su una serie di delitti* (sette in sette giorni) avvenuti all'interno di un'abbazia, un monastero.

Gli indifferenti

Nel 1929, in pieno regime fascista, Alberto Moravia realizza un ritratto critico e .... (6) della borghesia italiana. I protagonisti del romanzo, "indifferenti" a tutto vivono la loro vita nell'ipocrisia, nel loro mondo borghese privo di valori.

La storia

Elsa Morante pubblica nel 1974 il suo romanzo storico più noto ma anche più discusso, ... (7) nella Roma della guerra e dell'immediato dopoguerra.
Con estremo realismo, descrive la tragica storia di una maestra elementare, vedova con due bambini, che lotta per la sua sopravvivenza e per quella dei suoi figli, ma inutilmente.

Se questo è un uomo

Sopravvissuto al campo di concentramento di Auschwitz, Primo Levi scrive tra il dicembre del 1945 e il gennaio del 1947 il suo primo libro, che .... (8) nello stesso anno. Con una scrittura diretta e chiara, Levi riporta la sua testimonianza della terribile esperienza, affinché tutti possano conoscere e ricordare la tragedia immane*, disumana* dei lager nazisti.

Glossario. ***epico:*** si riferisce alla poesia che narra avvenimenti eroici; ***delitto:*** omicidio; ***immane:*** di enorme grandezza, immenso, smisurato; ***disumano:*** che non ha nulla di umano; ***riscuotere successo:*** avere successo; ***tetralogia:*** insieme di quattro opere letterarie.

FENOMENI EDITORIALI ITALIANI

Tra gli autori contemporanei che hanno riscosso* più successo nelle vendite, in Italia e all'estero, ci sono sicuramente Elena Ferrante con la tetralogia* *L'amica geniale*, tradotta in 40 lingue, e Andrea Camilleri con i suoi romanzi polizieschi che vedono protagonista il *Commissario Montalbano*. Da entrambi questi capolavori è stata tratta una serie tv, distribuita anche all'estero.

Attività online

PREMI NOBEL

6 sono gli italiani a cui è stato assegnato il Nobel per la letteratura:
il poeta **Giosuè Carducci** (1906), la romanziera **Grazia Deledda** (1926), lo scrittore **Luigi Pirandello** (1934), il poeta **Salvatore Quasimodo** (1959), il poeta **Eugenio Montale** (1975) e lo scrittore e attore **Dario Fo** (1997).

AUTOVALUTAZIONE

Che cosa ricordi delle unità 10 e 11?

1 Sai...? Abbina le due colonne. Attenzione: nella colonna di destra c'è una frase in meno.

1. esprimere indifferenza
2. riportare le ipotesi di qualcuno
3. parlare di segni zodiacali
4. gestire i turni di parola
5. esprimere ordini nella forma negativa
6. chiedere conferma

- ☐ a. *Le persone gemelli sono sensibili e curiose.*
- ☐ b. *Per favore, non parlatemi sopra e lasciate dire una cosa anche a me!*
- ☐ c. *Non pagare con la carta di credito!*
- ☐ d. *Gli disse che se avesse letto le istruzioni, ora funzionerebbe tutto.*
- ☐ e. *Me ne infischio di quello che dice il Direttore!*

2 Abbina le frasi.

1. Lea disse che
2. Stasera studierò fino a tardi!
3. Leggendo Calvino,
4. A pensarci bene
5. La polizia arrestò alcune persone

- ☐ a. mi sono appassionato alla letteratura italiana.
- ☐ b. mi piacerebbe comprare un nuovo romanzo.
- ☐ c. ritenute responsabili.
- ☐ d. quel giorno le avrebbe aspettate lì.
- ☐ e. Bravo, ogni tanto è necessario.

3 Scegli la parola giusta.

1. Ci sono scrittori / lettori / editori / pittori che firmano i loro libri con un altro nome, uno pseudonimo.
2. La libreria / biblioteca / letteratura / lettura italiana è una delle più apprezzate al mondo, con molti 'tesori' da scoprire.
3. La parte grafica è importante: a volte basta una bella trama / vetrina / copertina / casa editrice per vendere più facilmente un libro.
4. La fuga di cervelli / fuga di notizie / fuga di personale / fuga di gas è un grande problema socioeconomico per l'Italia.
5. I due giovani sono stati arrestati per spaccio / criminalità / pena / carcere e saranno processati subito in tribunale.

4 Completa.

1. Un fenomeno editoriale italiano:
   ....
2. Da chi è stata scritta l'opera teatrale *Filumena Marturano*?
   ....
3. Il participio presente di *passare*:
   ....
4. Il diminutivo di *capitolo*:
   ....
5. Cosa esprime la costruzione *stare per + infinito*?
   ....

Controlla le soluzioni a pagina 189. Sei soddisfatto/a?

Cattedrale di Siena, Toscana

AUTOVALUTAZIONE GENERALE

Che cosa hai imparato in *Nuovissimo Progetto italiano 2*?

1 Dove o in quale occasione sentiresti le seguenti espressioni e frasi?

1. "Il tasso d'interesse è molto basso"
   - ☐ a. in banca
   - ☐ b. in un annuncio di lavoro
   - ☐ c. in un teatro
2. "Dispone di una cucina abitabile"
   - ☐ a. in un ristorante
   - ☐ b. in banca
   - ☐ c. in un'agenzia immobiliare
3. "La frequenza è obbligatoria"
   - ☐ a. in palestra
   - ☐ b. all'università
   - ☐ c. in un museo
4. "Animali domestici ammessi"
   - ☐ a. in libreria
   - ☐ b. all'università
   - ☐ c. in albergo
5. "Quali erano le sue mansioni?"
   - ☐ a. in un colloquio di lavoro
   - ☐ b. in banca
   - ☐ c. in un museo
6. "Il prezzo comprende il volo e il soggiorno"
   - ☐ a. in albergo
   - ☐ b. in un'agenzia di viaggi
   - ☐ c. in un'agenzia immobiliare

2 Abbina le due colonne. Attenzione: c'è una risposta in più.

1. Allora, mi hai preso in giro?
2. Questo è un dipinto di Modigliani.
3. Il mio capo non mi ha concesso le ferie.
4. Hai sentito della nuova legge sul lavoro?
5. Mi presteresti il tuo motorino?
6. Paolo farà un mese di vacanze.
7. Luisa si sposa tra un mese.
8. Tu e Mirco dovreste parlare.

- ☐ a. E perché mai? Tanto ha sempre ragione lui!
- ☐ b. Ma è assurdo, non può non dartele!
- ☐ c. Ti assicuro che non verrà votata.
- ☐ d. Ma non si può andare avanti così!
- ☐ e. Mi scusi, ha detto Modigliani?
- ☐ f. Ma no, stavo solo scherzando!
- ☐ g. Se avessi abbastanza soldi, lo farei anche io.
- ☐ h. E con ciò? Io ormai sto con Maria.
- ☐ i. Ma stai scherzando? Me lo hanno rubato.

3 Inserisci le parole date nella categoria giusta. Ogni categoria ha 3 parole.

*prenotazione | interessi | racconto | tenore | scultura | doppi servizi | libretto
tesi | monolocale | mezza pensione | corsi | soprano | appunti | angolo cottura
statua | romanzo | sportello | dipinto | giallo | soggiornare | prelevare*

1. *banca:* ....
2. *albergo:* ....
3. *università:* ....
4. *opera:* ....
5. *museo:* ....
6. *libreria:* ....
7. *agenzia immobiliare:* ....

4 Completa le frasi con la parola mancante.

1. Perché non me l'hai riportato? Non ti ho detto che .... serviva per oggi?
2. Secondo me dovresti dir ...., in fondo ha tutto il diritto di sapere come stanno le cose.
3. Ragazzi, domani .... di voi porta il proprio dizionario di inglese per il compito in classe?
4. .... lui non ci possiamo fidare: è un irresponsabile!
5. Mi ha spiegato i motivi per .... non è venuto e non posso dargli tutti i torti.
6. Se rimpiango i tempi dell'università? .... penso molto spesso!
7. .... l'abbiamo fatta: siamo in finale!
8. È rimasta un po' di torta: .... vuoi un pezzo?

5 Completa con il tempo e il modo giusto dei verbi dati, non sempre in ordine.

1. Ti .... ma non avevo il cellulare con me. Comunque non pensavo .... di una cosa tanto urgente: mi dispiace! (*trattarsi – richiamare*)
2. Quei ladruncoli .... dall'anziana portiera che è riuscita a farli scappare ....li con l'ombrello. (*sorprendere – minacciare*)
3. Una volta .... all'aeroporto, il mio partner si è accorto di .... i biglietti a casa! (*arrivare – dimenticare*)
4. Mio padre mi diceva sempre: "Solo .... duramente e onestamente .... strada nella vita!" (*lavorare – fare*)
5. I moduli d'iscrizione .... inviare all'indirizzo email info@unirm.it oppure .... consegnare di persona presso i nostri uffici. (*potere – potere*)

6 Unisci le frasi attraverso le congiunzioni giuste.

1. Va bene, ti racconterò tutto	prima che	a. non avessi mangiato.
2. Diglielo tu	purché	b. venga a saperlo da una terza persona.
3. Luisa non ha voluto giocare	a meno che	c. tu mi prometta che rimarrà tra noi!
4. Non l'ho aiutato	nel caso	d. le sue condizioni fisiche fossero buone.
5. Ti ho portato un panino	affinché	e. i tuoi non lo sappiano già.
6. Non prendere certe decisioni	nonostante	f. impari a cavarsela da solo.

7 Completa le frasi con i nomi derivati dalle parole date.

1. Gli .... hanno promosso un'iniziativa per la salvaguardia del verde cittadino. (*ambiente*)
2. È una persona seria e competente, un vero .... (*professione*)
3. Preferirei vivere in campagna perché amo la .... (*tranquillo*)
4. La casa che vorremmo comprare ha una camera da letto veramente .... (*spazio*)
5. Si è messo a piovere .... e ci siamo bagnati dalla testa ai piedi. (*improvvisa*)
6. Sto studiando il tedesco e ho molta .... a memorizzare le parole nuove. (*difficile*)

Vi aspettiamo tutti in Nuovissimo Progetto italiano 3!

Episodio - A scuola di canto

Per cominciare...

1 Guardate i primi 30 secondi dell'episodio. Dove sono Gianna e Lorenzo? Indicate quali luoghi e monumenti sono presenti in questa sequenza.

la Basilica di S. Ambrogio | il Teatro alla Scala | il Castello Sforzesco | la Galleria Vittorio Emanuele II | piazza del Duomo

2 Dividetevi in due gruppi. Il gruppo A esce dalla classe, mentre il gruppo B guarda l'episodio dall'inizio fino a 1'28''. Successivamente, il gruppo A rientra, mentre esce il B. Il gruppo A guarda l'episodio da 1'28'' in poi. Alla fine, ogni gruppo può fare massimo 2 domande all'altro e deve cercare di ricostruire tutto l'episodio.

Guardiamo

1 Guardate l'intero episodio e verificate quale gruppo lo ha ricostruito meglio.

2 Mettete in ordine le immagini e scrivete una breve descrizione di ogni scena (massimo 7 parole).

....

....

Facciamo il punto

Rispondete alle domande.

1. Perché Gianna e Lorenzo vanno in una scuola di musica?
2. Cosa pensa Lorenzo della musica lirica?
3. Cosa fa Lorenzo quando Gianna va in segreteria?
4. Quale consiglio dà Gianna a Lorenzo per provare a "conquistare" la cantante?

Episodio - Che aria pulita!

Per cominciare...

1 Il titolo di questo episodio è "Che aria pulita!". Secondo voi cosa succederà durante l'episodio? Cosa faranno e dove saranno Gianna e Lorenzo? Scambiate idee tra di voi.

2 Abbinate le parole date al luogo giusto.

1

2

- ☐ *miele*
- ☐ *traffico*
- ☐ *olio*
- ☐ *agriturismo*
- ☐ *centro commerciale*
- ☐ *inquinamento*
- ☐ *cavalli*
- ☐ *aria pulita*

Guardiamo

1 Guardate l'intero episodio e verificate le vostre ipotesi.

2 Rispondete alle seguenti domande:

1. Cosa ha Lorenzo nella valigia?
2. Nella scena dei cavalli, perché Lorenzo reagisce così?
3. Cosa chiede Lorenzo al proprietario dell'agriturismo? Perché Gianna lo interrompe?

Facciamo il punto

Osservate i fotogrammi e metteteli nell'ordine giusto. Poi con l'aiuto delle immagini, raccontate quello che succede nell'episodio.

a ☐

b ☐

c ☐

d ☐

e ☐

f ☐

Episodio - Lorenzo e la tecnologia

Per cominciare...

In coppia, provate ad abbinare le frasi ai fotogrammi e cercate di indovinare cosa succede nell'episodio.

a. ...se continua a fare così, prova ad aumentare la memoria.
b. ...l'università dove insegni? Troppo bella!
c. Come è andata la giornata?
d. Cioè io ti sto parlando e tu stai chiacchierando con Massimo! Ma ti rendi conto? Tu e la tua tecnologia!

Guardiamo

1 Guardate l'episodio e verificate le vostre ipotesi.

2 Indicate se le affermazioni sono vere o false.

1. Gianna ha avuto una giornataccia in ufficio.
2. Lorenzo non vuole sentir parlare di Ludovica.
3. Ludovica è interessata a Lorenzo.
4. Lorenzo consiglia a Gianna di scaricare un software.
5. Gianna è sorpresa del messaggio che riceve al cellulare.
6. Lorenzo mostra a Massimo una foto della sua università.

3 Secondo voi, perché Gianna e Lorenzo si guardano in quel modo verso la fine dell'episodio? Cosa significa, secondo voi, quello sguardo?

Facciamo il punto

Scrivete un breve riassunto dell'episodio.

Episodio - Arte, che fatica!

Per cominciare...

1 Conosci le opere d'arte rappresentate? Abbinate i titoli dati alle foto. Attenzione: c'è un titolo in più.

a. *La nascita di Venere*, Botticelli.
b. *La primavera*, Botticelli.
c. *Il duca di Urbino*, Piero della Francesca.
d. *Ragazzo con canestro di frutta*, Caravaggio.

2 Guardate il fotogramma a 0'59''. Dove entrano Lorenzo e Gianna? A coppie, fate ipotesi su cosa è successo prima e cosa succederà dopo.

Guardiamo

1 Guardate l'episodio e verificate le vostre ipotesi.

2 Abbinate le battute date al personaggio che le pronuncia.

1. Una copia... quindi, un poster?
2. Basta che sia un artista italiano...
3. Beh, il primo è Picasso... e non è italiano...
4. Sì, può andare. Però il tizio ritratto non è certo una bellezza!
5. Deve essere sempre una copia o l'originale?
6. Ci hanno ripensato, meglio una piccola statua per la sua scrivania.

Facciamo il punto

Completate le frasi (massimo 6 parole).

1. Lorenzo e Gianna sono alla ricerca di un quadro ....
2. Secondo Lorenzo, la Venere nel quadro di Botticelli ....
3. Del ritratto di Piero della Francesca, Lorenzo pensa che .... ma la persona ritratta ....
4. Gianna riceve una telefonata in cui le dicono che ....

Episodio - Non sono io il ladro!

Per cominciare...

1 Guardate una breve scena della fine dell'episodio (da 4'29'' a 4'40''). Secondo voi, cosa è successo prima? Cosa potete capire dal tono di voce di Lorenzo?

2 Osservate le parole date e, in coppia, usatele per fare ulteriori ipotesi su questo episodio.

portafoglio ⌘ *questura* ⌘ *ladro* ⌘ *rubato* ⌘ *perso* ⌘ *ritrovato*

Guardiamo

1 Guardate l'intero episodio e verificate le vostre ipotesi.

2 Indicate le affermazioni vere.

- ☐ 1. Gianna prende in giro Lorenzo per come ha preso il portafoglio.
- ☐ 2. Lorenzo spera di trovare contanti nel portafoglio come ricompensa.
- ☐ 3. Lorenzo non vede l'ora di chiamare la signora.
- ☐ 4. Il portafoglio è stato trovato in zona Sempione.
- ☐ 5. La signora sostiene che i soldi nel portafoglio fossero di più.
- ☐ 6. Lorenzo fa parlare la polizia con la signora.

Facciamo il punto

1 Leggete le risposte di Lorenzo durante la chiamata e provate a scrivere le frasi della signora Baldini.

1. *Lorenzo:* "Lei non mi conosce, io sono Lorenzo Sorrentino e ho trovato il suo portafoglio per terra. Lei l'ha perso, eh?"
   signora: ....

2. *signora:* ....
   Lorenzo: "No... non sono stato io a rubarglielo..."

3. *signora:* ....
   Lorenzo: "Ma come erano di più?... Dice che aveva con sé più di 150 euro..."

4. *signora:* ....
   Lorenzo: "Ma questa poi?! Io spiarla? Ma stiamo scherzando? Dice che l'abbiamo seguita, spiata e poi derubata..."

2 Fate un riassunto orale della conversazione telefonica tra Lorenzo e la signora Baldini.

Episodio - Un libro introvabile

Per cominciare...

Guardate le immagini di alcuni momenti dell'episodio e abbinatele alle battute. Poi provate a spiegare cosa succederà.

a. Restando nelle biografie, ci sarebbe questa... questa biografia di Bill Gates.
b. E adesso come faccio?
c. Beh, non è proprio una pubblicazione molto recente...
d. No, come temevo: è esaurito.

Guardiamo

1 Guardate l'episodio e verificate le vostre ipotesi.

2 Leggete le battute del commesso e spiegate cosa significano le espressioni in blu.

Facciamo il punto

1 Dividetevi in piccoli gruppi di massimo 3 persone e fate un riassunto a catena dell'episodio: inizia uno studente e poi continuano gli altri. Ogni studente ha 10" a disposizione.

2 Il commesso chiama l'altra libreria del gruppo ma il libro non è disponibile neppure lì. A coppie, immaginando che il libro sia disponibile nell'altra libreria, inventate un seguito dell'episodio.

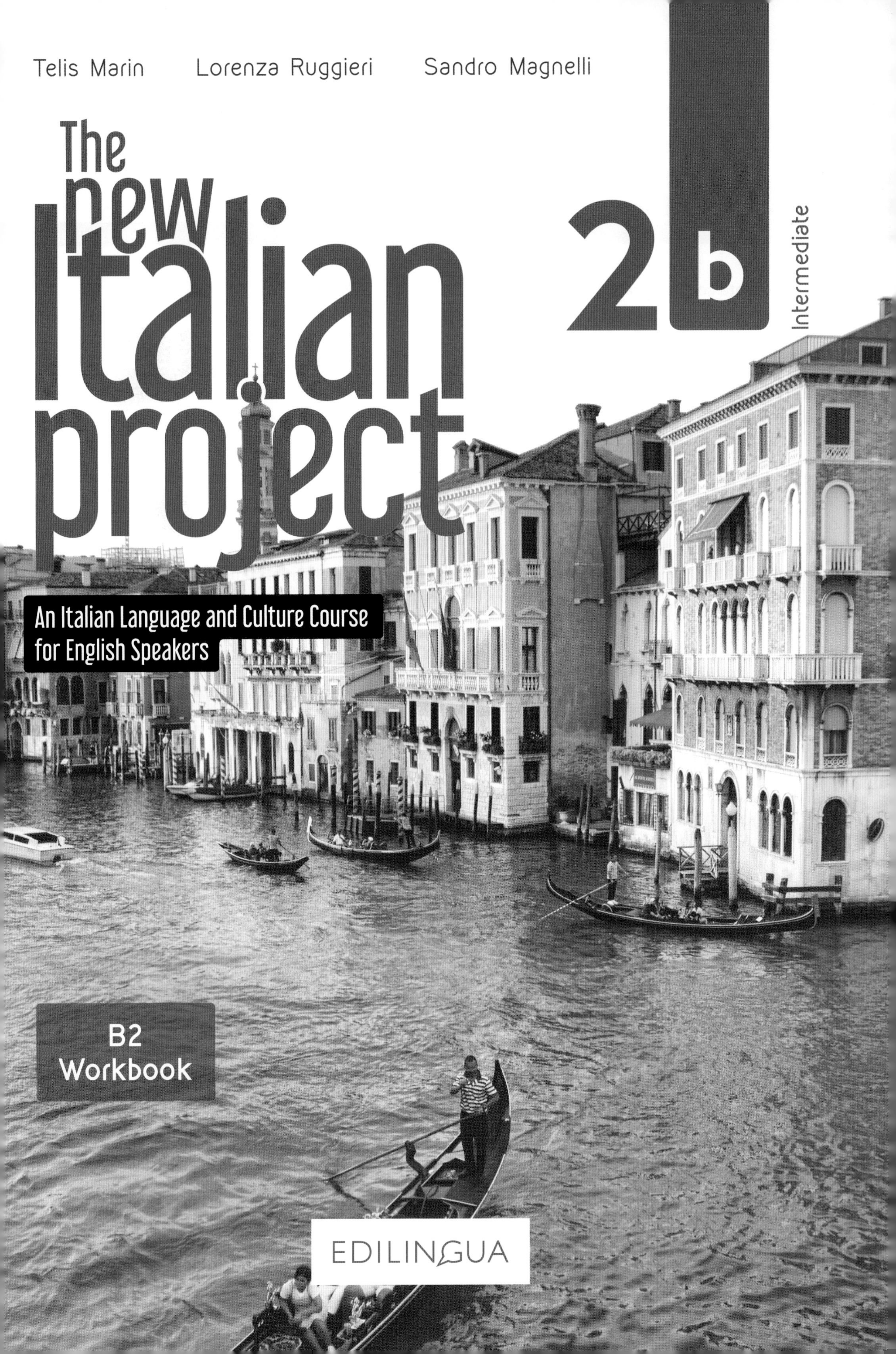
Telis Marin
Lorenza Ruggieri
Sandro Magnelli
The new Italian project
2b
Intermediate
An Italian Language and Culture Course for English Speakers
B2
Workbook
EDILINGUA

Unità 6

Glossary p. 218

Tutti gli esercizi sono disponibili in formato interattivo su www.i-d-e-e.it

Andiamo all'opera

1 Completa con l'imperativo indiretto.

1. Signora, quando è pronta per ordinare, ... (*chiamare*) pure il cameriere.
2. Dottoressa Bindi, se vuole tenersi in forma, ... (*fare*) un po' di movimento, ... (*nuotare*) un po'!
3. Signor Tumino, se vuole avere una possibilità, ... (*prepararsi*) meglio per il prossimo colloquio.
4. Signorina, dobbiamo aspettare ancora un po', ... (*avere*) pazienza!
5. Ragazzi lasciate perdere gli autobus, ... (*prendere*) la metropolitana se volete essere in orario!
6. Signora Rossi, ... (*essere*) gentile, ... (*abbassare*) il volume della radio!

2 Trasforma le frasi dall'imperativo diretto a quello indiretto e viceversa, come nell'esempio.

es. Mario, bevi una tisana: ti farà bene. ➜ Signore, *beva una tisana: Le farà bene*.

1. Pietro, prendi un taxi se non vuoi aspettare. ➜
   Signor Bindi, ...
2. Gianfranco, vai via, non puoi rimanere qui! ➜
   Dottoressa, ...!
3. Dottoressa, domani, appena arriva, telefoni subito in ufficio. ➜
   Francesca, ...
4. Signor Marinetti, chieda pure se ha qualche dubbio. ➜
   Matteo, ...
5. Serve il pane: caro, esci subito, prima che chiudano i negozi! ➜
   Serve il pane: Marinella, ...!
6. Giulia, vieni a tavola, è pronto! ➜ Ingegnere, ...!

3 Completa i mini dialoghi con il verbo adeguato all'imperativo indiretto.

chiudere ♦ *riposarsi* ♦ *fare* ♦ *ordinare* ♦ *girare* ♦ *spegnere* ♦ *scrivere*

1. • Scusi, per Piazza di Spagna?
   • È facile, ... alla prima a destra e si troverà davanti la fontana della Barcaccia!
2. • Oggi, ho un forte mal di testa.
   • Signorina, ...il computer e ....una passeggiata!
3. • Direttore, cosa offriamo agli ospiti?
   • .... un caffè per tutti.
4. • Ho l'impressione che il direttore non legga tutte le mie email.
   • La prossima volta .... e-mail più brevi, signor Negri!
5. • Oggi mi sento proprio stanco.
   • Se è stanco, ... un po'!
6. • Fa un po' freddo in questo ufficio.
   • .... la finestra, signora Giglio!

4 **Completa il dialogo tra Gianna e la sua amica Lucia con le parole date.**

la prescrizione ♦ *l'influenza* ♦ *gli antibiotici* ♦ *i sintomi* ♦ *la febbre* ♦ *che tosse*
da non perdere ♦ *devi prendere* ♦ *dello stress* ♦ *di riposo* ♦ *dal dentista* ♦ *dal medico*

Gianna: Ciao Lucia! Come va? Ho una proposta per te, un'occasione .... (1)! Mi hanno regalato due biglietti per la Scala... sabato!

Lucia: Ciao Gianna... Certo, che emozione! Lo sai che adoro la lirica!

Gianna: Oddio, Lucia, che voce! E .... (2)! Ma non stai bene!

Lucia: Eh già. Mi sa che ho preso .... (3)! Adesso vedo se ho ancora .... (4) che avevo preso l'anno scorso, quando ero andata .... (5) per quel problema, ricordi... e per sabato mi sarò rimessa!

Gianna: Antibiotici? Ma non devi prendere farmaci senza .... (6) del medico!

Lucia: No, tranquilla... guarda ho cercato .... (7) su Internet: stanchezza, mal di testa, naso che cola è influenza. O forse raffreddore. Dipende: ora mi misuro .... (8)!

Gianna: No, Lucia, non ci siamo! Devi andare .... (9), non affidarti a Internet! Questi potrebbero essere i sintomi .... (10) o di un'allergia stagionale! Dai, non essere pigra: .... (11) un appuntamento con il medico, altrimenti niente Traviata!

Lucia: E va bene... Lo chiamo subito! Magari mi basterà qualche giorno .... (12) e qualche vitamina... in effetti c'era scritto anche questo su un altro sito...

5 **Completa le frasi con l'imperativo indiretto e i pronomi, come nell'esempio.**

es. Gianni, per favore, portami gli occhiali! ➜ Signorina, per favore, ...*mi porti*.... gli occhiali!

1. Vedi quella piazza? Attraversala e sei arrivato! ➜ Vede quella piazza? .... ed è arrivato!
2. Piero, dicci la verità! ➜ Signor Pivetti, per favore, ... la verità!
3. Se vedi Cecilia, salutamela! ➜ Se vede Angela, ... !
4. Claudio, dammi una mano! ➜ Signor Finzi, ... una mano, per favore!
5. Vattene, non voglio più vederti! ➜ ...., non voglio più vederLa!
6. Siediti pure! Io preferisco restare in piedi. ➜ Signora, ...! Io preferisco restare in piedi.

6 **Completa con l'imperativo e i pronomi combinati.**

1. Signor Ghezzi, ci hanno detto che ha fatto tante belle fotografie a Barcellona. (*mostrare* | *a noi* | *le fotografie*) ...., per favore!
2. Professoressa, i ragazzi non hanno capito bene il congiuntivo. Per favore, (*spiegare* | *ai ragazzi* | *il congiuntivo*) .... di nuovo!
3. Signor Donati, il dottore ha bisogno di questi documenti, per favore (*portare* | *i documenti* | *al direttore*) ....

4. Marilena, non posso venire alla festa di suo nonno. Mi farebbe un favore? Il regalo (*dare | a lui | il regalo*) .... Lei!
5. Ha portato i documenti di cui abbiamo parlato? (*fare vedere | i documenti | a me*) ....
6. Ha detto alla coordinatrice che domani non verrà alla riunione? (*dire | a lei | che non può venire*) .... subito!

7 **Completa il racconto di questo tassista romano con le parole date.**

faccia ♦ *giri* ♦ *mi dica* ♦ *mi porti* ♦ *mi scusi* ♦ *se ne va* ♦ *ti dispiace* ♦ *vuole*

PIÙ AVANTI, PER FAVORE!

Via di Porta Pinciana. Ore 12.00. Mi ferma un signore.

«Buongiorno, ... (1) in Via Veneto...» mi dice indeciso.

Parto e dopo qualche minuto arrivo a destinazione. Sto per fermarmi, ma prima che lo faccia, il signore mi dice che ha cambiato idea: «No, senta, ... (2) in Via Boncompagni e vada un po' più avanti fino all'incrocio con Via Piemonte.»

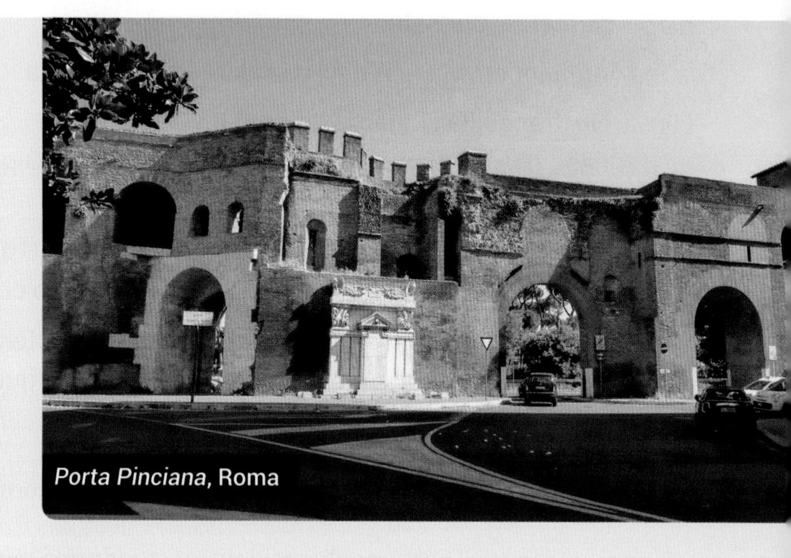

Porta Pinciana, Roma

Faccio come mi chiede e arrivo a Via Piemonte, ma ecco un nuovo cambiamento di programma.

Via Veneto, Roma

«Senta, ... (3), vada un po' più avanti per favore, fino a... Piazza Fiume.»

Parto di nuovo. Arrivo a Piazza Fiume.

«Qui va bene?» chiedo.

«Benissimo» mi risponde.

«.................................. (4) per caso che vada un po' più avanti?»

«No grazie, ... (5) quant'è.»

«Sicuro?» gli chiedo prima di fermarmi.

«Sicurissimo» mi conferma.

Gli dico il prezzo; e lui, questa volta, fortunatamente, paga e .... (6). Pochi secondi dopo, mentre sto mettendo i soldi nella giacca, qualcuno mi chiama: «Signore, signore...»

Mi giro. C'è un ragazzo. Abbasso il vetro.

«Mi scusi» mi fa gentilmente «potrebbe venire un po' indietro, così parcheggio la macchina?»

«Come no!» gli rispondo ridendo «Però vado un po' più avanti se non .... (7)!»

Il ragazzo mi guarda confuso.

«Beh... .... (8) come preferisce...» mi dice.

«Più avanti! Più avanti! Oggi preferisco così!»

8 Completa con l'imperativo diretto e indiretto alla forma negativa.

1. Ivan e Gloria, ... (*non stare*) tante ore davanti al computer, fa male!
2. Signor Runci, non se La prenda! La prego, ... (*non arrabbiarsi*)!
3. Avvocato, ... (*non venire*) in ufficio se non sta ancora bene! Ci occuperemo noi degli appuntamenti di oggi.
4. Signora, ... (*non preoccuparsi*): troveremo una soluzione!
5. Ragazzi, per andare al Duomo, ... (*non prendere*) il 13, ma il 15!
6. .... (*Non temere*), Marco: non racconterò niente di quello che ho visto!
7. Signor Marti, ... (*non bere*) tanti caffè, fanno venire il mal di stomaco!
8. Signor Renzi, ... (*non andarsene*), tra cinque minuti saranno tutti qui!

9 Il direttore è partito per una vacanza e ha lasciato un post-it alla signora Sabrina. Riscrivi le frasi usando l'imperativo indiretto.

1. Non usare la fotocopiatrice: non funziona!
2. Non dire che sono in vacanza: di' che sono fuori per lavoro.
3. Non rispondere alle mail del sig. Borghi! Lo farò io.
4. Non prendere appuntamenti nuovi: aspettami!
5. Non fare tardi in ufficio!
6. Non lavorare troppo: prenditi dei momenti di pausa!

1. ....
2. ....
3. ....
4. ....
5. ....
6. ....

10 Completa il testo della notizia che hai ascoltato e letto nelle sezioni D2 e D3 del *Libro dello studente*.

applausi ♦ *aria* ♦ *atto* ♦ *costume* ♦ *palco* ♦ *pubblico* ♦ *spettacolo* ♦ *tenore*

Al termine dell' .... (1) "**Celeste Aida"**, dell'opera di Giuseppe Verdi, a causa di qualche fischio, il tenore Roberto Alagna ha lasciato il .... (2)
Al suo posto è entrato in scena il secondo .... (3), Antonello Palombi, vestito in abiti civili, senza avere il tempo di indossare il .... (4) di Radames. Il primo atto è poi finito tra gli .... (5) e qualche fischio di disapprovazione per Alagna.
Nell'intervallo tra il secondo e il terzo .... (6) il sovrintendente, Stephane Lissner, si è scusato di persona con il .... (7), ha espresso rincrescimento per l'accaduto e ha ringraziato il sostituto Antonello Palombi per aver consentito di proseguire lo .... (8).
"Una cosa così, alla Scala, non si era mai vista", ha commentato il maestro Riccardo Chailly.

11 **Scegli l'aggettivo o il pronome indefinito corretto.**

1. Signora, vuole vedere un altro/qualche colore?
2. Nella libreria di mio zio ci sono molti/ogni libri sulla storia d'Italia.
3. Allo spettacolo della scuola c'era chiunque/tanta gente.
4. Altri/Tutti i giorni incontro Gianna in metro e facciamo due chiacchiere.
5. Ha provato qualsiasi/tanti vestiti e alla fine non ne ha preso ciascuno/nessuno.
6. Diceva che avrebbe invitato alcune/nessuna persone, ma non immaginavo altre/tante.

12 **Completa con gli indefiniti dati.**

alcuna ♦ *parecchi* ♦ *ciascuno* ♦ *tutto* ♦ *pochi* ♦ *tutti* ♦ *nessuna* ♦ *molte*

1. Ci sono pizze per tutti: ne ho preparata una per .... di voi!
2. Non ho .... intenzione di passare un'altra notte in questo albergo, è troppo rumoroso!
3. Apri il frigorifero e prendi .... quello che vuoi.
4. Gli ho scritto .... e-mail, ma finora non ho ricevuto .... risposta.
5. Durante il corso d'italiano ho conosciuto .... ragazzi, ma .... erano davvero simpatici.
6. Sono contento perché dopo lo spettacolo applaudivano ....

13 **Senza cambiare il significato della frase, sostituisci le parole in verde con un altro aggettivo indefinito, come nell'esempio. Vedi anche l'Approfondimento grammaticale a pagina 198.**

es. Ho invitato alcuni amici alla festa di stasera. ➜ Ho invitato ....*qualche*.... amico alla festa di stasera.

1. Diverse volte sono così stanca che mi addormento prima di cena. ➜ .... giorni sono così stanca che mi addormento prima di cena.
2. Certi libri non riesco proprio a leggerli. ➜ .... libri non riesco proprio a leggerli.
3. Ho regalato a Sara alcune piante per il suo giardino. ➜ Ho regalato a Sara .... pianta per il suo giardino.
4. Voglio che tutti gli amici di Roberta vengano alla sua festa. ➜ Voglio che .... amico di Roberta venga alla sua festa.
5. Ormai non c'è nessuno studente che non abbia lo smartphone. ➜ Ormai .... gli studenti hanno lo smartphone.
6. Marco è disoccupato: è disposto a fare qualunque lavoro. ➜ Marco è disoccupato: è disposto a fare .... lavoro.

14 Scegli l'alternativa corretta. Vedi anche l'Approfondimento grammaticale a pagina 198.

1. Ho una sete tremenda, berrei volentieri qualcosa/uno di fresco!
2. Se ognuno/ogni di noi dà una mano, finiremo prima.
3. Marina oltre ad essere bella ha troppo/qualcosa di particolare che la rende simpatica a tutti.
4. Ti prego, mangia! Abbi cura di te! Sono due giorni che non tocchi nulla/diverso!
5. Chiunque/Qualcuno può fare questo esercizio: è facile!
6. Possiamo studiare a casa mia: non c'è niente/nessuno.

15 Completa il dialogo tra Lucia e il dottore con le parole date. Attenzione: ci sono due parole in più!

ambulatorio ♦ dolori muscolari ♦ tosse ♦ il collirio ♦ dottoressa
dormo ♦ delle pillole ♦ dei cerotti ♦ mal di testa ♦ paziente ♦ una visita

Lucia: Pronto? Buongiorno, dottore. Sono Lucia Gandolfi.
dottore: Ciao Lucia! Come sta la mia .... (1) preferita? E tua nonna come sta?
Lucia: Eh, la nonna sta benissimo... io, invece... Da qualche giorno .... (2) male, ieri e oggi ho avuto un forte .... (3), ho il naso che mi cola e un po' di .... (4).
dottore: Hai anche .... (5)? Ti sei misurata la febbre?
Lucia: Non ho la febbre. Ieri mi bruciavano gli occhi, ma poi ho messo .... (6) e mi è passato.
dottore: Be' potrebbe essere allergia. Vieni in .... (7) così posso farti .... (8) e, se ce n'è bisogno, ti prescrivo degli esami e .... (9). Va bene oggi alle 17?
Lucia: Certo, dottore, grazie! A più tardi.

16 Scegli l'alternativa corretta.

PERCHÉ AMARE L'OPERA

Mi sono chiesto nessuna/tante/tutte (1) volte perché mi sono innamorato dell'opera lirica, e soprattutto come fanno alcune persone a non amare questa stupenda forma d'arte.

L'opera lirica è un vero e proprio film, spesso drammatico, alcune volte comico, con un vantaggio rispetto ai film: la trama/la scena/l'orchestra (2) è sempre la stessa, ma possono cambiare gli interpreti.

L'Otello di Verdi lo cantano da due secoli, così come la Tosca, Il Barbiere di Siviglia, e, tranne troppi/pochi/qualche (3) casi, ogni volta il pubblico prova forti emozioni.

Si può imparare ad amare l'opera anche ascoltando un solo aria/brano/testo (4), anche non cantato da un tenore/compositore/maestro (5) conosciuto, ma interpretato da un artista/pezzo/canto (6) pop; oppure la si può conoscere grazie/per/attraverso (7) un libro o un film, proprio come è accaduto a molti italiani che hanno scoperto/inventato/imparato (8) La Traviata guardando il film Pretty Woman.

Il brano che ha fatto innamorare me proviene dal Simon Boccanegra di Verdi, opera/capolavoro/racconto (9) sconosciuto al grande spettatore/palco/pubblico (10), ma molto apprezzato dagli appassionati.

All'inizio, l'opera ci trasmette emozioni molto intense: la figlia di Fiesco è morta, e lui è distrutto dal dolore. Verdi trasforma questo dolore in musica; lui, che persi/perse/perda (11) moglie e figli, quel dolore lo conosceva.

Ecco perché non si può non amare l'opera. Perché si parte da un'idea, da un brano, e si può conoscere il mondo comodamente seduti in teatro e ritornare ad imparare a sognare. Perché/Chi/Quale (12) l'ha detto che l'invenzione più bella è la televisione?

17 Completa con le preposizioni.

La casa-museo di Giuseppe Verdi

Questa settimana, per la rubrica *Musei d'Italia* andiamo .... (1) Roncole, a 38 chilometri .... (2) Parma. Qui si trova una casa speciale, la casa dove la sera .... (3) 10 ottobre 1813, nacque Giuseppe Verdi, uno .... (4) più importanti compositori italiani!

Nel 2000, quando si è deciso di trasformare la casa del musicista .... (5) museo, si è puntato subito .... (6) tecnologia: la visita guidata, infatti, è totalmente interattiva! Un'applicazione e un paio di cuffie vi aiuteranno .... (7) visitare la casa: vi orienterete .... (8) la mappa interattiva e i contributi audio e video vi racconteranno la storia della famiglia del Maestro.

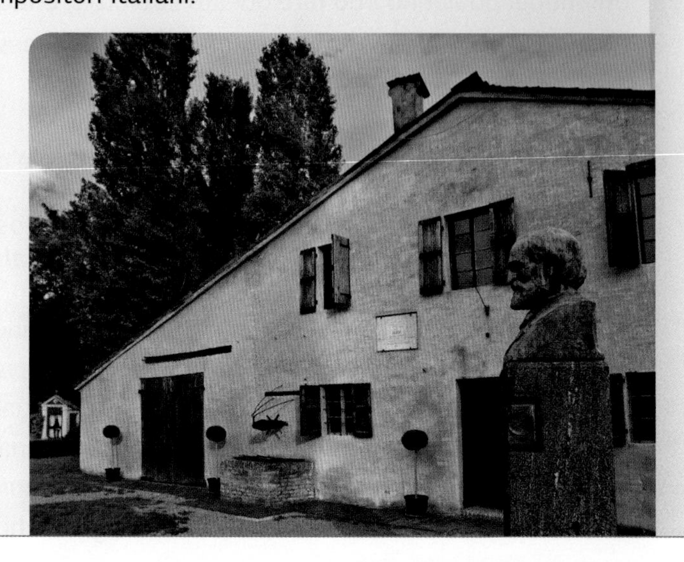

Un'esperienza unica per gli amanti .... (9) opera che si completa con la visita alla Chiesa di San Michele Arcangelo dove Verdi imparò .... (10) suonare.

18 Immagina di essere un medico e di dover scrivere una lista di consigli a un tuo paziente. Leggi le informazioni a sinistra e poi scrivi i consigli nel foglio a destra, usando l'imperativo.

Gli esperti ci ricordano sempre quanto è importante seguire delle semplici regole per stare bene e condurre una vita sana. È importante, ad esempio, bere almeno due litri di acqua al giorno, anche se non abbiamo sete. È buona abitudine fare sport almeno tre volte alla settimana ma, se non siamo degli sportivi o non abbiamo tempo, è sufficiente camminare almeno un'ora al giorno. Anche l'alimentazione gioca un ruolo importante: bisogna consumare almeno 5 volte al giorno frutta e verdura e, in particolare, fare sempre una cena leggera per poter dormire meglio. E se abbiamo fame? Possiamo fare merenda con una carota o con un frutto. É fondamentale, infine, dormire almeno 7 ore al giorno, meglio ancora se ci addormentiamo presto, intorno alle 10:30.

75

....

....

....

....

....

....

....

....

....

....

....

....

....

....

....

19 Collega con dei connettivi le frasi date e cerca di formarne una. Se necessario, elimina o sostituisci alcune parole e trasforma i verbi nel modo e nel tempo opportuni.

1. Mara mi aveva parlato molto di una serie tv | ho visto finalmente la serie tv | la serie tv non mi ha entusiasmato

   ....

   ....

2. Luca tiene molto alla sua salute | il lavoro di Luca è molto impegnativo | Luca non può andare spesso in palestra

   ....

   ....

3. sul sito dell'università ho trovato un annuncio di lavoro | sono qualificato per il lavoro | ho fatto il colloquio | non mi hanno preso perché non ho la patente

   ....

   ....

4. giovedì ho comprato dei libri online | i libri sono arrivati la sera stessa | solo sabato mi sono accorta | uno dei libri era sbagliato

   ....

   ....

5. Giulia ha dimenticato il cellulare in macchina | Giulia non ha saputo della festa di Francesco | Francesco ha cercato Giulia tutto il giorno

   ....

   ....

6. Anna è un grande soprano | Anna è stata ospite dei più grandi teatri lirici d'Europa | Anna non si esibisce più | Anna ha vinto un premio alla carriera

   ....

   ....

20 Ascolta il brano e indica quali sono le affermazioni presenti.

7 CD 2

1. ☐ Maria Callas studiò canto a New York.
2. ☐ Tornò in Grecia quando aveva dieci anni.
3. ☐ Il suo debutto ufficiale avvenne ad Atene.
4. ☐ Meneghini, suo marito, era molto più grande di lei.
5. ☐ In Italia, debuttò alla Scala di Milano.
6. ☐ In America il suo valore fu riconosciuto tardi.
7. ☐ Maria Callas e Aristotele Onassis ebbero un figlio.
8. ☐ Il suo carattere, a volte, venne criticato.
9. ☐ Nel suo lavoro era molto esigente con se stessa.
10. ☐ Girò anche un film.

A **Scegli l'alternativa corretta.**

1. Dottore, ... (1) la cortesia, ... (2) a sentire!

(1)	a. mi fai	(2)	a. mi stia
	b. mi faccia		b. mi sta
	c. fammi		c. mi stai

2. Signora Stefania, non .... (1) su Internet! .... (2) dal medico!

(1)	a. cerchi	(2)	a. Va'
	b. cercare		b. Va
	c. cerca		c. Vada

3. Signor direttore, se .... (1) volta non arrivo puntuale in ufficio non .... (2) : il mio treno è spesso in ritardo.

(1)	a. alcune	(2)	a. preoccuparsi
	b. qualche		b. si preoccupi
	c. quale		c. si preoccupa

4. Ho così .... (1) problemi per la testa che mi arrabbio facilmente con .... (2) .

(1)	a. pochi	(2)	a. chiunque
	b. qualsiasi		b. uno
	c. tanti		c. certi

5. Carla, ... (1) telefoni, io non ci sono per .... (2).

(1)	a. chiunque	(2)	a. alcuno
	b. qualunque		b. nessuno
	c. ognuno		c. ciascuno

B **Completa il testo con l'imperativo dei verbi dati, come nell'esempio.**

pianificare ♦ *non portare* ♦ *idratarsi* ♦ *rispettare* ♦ *indossare*
portare ♦ *allenarsi* ♦ *non parlare* ♦ *pulire* ♦ *fare* ♦ *entrare*

Caro Socio, la Sua palestra ha alcuni consigli per Lei:

- Pianifichi insieme a un istruttore un programma di allenamento adatto alla Sua forma fisica.
- .... (1) a stomaco vuoto o .... (2) un piccolo snack due ore prima di venire in palestra.
- .... (3): è importante bere acqua prima e durante l'allenamento.
- .... (4) abbigliamento adatto e .... (5) nelle sale solo con scarpe da ginnastica.
- .... (6) un asciugamano per gli attrezzi e, alla fine degli esercizi, li .... (7).
- .... (8) il silenzio nella zona spa: .... (9) a voce alta e .... (10) il cellulare con sé.

C Risolvi il cruciverba.

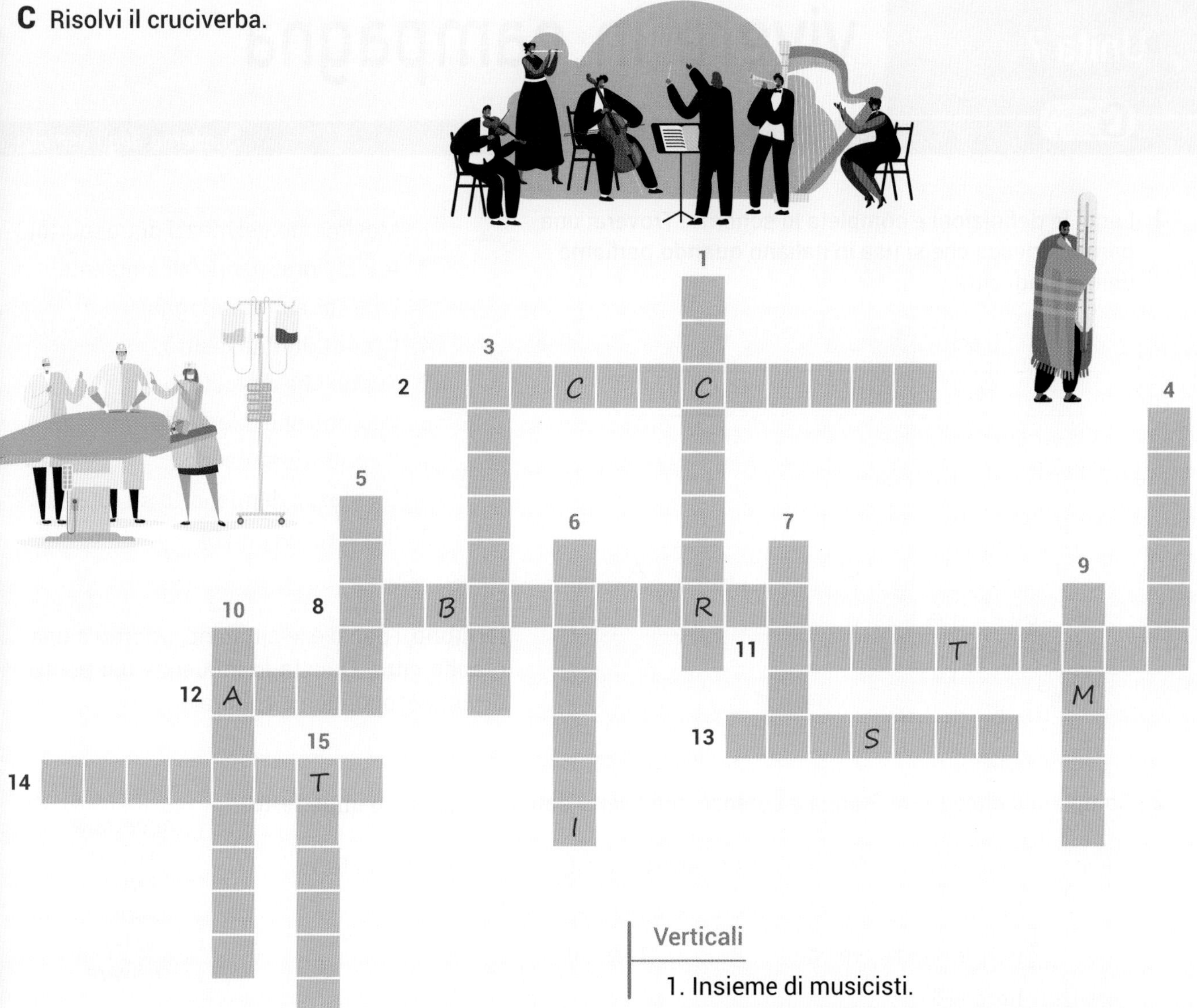

Orizzontali

2. Spazio dove stanno gli attori o i cantanti durante lo spettacolo.
8. Lo studio del medico.
11. Chi guarda uno spettacolo.
12. Momento dell'opera in cui si ferma l'azione e i protagonisti esprimono i loro sentimenti.
13. Nessuna persona.
14. Il testo scritto dell'opera.

Verticali

1. Insieme di musicisti.
3. Lo facciamo alla fine, se ci è piaciuto lo spettacolo.
4. Ce l'hai quando la temperatura del tuo corpo è più alta del normale.
5. Un noto teatro milanese.
6. Ce li prescrive il dottore, spesso sono in pillole.
7. Nei fumetti è COFF COFF.
9. Crema che prescrive il dottore.
10. Sinonimo di molti che inizia con la p.
15. Luciano Pavarotti è stato un famoso ... italiano.

Risposte giuste: .... /35

Andiamo a vivere in campagna

Tutti gli esercizi sono disponibili in formato interattivo su www.i-d-e-e.it

Glossary p. 219

1 **Leggi le definizioni e completa lo schema. Troverai una parola tedesca che si usa in italiano quando parliamo delle grandi città.**

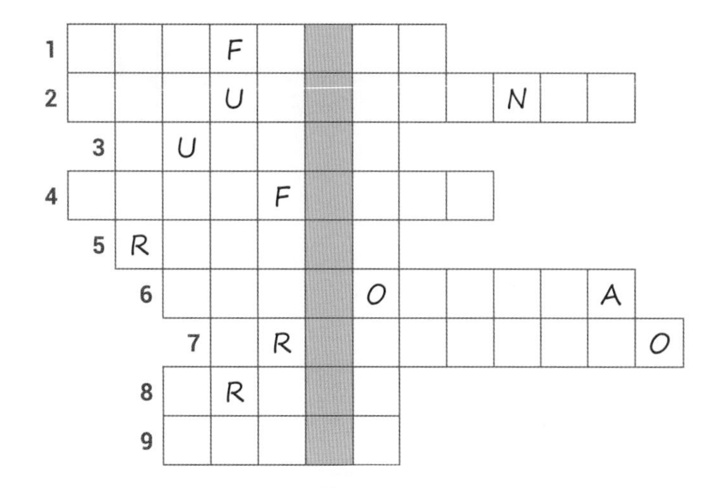

1. Movimento dei mezzi di trasporto.
2. Alterazione, danno all'ambiente.
3. Lo è l'aria in campagna.
4. Il "contrario" di centro.
5. Suono che dà fastidio.
6. Persona che difende la natura.
7. Il contrario di caotico.
8. Un mezzo di trasporto su rotaia.
9. Il colore dei parchi.

L'H .... è il territorio, i paesi e le cittadine, attorno a una grande città. Questa lo influenza dal punto di vista economico e culturale.

2 **Completa il dialogo tra Gianna e Lorenzo con i verbi dati al congiuntivo imperfetto.**

accettare
volere
tenere
sapere
volere
trovare

Gianna: Ciao Lorenzo! Allora? Quando arriva Daniela? Si trasferisce da te, no?

Lorenzo: Ma no, figurati! Vuole cercare casa per conto suo...

Gianna: Beh, immaginavo che .... (1) farlo!

Lorenzo: Perché?!

Gianna: Non vivrebbe con te nemmeno se tu................ (2) cucinare e .... (3) in ordine la casa!

Lorenzo: Guarda che sono migliorato grazie a Masterchef! Se .... (4) un invito a cena una volta ogni tanto, invece di portarmi sempre in pizzeria! Comunque Daniela si è messa in testa di andare a vivere in campagna!

Gianna: Davvero? Credevo che .... (5) vivere in centro!

Lorenzo: Anch'io! Dice che se .... (6) una casa in una piccola città dell'hinterland, avrebbe una "migliore qualità della vita"... Io non capisco: che senso ha venire a Milano per studiare e non godersi la città?!

3 **Completa con il congiuntivo imperfetto.**

1. Credevo che qui .... (*fare*) la migliore pizza della città, ma non mi sembra tanto buona.
2. Speravo che Costanza .... (*venire*) prima delle due, ma avrà trovato traffico.
3. All'inizio, sembrava che .... (*potere*) essere una serata interessante, poi, invece, ci siamo annoiati da morire.

4. Era difficile che Sofia ci .... (*dire*) la verità, è la migliore amica di nostra figlia.
5. Ho avuto l'impressione che loro .... (*stare*) poco bene: erano così silenziosi.
6. Vorrei che glielo .... (*dare*) tu il regalo: lo conosci meglio di me.

4 **Presente o imperfetto? Scegli la forma corretta del congiuntivo.**

1. Penso che Paola torni/tornasse per pranzo, non credo si sia fermata in ufficio.
2. Credeva che voi abbiate/aveste ragione, per quello vi ha sostenuti.
3. Mi sembrava che Andrea sia/fosse tuo amico.
4. Non mi aspettavo che Luca e Maria vadano/andassero a vivere in Francia, ho sempre pensato che vogliano/volessero abitare vicino ai loro genitori.
5. Quest'estate sarebbe bello se facciamo/facessimo il giro del Sud Italia. Che ne pensi?
6. Temo che Carlo lavori/lavorasse anche questo sabato.

5 **a** **Completa gli annunci con le parole date e fai l'abbinamento con le immagini.**

abitabile ♦ *cottura* ♦ *doccia* ♦ *mq* ♦ *posto* ♦ *vista* ♦ *zona* ♦ *servizi*

1 ☐

2 ☐

3 ☐

4 ☐

a. Luminoso monolocale composto da ingresso, bagno con .... (1) e finestra, soggiorno/notte e angolo .... (2) Riscaldamento autonomo.
b. Appartamento di .... (3) 60, ... (4) Fontana di Trevi. Soggiorno, bagno, cucina e camera da letto. Silenzioso e luminoso.
c. Appartamento ristrutturato e ammobiliato, composto da ampio soggiorno, camera da letto, cucina .... (5), bagno. .... (6) auto.
d. Villa con .... (7) sul mare. Soggiorno, cucina, tre camere da letto e doppi .... (8). Piscina, garage e grande giardino.

b **Abbina i profili dei clienti agli annunci (a-d) dell'esercizio 5a.**

1. Il signor Rossi ha bisogno di un piccolo appartamento per quando si ferma in città per motivi di lavoro. Non è sposato, a casa fa soltanto il caffè, mangia sempre al ristorante.
2. La signora e il signor Pedrotti hanno due figli. Alla signora Pedrotti piacciono molto i fiori, il signor Pedrotti ama nuotare.
3. Il signor Von Metz è un architetto famoso e cerca una casa a Roma, in centro. Ogni tanto avrà ospiti.
4. Aldo ha molti amici e gli piace organizzare cene a casa. È un po' pigro e si muove spesso in macchina.

6 Abbina i materiali alle immagini. Attenzione: un materiale corrisponde a due fotografie!

a. marmo b. legno c. pietra d. ferro e. ceramica f. cemento g. vetro

7 Scegli l'alternativa corretta.

1. Credevo che a Lingue non si debba/dovesse studiare tanto, ma preparare il primo esame non è stato affatto facile!
2. Pensavo sia/fosse difficile traslocare... e invece con l'aiuto di Valeria è stata una cosa da nulla!
3. Nonostante piova/piovesse, esco a fare una passeggiata.
4. I genitori vogliono che faccia/facesse l'università, ma Giovanni non ha voglia di continuare a studiare.
5. Qualunque appartamento veda/vedesse un po' fuori città, non andava bene... Era chiaro: voleva che continuiamo/continuassimo ad abitare in centro.
6. Temevo che il colloquio di Lucio vada/andasse male: non si sentiva molto bene quel giorno.
7. Io e Giulia aspettiamo che arrivi/arrivasse la baby sitter e partiamo!
8. Benché Riccardo guadagni/guadagnasse molto, non può permettersi quel viaggio in Cina che sogna da anni.

8 Completa con il congiuntivo o l'indicativo.

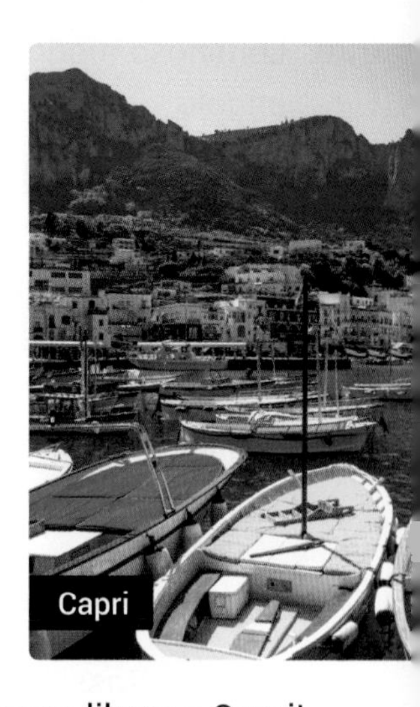
Capri

1. Con tutta la gente che tornava dalle vacanze, era logico che in autostrada .... (*esserci*) un traffico indescrivibile.
2. Non sapevo che Bruna durante la settimana .... (*vivere*) a Roma: la vedo ogni sabato al mercato rionale!
3. Quando Anna era piccola, anche se le .... (*piacere*) vivere in campagna preferiva la città perché .... (*avere*) più amiche.
4. Era naturale che a Ferragosto non si .... (*trovare*) nessuna camera libera a Capri!
5. Non immaginavo che .... (*avere*, tu) l'età per andare in pensione.
6. Mentre .... (*parlare*, io) con il cliente, è entrata Silvia nel negozio.
7. Era strano che Gloria .... (*essere*) ancora in ufficio: di solito se ne andava prima il venerdì.
8. Siete sicuri che a giugno vi .... (*dare*) le ferie nonostante non .... (*finire* - voi) la ricerca? È meglio che non .... (*prenotare*) il volo per la Puglia!

9 Completa le frasi scegliendo l'opzione corretta. Vedi anche l'Approfondimento grammaticale a pagina 200.

1. .... che partissero tutti insieme, perché avrebbero potuto dividere le spese del viaggio.
   a. Probabilmente b. Era preferibile c. Potevano d. Per fortuna

2. .... che Paolo abbia guidato tutta la notte: sembra così riposato!
   a. Non credevo b. È difficile credere c. Vorrei d. Era probabile

3. .... l'abbia promesso, Giuseppe non è venuto in vacanza con noi.
   a. Nonostante b. Speravamo c. Anche se d. Affinché

4. Studiava così poco che ho sempre dubitato che .... finire l'università; invece poi si è laureato con ottimi voti.
   a. potesse b. abbia potuto c. potrebbe d. poteva

5. Non mi sembrava normale che Daniela .... ogni giorno la febbre, così l'ho portata al Pronto Soccorso.
   a. aveva avuto b. abbia avuto c. avesse d. avrebbe

6. .... il ministro avesse deciso di incrementare le misure di sicurezza, ma dopo qualche giorno risultò una notizia falsa.
   a. Bisognava che b. Era chiaro che c. Aspettavano che d. Dicevano che

10 Completa l'articolo con le parole date.

inquinate ♦ *edifici* ♦ *pulita* ♦ *piantato* ♦ *catastrofe* ♦ *progetto* ♦ *ambientale* ♦ *coltivabile*

BOSCO SPAGGIARI: L'AREA VERDE DI SAN PROSPERO SALVATA DAL CEMENTO

Roberto Spaggiari e suo padre Giancarlo sono due agricoltori di Parma che sono diventati famosi per il loro .... (1) di ricreare un bosco su un terreno.. (2) che era di loro proprietà, a San Prospero. Nonostante avessero ricevuto numerose offerte da parte di imprenditori che volevano costruire condomini e.. (3), Giancarlo e suo figlio hanno portato avanti il loro sogno e, dal primo albero.. (4) nel 2000, ora sono arrivati a ben 12.500 alberi: "Quando abbiamo intrapreso l'iniziativa ancora non c'era grande copertura mediatica del problema.. (5), ma gradualmente è cresciuta la sensibilità verso la .... (6) climatica, soprattutto in Pianura Padana, una delle zone più .... (7) d'Italia. Per noi non si tratta soltanto di piantare alberi, ma di un'azione etica, di un gesto per tutta la comunità, alla quale vorremmo donare un'aria .... (8)".

adattato da www.ilparmense.net

11 **Completa con il congiuntivo trapassato.**

1. Mi pareva che quel giorno Giovanna .... (*andare*) a Milano per fare un colloquio di lavoro.
2. Non immaginavamo che lo spettacolo .... (*durare*) così tanto!
3. Credevamo che .... (*partire*) in aereo, invece avevano preso il treno.
4. Pensava che .... (*dimenticare*) il suo libro, invece ce l'avevo nello zaino.
5. Credevo che mi .... (*dare*, tu) appuntamento per le sette, non per le sei.
6. Avevo l'impressione che .... (*perdersi*), invece dopo pochi minuti abbiamo visto la casa.

12 **Fai l'abbinamento e completa le frasi con i verbi al congiuntivo trapassato.**

andare ♦ *capire* ♦ *finire* ♦ *mandare* ♦ *iniziare* ♦ *uscire*

1. Professoressa, non sapevo che .... già .... la lezione,
2. Sapevo che eri stato in vacanza,
3. Non immaginavamo che il film .... così presto,
4. Valeria credeva che il mazzo di fiori
5. Se ieri sera non ....,
6. Era incredibile che loro non .... come arrivare a casa nostra:

a. ma pensavo .... in Spagna, non in Marocco.
b. glielo .... io e non Giovanni!
c. glielo avevamo spiegato cento volte!
d. mi sarei riposato e ora non sarei così stanco.
e. altrimenti non l'avrei disturbata.
f. altrimenti vi avremmo aspettato per tornare a casa assieme.

13 **Completa con il congiuntivo presente, passato, imperfetto o trapassato.**

1. Sapevo che volevi comprare una casa, ma non pensavo che ne .... (*cercare*) una in campagna!
2. Il regista temeva che lo spettacolo .... (*fare*) fiasco, invece il pubblico applaudì calorosamente.
3. Mario non poteva credere che quell'appartamento .... (*costare*) così poco: sicuramente la banca gli avrebbe concesso il mutuo!
4. Sono contento che tu .... (*trasferirsi*) a Bologna: finalmente saremo più vicini!
5. Siete andati a vedere quel film che vi avevo consigliato? Spero che vi .... (*piacere*).
6. Giuseppe amava il suo lavoro, ma ho sempre pensato che .... (*stressarsi*) troppo.
7. Già negli anni '70 si diceva che il pianeta .... (*avere*) seri problemi ecologici, ma molti credevano che .... (*trattarsi*) solo di pessimismo!
8. Ci pareva strano che Nicola non .... (*telefonare*), ma non potevamo immaginare che gli .... (*rubare*) il cellulare.

14 Scegli l'alternativa corretta.

Tutto quello che devi sapere sullo School #ClimateStrike

COSA

Gli studenti escono da scuola e partecipino / partecipano (1) al #ClimateStrike (Sciopero per il Clima) per lanciare un appello ai governi affinché mantengono / mantengano (2) l'aumento della temperatura / barriera (3) media globale sotto il livello limite di +1.5°C rispetto all'era pre-industriale e proteggano / proteggono (4) il nostro futuro.

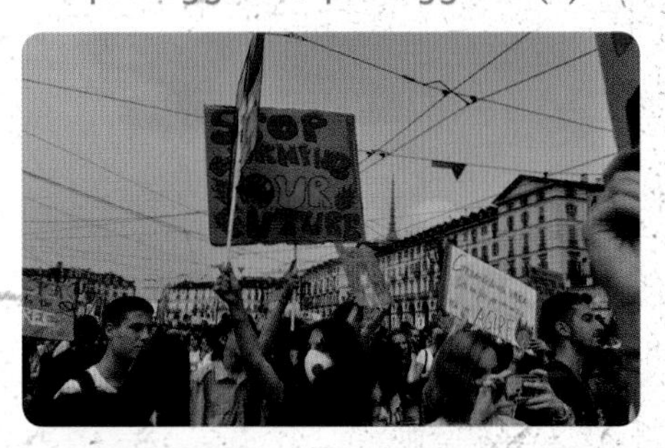

PERCHÉ

Le ondate di caldo, le inondazioni / le acque (5) e gli uragani stanno provocando centinaia di vittime e devastano comunità in tutto il mondo. Il cambiamento / L'inquinamento (6) climatico è già in atto. I governi non hanno ancora preso provvedimenti per fronteggiarlo, nonostante i climatologi chiariscono / chiariscano (7) che abbiamo solo otto anni per evitare le conseguenze / i rischi (8) peggiori.

QUANDO

Ogni venerdì scendiamo in piazza per protestare contro l'indifferenza / il coinvolgimento (9) della politica nei confronti della crisi climatica. Di qui il nome Fridays For Future (Venerdì per il Futuro).

15 Completa con la forma giusta dei verbi. Vedi anche l'Approfondimento grammaticale a pagina 202.

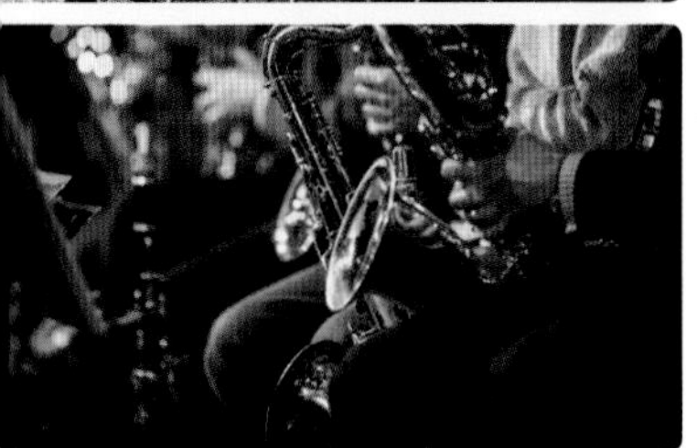

1. Cerco una casa in campagna che .... (*avere*) una grande cucina, come quelle di una volta.
2. Antonella vorrebbe sapere se anche tu .... (*venire*) al concerto jazz.
3. Anche se .... (*andare*) di fretta, avresti potuto almeno salutare.
4. Magari .... (*finire*) prima! Vi avrei raggiunti subito al parco!
5. Grazie! Tu sei l'unico che mi .... (*aiutare*) in questo momento! Gli altri non capiscono.
6. Luca e Matteo mi hanno chiesto se tu .... (*preferire*) una pianta o un vaso, come regalo di compleanno. Cosa gli dico?
7. Lisa, era meglio che tu .... (*aspettare*) ancora un po' prima di andare via! In certe situazioni bisogna .... (*avere*) pazienza!
8. Che .... (*essere*) difficile lo sapevamo, ma speravamo di passare comunque l'esame!

16 Associa le frasi scegliendo la congiunzione corretta. Vedi anche l'Approfondimento grammaticale a pagina 202.

1. Le ore passarono
2. Ci guardò
3. Le lasciò la macchina
4. Non ha mangiato niente
5. Li accompagnai
6. Vada all'ufficio postale

nel caso in cui
senza che
malgrado
affinché
prima che
come se

a. chiudano per la pausa pranzo.
b. non avesse capito.
c. ci annoiassimo.
d. avesse voluto andare dal medico.
e. avesse fame.
f. arrivassero in tempo alla stazione.

17 Leggi i due testi (Testo A e Testo B) e indica a quale testo si riferiscono le informazioni seguenti.

Storia di una struttura eco-sostenibile

Testo A

Ripartire da zero, lasciare tutto. Chi non ci ha pensato almeno una volta?
C'è chi l'ha fatto: Vittoria ha deciso di cambiare vita, ha lasciato il suo lavoro nel frenetico mondo della moda ed è andata alla ricerca di una vita più sostenibile!
Vivere al mare è sempre stato il suo sogno, ma dopo tanti anni a Milano, le sembrava sempre più difficile lasciare tutto, il lavoro, gli amici, gli impegni... Finché un giorno Vittoria sente di essere arrivata al limite e segue il suo istinto: dalla caotica e inquinata Milano si trasferisce in Liguria, una piccola casa di sassi con la vista sul mare, un grande giardino e un orto ricco di piante profumate!
Qui, grazie alla natura, ha rallentato i suoi ritmi: ha imparato a coltivare, a prendersi cura del giardino, ha adottato i primi animali, si è dedicata alla pratica dello yoga...
L'occasione di comprare un vecchio rustico vicino a casa ha fatto nascere il suo nuovo progetto di vita: un bed and breakfast eco-friendly per offrire un posto tranquillo a chi ha bisogno di riposarsi lontano dallo stress della città.
Albacottage è un luogo magico e immerso nella natura, dove meditare, fare lezioni di yoga, scoprire i paesaggi incontaminati delle colline in mountain bike... Un luogo per condividere esperienze e stili di vita "lenti": il suo motto è "Non esiste una via per la felicità... La felicità è la via".

Testo B

Conosce tre lingue e ha in tasca una laurea in finanza alla Boston University. Ha fatto mille esperienze tra luoghi, tradizioni e stili di vita diversi: ha vissuto a New York, in villaggi sperduti nelle isole Fiji, in Francia, senza corrente e acqua potabile in Sierra Leone, e ancora in Francia e in Svizzera... Tutti gli dicevano di non tornare, perché l'Italia "non è un paese per giovani" e per chi come lui ha il pallino per l'imprenditoria, è meglio rimanere all'estero. Ma Filippo non ha rinunciato al suo sogno: "L'Italia è il mio Paese: volevo dimostrare che anche qui è possibile investire in realtà eco-sostenibili".
Ora la sua vita è in Umbria, dove ha sviluppato una comunità sostenibile in un piccolo borgo del XV secolo immerso nella campagna.
A Monestevole ci sono tre grandi appartamenti eco-sostenibili. Qui l'energia è prodotta dall'impianto fotovoltaico, l'acqua calda dal solare termico, il riscaldamento viene dalla biomassa prodotta con la legna e lo spreco d'acqua è minimo.
"Nel rispetto delle stagioni, cerchiamo sempre di misurare e migliorare il nostro impatto ecologico, dall'energia, alle acque, dalla bioedilizia alla permacultura, dal compost alla gestione dei rifiuti". E aggiunge: "Abbiamo creato un modello ideale di stile di vita eco-sostenibile nel rispetto della tradizione locale e questo rende Monestevole il posto giusto per rilassarsi e sperimentare la vita di campagna".

1. Il/La protagonista ha inseguito e realizzato un sogno. A B
2. Il/La protagonista ha fatto a lungo un lavoro stressante. A B
3. Il/La protagonista ad un certo punto ha sentito il bisogno di fare un cambiamento. A B
4. Il/La protagonista ha viaggiato molto, talvolta anche in situazioni non facili. A B
5. Molti hanno provato a scoraggiare il/la protagonista. A B
6. Il/La protagonista ha imparato a vivere seguendo i ritmi naturali. A B
7. La struttura è un progetto nato da un'opportunità. A B
8. La struttura è indipendente dal punto di vista energetico. A B
9. La struttura offre varie attività per il tempo libero. A B
10. La struttura cerca di stare al passo con la natura e le sue esigenze. A B

18 Completa il post con le preposizioni semplici o articolate.

QUANTO SPENDERE PER L'AFFITTO?

Di questi tempi è molto difficile riuscire .... (1) pagare un mutuo e sempre più famiglie pensano .... (2) posticipare l'acquisto .... (3) propria casa.
Ma quanto possiamo spendere .... (4) l'affitto? Qual è la percentuale .... (5) stipendio o .... (6) entrate che una famiglia o un single possono spendere?
Il nostro esperto sostiene che, se aggiungiamo .... (7) canone d'affitto le spese ordinarie, come la spesa al supermercato, le bollette, i vestiti, e alcune spese extra che possono sempre capitare, l'ideale sarebbe non spendere più .... (8) 30%. Naturalmente, quando cerchiamo casa, è bene capire quali sono le nostre priorità: la zona, i servizi, la distanza .... (9) centro, la metratura ecc. Se alcune .... (10) queste rendono l'affitto più caro, è opportuno limitare gli altri consumi.
L'obiettivo è arrivare .... (11) fine mese tranquilli, ... (12) denaro sufficiente per affrontare eventuali spese impreviste.

19 Ascolta il brano una volta e indica l'affermazione giusta. Poi riascolta per verificare le tue risposte.

1. Il WWF
   a. è la più grande associazione ambientalista del pianeta
   b. è impegnato nella ricerca per l'energia nucleare
   c. protegge solo gli animali in via di estinzione

2. Tra i fondatori del WWF nel 1961 c'erano
   a. un naturalista, un re, una regina e un pittore
   b. il disegnatore del logo dell'associazione
   c. il principe Filippo di Edimburgo e la regina Elisabetta II

3. In Italia il WWF
   a. fa riferimento alla sezione Svizzera
   b. gestisce tutti i parchi del territorio
   c. si occupa di progetti conservativi ed educativi

4. Il WWF porta avanti oltre 1.300 progetti
   a. a livello globale
   b. di purificazione delle acque
   c. sulle energie rinnovabili

A **Scegli l'alternativa corretta.**

1. Credevamo che .... (1), non immaginavamo .... (2) ancora qui!

(1)		(2)	
	a. foste già partiti		a. di trovarvi
	b. siate già partiti		b. che mi trovaste
	c. partireste		c. trovare

2. Secondo Luigi, l'iniziativa "Spiagge pulite" .... (1) il prossimo fine settimana; io invece credo che .... (2) domenica scorsa.

(1)		(2)	
	a. si tenga		a. si fosse tenuta
	b. si terrà		b. si tenga
	c. tenersi		c. si sia tenuta

3. .... (1) Carlo non si sentisse bene, è dovuto andare in ufficio perché .... (2) finire un lavoro per il giorno dopo.

(1)		(2)	
	a. Nel caso		a. doveva
	b. Come se		b. era bene che
	c. Sebbene		c. avrebbe

4. Chi poteva immaginare che la temperatura .... (1) tanto in questi giorni? Che dici: .... (2) al mare?

(1)		(2)	
	a. saliva		a. andiamo
	b. salisse		b. andremmo
	c. sia salita		c. andassimo

5. .... (1) aver ritrovato il mio cane. Non pensavo che .... (2) trovare la strada di casa da solo.

(1)		(2)	
	a. Sono felice di		a. possa
	b. Sono contento che		b. potesse
	c. Sono certo		c. abbia potuto

6. La nonna dice che il nonno le .... (1) sempre dei fiori quando era in viaggio per lavoro perché voleva che lei lo .... (2).

(1)		(2)	
	a. mandi		a. pensasse
	b. mandassi		b. pensava
	c. mandava		c. pensi

B **Inserisci le parole date negli spazi evidenziati e coniuga i verbi fra parentesi negli spazi bianchi.**

piste ciclabili ♦ *ognuno* ♦ *raccolta differenziata* ♦ *elettrica*

Aldo_92
Secondo me, sarebbe meglio che tutti noi .... (1. *smettere*) di usare le automobili.

FRANCO
Aldo_92, hai proprio ragione: io penso di .... (2. *vendere*) la mia macchina e comprare una bicicletta .... (3)

Ecologista
Secondo me, ... (4. *essere*) molto importante cosa fa ciascuno di noi per l'ambiente. Molti pensano che la colpa .... (5. *essere*) solo delle industrie o dei politici.

Elsa_2011
Pienamente d'accordo con Ecologista. Non dobbiamo dimenticare la responsabilità di .... (6) di noi: è giusto che tutti .... (7. *riciclare*) i rifiuti facendo la .... (8).

Roberto
Esatto. Per rispondere ad Aldo_92, i comuni potrebbero creare delle .... (9), nonostante questa soluzione mi .... (10. *sembrare*) difficile da realizzare, perché nessuno .... (11. *volere*) rinunciare alle proprie comodità.

Natura
Sì, tutte le proposte mi sembrano buone. Ma non vorrei che .... (12. *fare*) l'errore di credere che possiamo fare tutto da soli. È necessario che i governi .... (13. *prendere*) importanti decisioni e facciano scelte radicali.

C Risolvi il cruciverba.

Verticali

1. Casa con i mobili.
2. Agenzia per cercare casa.
3. Materiale con cui sono fatte le matite.
4. Cambiare casa.
6. Riutilizzare la carta, il vetro, la plastica...

Orizzontali

5. Materiale molto dannoso, soprattutto per il mare e i suoi abitanti.
7. Energia che non inquina.
8. Mezzo di trasporto per la pista ciclabile.
9. Contrario di risparmiare.
10. Più aumenta quella del pianeta, più l'ambiente soffre.

Risposte giuste: .... /35

Unità 8

Glossary p. 222

Tutti gli esercizi sono disponibili in formato interattivo su www.i-d-e-e.it

Tempo libero e tecnologia

1 a Fai l'abbinamento.

1. scrivere	a. i social per lavoro
2. stare sui	b. una vita sociale
3. avere	c. follower
4. usare	d. post su Facebook
5. fare la collezione	e. social network
6. seguire	f. selfie
7. avere	g. un influencer
8. postare	h. di "mi piace"

b Scegli 3 espressioni dell'esercizio 1a e scrivi 3 frasi su di te.

....

....

....

....

Marzamemi, Sicilia

2 Rispondi alle domande formulando dei periodi ipotetici di 1° tipo.

1. • Dove andrai in vacanza?
   • Se .... (*avere*) i soldi, ... (*fare*) il giro della Sicilia.
2. • Vuoi un altro caffè?
   • Se ne .... (*bere*) un altro, non .... (*dormire*) tutta la notte.
3. • Quando arrivate, dove andrete?
   • Se .... (*arrivare*) tardi, ... (*andare*) direttamente in albergo.
4. • Verrai in montagna? Sai, forse verrà anche Claudio!
   • Se .... (*esserci*) anche lui, ... (*venire*) sicuramente.
5. • Verrete questa sera a cena da noi?
   • Se la baby sitter non .... (*avere*) impegni, ... (*venire*) senz'altro.
6. • Comprerai lo yogurt che mi piace tanto?
   • Se .... (*andare*) al supermercato, lo .... (*comprare*).

3 Completa i mini dialoghi con i verbi dati al tempo giusto.

ingrassare ♦ allenarsi
sostituire ♦ diventare ♦ fare
dovere ♦ andare ♦ stare
lamentarsi

1
A: Che cosa fai questo fine settimana?
B: Se non dovrò lavorare, ... a sciare. Vuoi venire?

2
A: Cosa stanno dicendo alla radio? Che se si dorme meno di 6 ore al giorno, si .... più facilmente?! Veramente?!
B: Sì, sembra che .... venire più fame.

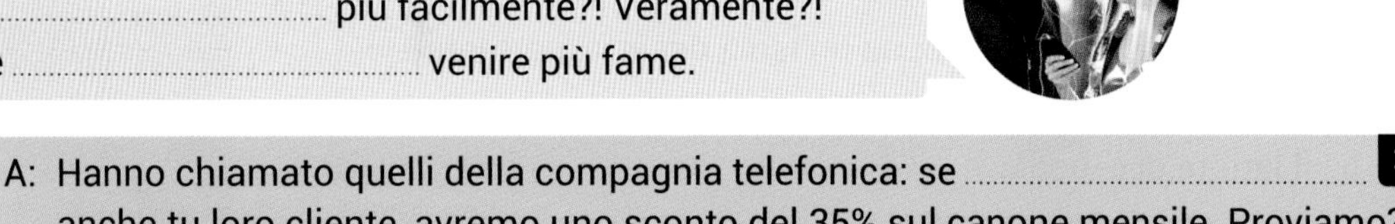

3
A: Hanno chiamato quelli della compagnia telefonica: se .... anche tu loro cliente, avremo uno sconto del 35% sul canone mensile. Proviamo?
B: Non so... Ti .... sempre che non hai rete! Non mi sembra una buona idea!

4
A: Mamma, secondo te, io e Lucia vinceremo la partita?
B: Se .... con costanza, sicuramente avrete più possibilità di ottenere un buon risultato!

5
A: Hai sentito? Sembra che il primo soprano .... male! Annulleranno lo spettacolo!
B: Ma va! Se il primo soprano sta male, la .... il secondo soprano!

6
A: Ma dobbiamo studiare anche il Secondo dopoguerra per la verifica di martedì?
B: Certo! Se non .... studiarlo, la professoressa non ce l'avrebbe spiegato!

4 Trasforma le frasi: da periodo ipotetico di 1° tipo a periodo ipotetico di 2° tipo.

es. Se domani vai al cinema, vengo con te. ➜ *Se andassi al cinema, verrei con te.*

1. Se siete liberi, venite da noi per guardare Montalbano in TV?
....
2. Se mi invita a cena, accetto volentieri: mi diverto sempre con lui.
....
3. Se parla con Gianni, forse lui potrà aiutarla.
....
4. Se il mare non è freddo, mio zio fa il bagno tutti i giorni.
....
5. Se Anna va al supermercato, le chiederò di comprarmi il dentifricio.
....
6. Davide, se fa bel tempo, questo fine settimana possiamo andare al mare!
....

5 Completa con il periodo ipotetico di 1° e di 2° tipo e fai il test.

SEI DIPENDENTE DALLA TECNOLOGIA?

1. Se .... (*entrare*) in un locale e ti accorgi che non c'è la connessione Wi-fi...
   a. cambi bar, potresti finire i giga sul telefono.
   b. pensi che non importa, è solo il tempo di un caffè al banco.
   c. pensi "meglio, posso leggere il giornale in pace!".

2. Se .... (*andare*) su un'isola deserta, porteresti
   a. lo smartphone.
   b. il lettore di e-book.
   c. qualcosa da mangiare.

3. Se .... (*piovere*),
   a. inviti gli amici per giocare alla Wii.
   b. guardi un film alla televisione.
   c. finisci quel libro che hai iniziato tempo fa.

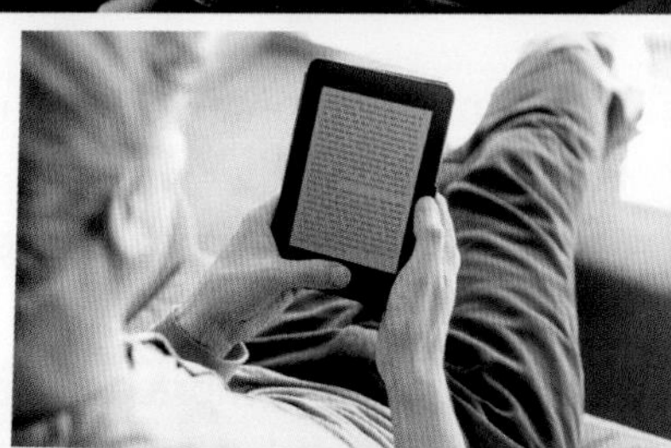

4. Se improvvisamente ti ricordassi di un vecchio compagno di scuola,
   a. lo .... (*cercare*) su Facebook.
   b. gli .... (*telefonare*).
   c. gli .... (*scrivere*) una lettera: devi avere il suo indirizzo in agenda.

5. Se alla posta hai il numero 284 e ora è il turno del numero 200,
   a. .... (*guardare*) un video su YouTube.
   b. .... (*ascoltare*) musica.
   c. .... (*leggere*) una rivista.

6. Se .... (*trovarsi*) in una città nuova e .... (*dovere*) raggiungere il tuo albergo,
   a. ti orienteresti con navigatore e internet!
   b. avresti la cartina, scaricata da internet la sera prima.
   c. chiederesti indicazioni a un passante.

PROFILI:

Se hai più risposte A
La tua è una vera dipendenza: non puoi vivere senza smartphone e internet! Attenzione: rischi di perdere il contatto con la realtà.

Se hai più risposte B
Usi internet, e la tecnologia in genere, nella giusta misura. Pensi che sia utile, ma che si possa farne benissimo a meno qualche volta.

Se hai più risposte C
Non sei assolutamente dipendente dalla tecnologia: per te la vita è solo quella reale. Al giorno d'oggi, però, un po' di tecnologia può essere utile.

6 Completa con le espressioni date.

ma non è possibile ♦ *questa sì che* ♦ *che brava*
congratulazioni ♦ *ma è assurdo*

1. • Io ed Emma ci sposiamo il mese prossimo. • ....!
2. • Ce l'ho fatta! Ho superato l'esame di Fisica. • ....! Sono contento per te.
3. • Ieri a scuola mi hanno rubato la bicicletta. • Cosa?! ....! A scuola?!
4. • Mamma, è finita la marmellata... • ....! Ne abbiamo aperto un vasetto ieri mattina!
5. • Da oggi comincia la raccolta differenziata nella nostra scuola. • Ecco, ... è una bella idea!

7 Collega le due colonne per formare dei periodi ipotetici di 2° e 3° tipo.

1. Se Giorgio si fosse fermato allo stop,
2. Se fosse tornato in anticipo,
3. Se ci fosse lo sciopero,
4. Se tutti fossimo più attenti a non sporcare,
5. Se non fossimo suoi clienti da tanto tempo,
6. Se ci fermassimo a pranzare in un agriturismo,

a. non ci avrebbe fatto lo sconto.
b. le nostre città sarebbero più pulite.
c. sarebbe meglio anche per i bambini.
d. mi avrebbe telefonato.
e. la metro sarebbe chiusa.
f. avrebbe evitato l'incidente.

8 Completa le frasi come nell'esempio.

es. Se potessi andare in vacanza, ci ....andrei.... (*andare*) subito.
Se fossi potuto andare in vacanza, ci ....sarei andato.... (*andare*).

1. Se avessi tempo, ... (*iscriversi*) a un corso di yoga.
   Se avessi avuto tempo, ... (*iscriversi*) a un corso di yoga.
2. Se Mario capisse gli errori che fa, non li .... (*ripetere*).
   Se Mario avesse capito gli errori che ha fatto, non li .... (*ripetere*).
3. Se .... (*continuare*) gli studi, potrebbe fare una brillante carriera.
   Se .... (*continuare*) gli studi, avrebbe potuto fare una brillante carriera.
4. Se Gloria .... (*comportarsi*) seriamente, mi fiderei di lei ciecamente.
   Se Gloria .... (*comportarsi*) seriamente, mi sarei fidata di lei ciecamente.
5. Se fumassi di meno, oggi non .... (*avere*) tutti questi problemi di salute.
   Se avessi fumato di meno, non .... (*avere*) tutti quei problemi di salute.

9 Formula dei periodi ipotetici di 3° tipo come nell'esempio.

es. Non ti ho telefonato perché era già mezzanotte.
Se non fosse stata mezzanotte, ti avrei telefonato.

1. Siamo rimasti senza soldi perché non siamo riusciti a trovare un bancomat.
....
2. Mi devi scusare, ma ero occupato e non sono venuto a trovarti.
....
3. Ha passato tutta la serata al computer e non è uscito con gli amici.
....
4. Questa mattina non ho fatto colazione e mi sono sentito male al lavoro.
....
5. Non ha seguito le istruzioni e ha danneggiato la stampante nuova.
....
6. Mimmo ti ha chiesto di pagare il conto perché aveva perso il portafoglio.
....

10 Osserva le immagini e completa le frasi.

a Periodo ipotetico di 1° tipo:

b Periodo ipotetico di 2° tipo:

11 Trasforma le frasi come nell'esempio.

es. Non ho seguito il consiglio dei miei amici e adesso mi trovo in questo pessimo albergo.
Se avessi seguito il consiglio dei miei amici, non mi troverei in questo pessimo albergo.

1. Non siamo andati con loro e adesso non siamo ad Assisi.
2. Non ho mangiato niente e ora mi gira la testa.
3. Non ho ricevuto nessun invito, per questo non sono alla festa ora.
4. Non ho lavorato molto e adesso non sono stanco.
5. Il treno non è partito in orario e non sono ancora in ufficio.
6. Parli in questo modo perché non hai visto la trasmissione.

12 Leggi le frasi e indica se il pronome evidenziato è diretto o indiretto.

	diretto	indiretto
1. Se l'avessi comprato allora, questo orologio mi sarebbe costato molto meno!		
2. Gli ho scritto ieri, ma non mi ha ancora risposto.		
3. Anche se le ho prese tutte, non sono bastate.		
4. Se mi avessi prestato gli appunti, forse avrei passato l'esame!		
5. Che cosa ci fa qui? Chi l'ha chiamata?		
6. Dove l'hanno nascosto i ragazzi? In cucina?		
7. Da quella volta non le ho mai più parlato.		
8. Chi vi manda tutte queste email?		

13 Ascolta e completa le frasi (massimo 4 parole).

16 CD 2

1. Ma cosa fanno i giovanissimi di fronte a quegli schermi? ...., scambiano denaro in cambio di codici o trucchi...
2. Quello che si va a creare infatti è un legame .... e preoccupa perché è in continuo aumento.
3. Non si tratta tuttavia di .... quella di hikikomori, anche se ha aspetti patologici comuni come ....
4. I genitori potrebbero .... con i loro figli almeno una partita, qualche giocata.
5. ...se notano reazioni inconsulte da parte dei loro figli, cercare di capire che questo è dato anche dalla dipendenza da gioco e da internet, ... capricci che possono fare i bambini.
6. E di certo comprargli dei .... loro età.

14 Completa le frasi con il pronome *ci*, come nell'esempio. Vedi anche l'Approfondimento grammaticale a pagina 203.

es. Mi ha telefonato Carlo per andare a teatro. Che dici? Vado a teatro? ➜
Mi ha telefonato Carlo per andare a teatro. Che dici?.......... *Ci vado?*

1. Mi piacerebbe visitare Pompei. Non sono mai stato a Pompei.
   Mi piacerebbe visitare Pompei, ...
2. Zia Giulia accompagna me e Clara alla stazione domenica.
   Domenica .... la zia Giulia alla stazione.
3. Il direttore chiama sempre noi per risolvere i problemi con i dipendenti.
   Il direttore ....per risolvere i problemi con i dipendenti.
4. Perché a voi chiedono sempre di uscire? Loro a noi non telefonano mai!
   Perché a voi chiedono sempre di uscire? Loro ....!
5. In estate io e i miei fratelli facciamo la doccia almeno due volte al giorno!
   .... la doccia almeno due volte al giorno in estate!

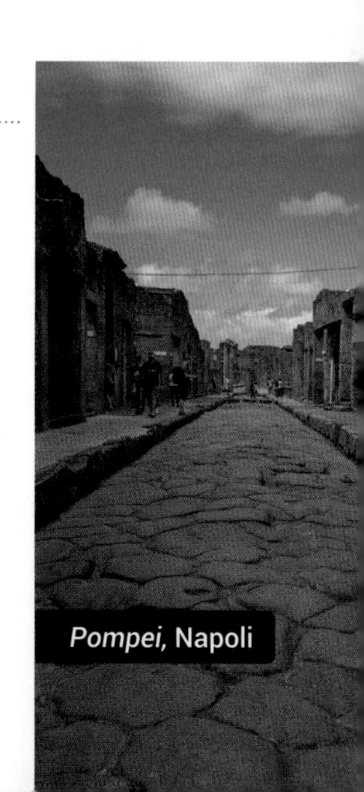
Pompei, Napoli

6. Penso spesso agli esami di maturità: sono stati un momento importante!
   Gli esami di maturità sono stati un momento importante: ....!
7. Nonostante avessi preso l'impegno di scrivere un articolo, non sono riuscito a scrivere l'articolo.
   Nonostante avessi preso l'impegno di scrivere un articolo, ...

15 Scegli l'alternativa corretta.

es. • Ti piace il caffè? • No, non molto, non ci / ne / lo bevo mai.

1. • Sei andato a vedere lo spettacolo di Pierfrancesco?
   • No, ma ci / ne / l' ho sentito parlare molto bene!
2. • Hai il numero di Chiara? • Sì, ce l'/ ne l' / gliel' ho. Me l'ha dato lei.
3. • Conosci molte canzoni di Fabrizio De Andrè? • No, ci / ne / le conosco solo alcune.
4. • È arrivata la nuova collezione di stivali. Li ha visti? • Sì! Bellissimi! Ci / Ne / Li ho provati tutti!
5. • Ci / Ne / Lo scriverete una cartolina dall'India? • Certamente! Chissà quanto ci / ne / vi metterà ad arrivare!
6. • Ce la / Ce ne / Gliela fate con le borse della spesa? • No, ci / ne / vi daresti una mano?
7. • Andiamo a farci / farne / farlo il bagno al lago? • Al lago? Mmh... Non mi piace il lago. Non possiamo andarci / andarne / andarlo solo per mangiare il pesce?
8. • Per lavarci / lavarne / lavarli le mani possiamo usare questo sapone? • Certo, ci / l' / ne ho comprato proprio per questo.

16 a Completa il testo con le parole date.

qualcosa ♦ *altre* ♦ *ce ne* ♦ *chi* ♦ *nessuna* ♦ *ne* ♦ *niente* ♦ *in cui* ♦ *qualcuno* ♦ *quelli che*

L'UOMO SENZA TELEFONINO

Una razza in via d'estinzione o già estinta?
Se ne conoscete almeno uno scriveteci.

Una razza in via d'estinzione o già estinta? Se .... (1) conoscete almeno uno, scriveteci!
Oggi mi sono fatto un piccolo regalo. Ho lasciato il cellulare sulla scrivania e sono uscito a prendere un caffè. .... (2) telefonate, sms o mail. Ho riscoperto uno strano silenzio. Il nuovo lusso dei tempi di oggi è questo: vivere senza cellulare. .... (3) ci riesce? Conoscete .... (4) che viva senza cellulare e abbia tra i 15 e i 75 anni? Se sì, fermatelo: forse vi potrà raccontare .... (5) di interessante. Siamo ormai abituati a parlare da soli per la strada o camminare lentamente, con le teste abbassate sul cellulare, a scrivere un messaggio, leggere una mail o pubblicare una foto su Facebook, anche quando siamo con .... (6) persone.
.... (7) critica: solo immagini quotidiane che mostrano come è cambiato il nostro modo di comunicare. E allora inizia la ricerca di .... (8) vivono senza il telefonino. .... (9) sono ancora in Italia? Ci sono ancora dei sopravvissuti al cellulare in un Paese .... (10) il 90,7% possiede un telefonino e dove ci sono più schede SIM che persone?

adattato da *www.corriere.it*

b Ora completa i commenti con le parole date negli spazi evidenziati e con i verbi tra parentesi negli spazi bianchi.

ci ♦ *gliene* ♦ *ce ne*
ci mette ♦ *navigo*

Sono io

Io non uso alcun cellulare, ma non credo per questo di .... (1. *avere*) una storia da raccontare. Mi piace il silenzio e odio i telefoni di qualsiasi genere. Però .... (2) spesso in internet.

Niente cellulare e niente auto!

Sembra davvero incredibile, ma vedo che .... (3) sono di persone che vivono senza un telefono cellulare. Mia nonna è una di queste. Lei, oltre a non avere il cellulare, non utilizza nemmeno l'auto! Ma possiamo vivere senza cellulare? Certo! E .... (4. *vivere*, noi) certamente meglio se pochi lo avessero!

Lorenzo

Si chiama Lorenzo. È alto, grosso e intelligente. Per conservare un sorriso, che oggi è rarissimo incontrare, non utilizza per niente il cellulare e poco i social network. Credo che .... (5. *capire*) l'importanza del vivere senza stress. Per andare al lavoro (a 5 chilometri da casa sua), ogni mattina, ... (6) 25 minuti in bici.

È tutto più vero

Ciao, Andrea, 27 anni, da Lecce. Da 8 anni lavoro all'estero, almeno 2 Paesi differenti all'anno. Eppure, non ho più lo smartphone dall'anno scorso. Penso che non .... (7. *esserci*) niente di più bello e di più vero. Quando voglio comunicare qualcosa di importante, scrivo un'email o una bella lettera!

Senza telefonino

Il mio babbo si chiama Franco e non usa il telefonino. Non l'ha mai usato e la cosa non gli ha mai creato nessun problema. Mamma ha provato a regalar.................... (8) uno da usare almeno i fine settimana quando va a camminare in montagna da solo. Ma lui niente, dice che non .... (9) sta nello zaino! 🙂

L'unico telefono a cui risponde è il telefono fisso del suo ufficio, dalle 8.30 alle 19.30. Poi quando esce FINE. Nessun disturbo, nessuno squillo fastidioso, nessuna disattenzione quando guida, nessun videogioco mentre è in coda, nessuna interruzione quando legge il giornale, nessun cliente che lo cerca anche a casa. Sono sicura che .... (10. *vivere*) senza il cellulare lo rende più sereno e lo fa essere anche meno apprensivo con noi figli. Dovremmo provarci anche noi.

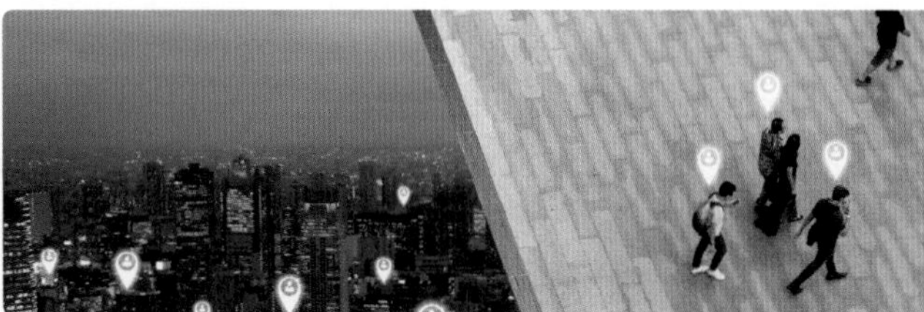

17 Abbina i verbi ai sostantivi e poi le espressioni sotto le immagini corrispondenti.

scaricare ♦ salvare ♦ premere ♦ inviare
seguire ♦ fare

un'applicazione ♦ un'email
un tasto ♦ una videoconferenza
un file in una cartella ♦ una videochiamata

1

2

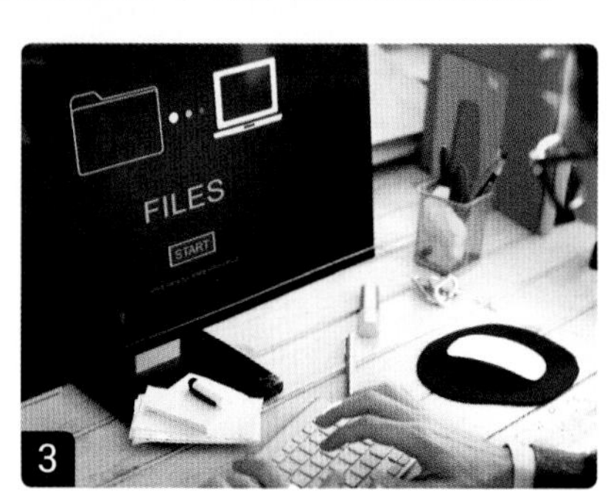

3

1. Scaricare un'applicazione
2. ....
3. ....

4

5

6

4. ....
5. ....
6. ....

18 Metti in ordine il dialogo.

- [1] *Alberto:* Eleonora, mi daresti una mano? Lo schermo del mio computer non funziona.
- [ ] *Alberto:* Sì, e sono sicuro che funziona, perché me ne hanno dato uno nuovo due settimane fa... Ho anche provato a muovere il mouse ma non si vede niente...
- [ ] *Alberto:* Oh no! E come faccio ora? Devo finire di scrivere l'articolo entro le 6!
- [ ] *Alberto:* Giusto, brava! Sai dov'è il cavo del caricabatterie?
- [ ] *Eleonora:* Hai provato a spegnere e a riaccendere il pc? Se nemmeno così funziona, allora potrebbe trattarsi di un problema più serio. Bisogna chiamare un tecnico.
- [ ] *Eleonora:* Il filo è collegato? Hai controllato?
- [ ] *Eleonora:* Puoi prendere il tablet che usiamo per le interviste. Ricordati solo di metterlo a caricare perché l'ultima volta che l'ho usato la batteria era quasi scarica.
- [8] *Eleonora:* L'ho messo nel cassetto sotto la stampante.

19 a Leggi attentamente e sottolinea nel testo le frasi corrispondenti alle informazioni che seguono.

1. Gli italiani hanno sempre meno tempo da dedicare alle proprie passioni.
2. Tutti gli italiani devono conciliare le attività del tempo libero con le loro entrate mensili.
3. Gli italiani amano occuparsi della casa nel tempo libero.
4. Buona parte degli italiani ha dichiarato di preferire il giardinaggio alle altre attività fai-da-te.
5. Tra le attività sportive singole più praticate ci sono quelle all'aperto.
6. La cucina acquisisce sempre più importanza tra le attività del tempo libero.

ITALIANI E TEMPO LIBERO

Riuscire a trovare del tempo per gli hobby e le passioni, durante la frenetica vita di tutti i giorni, tra lavoro, gestione delle finanze ed impegni improrogabili, sta diventando quasi un'utopia per buona parte della popolazione: solo poco più del 50% degli italiani riesce a ritagliarsi qualche ora per praticare sport o da dedicare agli hobby.

Ad ogni modo, un fattore unisce tutti, ovvero l'esigenza di far coincidere le proprie passioni con il budget mensile a disposizione. Sono infatti le attività a basso costo quelle preferite dagli italiani. In queste attività rientrano gli sport, il fai-da-te casalingo e l'arte, come pittura, scultura e musica.

Fai da te - Molti italiani impiegano il loro tempo libero unendo l'utile al dilettevole, ovvero effettuando piccoli interventi di manutenzione casalinga, come riparazione di elettrodomestici, falegnameria, giardinaggio, creazione o riparazione di vestiti... Tra queste, la preferita dal 31% degli intervistati è il giardinaggio, soprattutto nelle isole e nelle regioni del Sud, il cui clima permette di passare molto più tempo all'aria aperta.

Questi hobby "casalinghi" mettono assieme budget e necessità di staccare la spina: si risparmia sul budget dedicato alla manutenzione e ci si rilassa.

Attività sportive singole e di squadra - Anche se in molti non possono praticare sport outdoor, per cui preferiscono attività come la palestra, discipline semplici e a costo zero come la corsa e la camminata veloce sono tra le più praticate tra le attività da fare da soli; il calcio, il calcetto, il ciclismo e il tennis, invece, sono in cima alle preferenze degli sport che permettono anche di socializzare.

Tutti ai fornelli - Anche grazie al proliferare di trasmissioni televisive e alla vita degli "chef star", tempo sempre maggiore si dedica alla cucina, da sempre al centro della cultura e della società italiana. Un dato significativo in questo caso è quello di genere: uomini e donne condividono ugualmente questa passione.

adattato da *www.eunews.it*

b Leggi di nuovo il testo e rispondi alle domande (massimo 20 parole).

1. Gli italiani hanno tempo libero?

....

....

2. Quali sono le loro attività preferite?

....

....

3. Qual è il vantaggio degli hobby "fai-da-te"?

....

....

4. Quali sono le attività che gli italiani preferiscono fare con gli amici?

....

....

5. Che cos'ha di particolare la passione per la cucina?

....

....

20 Indica se nelle seguenti frasi abbiamo un periodo ipotetico della realtà (R), della possibilità (P) o dell'impossibilità (I).

1. ☐ Se non sei stanca, propongo di uscire a fare una passeggiata.
2. ☐ Sarebbe stato bello se in Italia fossero venuti anche i tuoi.
3. ☐ Se Luca conoscesse anche il tedesco, potrebbe lavorare con noi.
4. ☐ Se avessi un telefonino con una fotocamera migliore, comprerei quest'ultima applicazione.
5. ☐ Se vogliamo parlare con Marco, telefoniamogli!
6. ☐ Il film del regista Damiani ti sarebbe piaciuto di più se avessi letto il libro di Leonardo Sciascia da cui è tratto.

21 Ascolta l'intervista a Salvatore Aranzulla e scegli la risposta corretta.

1. La persona intervistata è
   a. un politico
   b. un informatico
   c. un imprenditore

2. I collaboratori di Aranzulla
   a. si occupano di tutto, dai pc al fotoritocco
   b. sono specializzati in settori diversi
   c. sono tutti sui dodici anni

3. Il sito di Salvatore è nato
   a. per aiutare gli amici
   b. per gioco
   c. per guadagnare con la pubblicità

4. Il sito è popolare perché
   a. gli italiani preferiscono le notizie online
   b. è sponsorizzato da Google
   c. molti hanno problemi con l'informatica

5. Il segreto del successo di Aranzulla è
   a. parlare male di tutti i produttori
   b. avere molte recensioni positive
   c. essere sincero con i suoi utenti

Salvatore Aranzulla

A Scegli l'alternativa corretta.

1. Se tutti gli uffici del Comune .... (1) il computer, non ci sarebbe bisogno di aspettare una settimana per un certificato. .... (2) che ci siano ancora uffici senza computer!

(1)		(2)	
	a. avessero avuto		a. Ma è incredibile
	b. avessero		b. Complimenti
	c. abbiano avuto		c. Era ora

2. Non sarei venuto da te se non .... (1) sicuro che mi .... (2).

(1)		(2)	
	a. sarei		a. aiutavi
	b. fossi stato		b. hai aiutato
	c. sia		c. avresti aiutato

3. Se non .... (1) quel programma scaricato illegalmente, ora il tuo computer non .... (2) pieno di virus.

(1)		(2)	
	a. avessi installato		a. fosse
	b. avrebbe installato		b. era
	c. installasse		c. sarebbe

4. Se .... (1), ... (2).

(1)		(2)	
	a. era arrivato		a. ne telefonerebbe
	b. arrivasse		b. ci avrebbe telefonato
	c. fosse arrivato		c. si sarebbe telefonato

5. Se .... (1) tanto questi dolcetti, ... (2) tutti!

(1)		(2)	
	a. ti piacciono		a. mangiali
	b. ti piacessero		b. mangiatene
	c. ti piaceranno		c. mangiateci

6. • Antonio! Ma quanti libri .... (1) ?
   • Quanti? .... (2) solo due!

(1)		(2)	
	a. comprarti		a. Ne ho preso
	b. compravi		b. Ci ho presi
	c. hai comprato		c. Ne ho presi

B Abbina le due colonne per formare delle frasi.

1. Fammi sapere
2. Usciremmo più spesso,
3. Se sei stanco,
4. Se Elena avesse messo la sveglia,
5. Se avessi la possibilità,

a. forse sarebbe arrivata in orario.
b. partirei per una vacanza anche domani.
c. se ti serve una mano.
d. vai a casa!
e. se non dovessi lavorare tanto.

C Completa il testo con le parole date negli spazi evidenziati e i verbi alla forma corretta negli spazi blu.

se ne ♦ qualsiasi ♦ si ♦ gli ♦ se

MA CON IL CELLULARE GIULIETTA E ROMEO SI SAREBBERO SALVATI DI LUCIANO DE CRESCENZO

Mio nonno aveva capito tutto del telefono. Un giorno qualcuno .... (1) spiegò come funzionava. «Vedete, - gli dissero - il telefono è una cassetta che a un certo punto suona, voi, allora, andate a rispondere». «Come? - .... (2. domandare) mio nonno – Lui suona e io devo andare a rispondere...». Insomma, aveva capito la dipendenza tecnologica. È vero che il telefonino non chiede mai il permesso quando squilla e può interromperti in .... (3) momento. Secondo me, sarebbe necessario insegnare nelle scuole come usare il telefonino, avremmo un domani migliore. Però, a pensarci bene, chissà come .... (4. cambiare) la storia se il telefonino fosse stato inventato prima. Napoleone, ad esempio, non avrebbe perso a Waterloo. Con il telefonino avrebbe chiamato Grouchy: «Sono Napoleone. Corri subito che qua ci sono i prussiani!». Giulietta e Romeo non .... (5. uccidersi). Lei avrebbe chiamato il suo amato e gli avrebbe detto: «Romeo, fai attenzione, io non sono morta, sto solo dormendo. Non fare come al tuo solito che ti lasci prender dall'emozione».

Antonio Canova, *Teseo sul Minotauro*

E per finire neanche Egeo .... (6. togliersi) la vita. Lui aveva mandato il figlio Teseo a uccidere il Minotauro e gli aveva detto: «Quando torni, Teseo, ... (7) hai ucciso il Minotauro, cambia il colore alle vele. Togli le vele nere e metti quelle bianche. Così io posso capire, anche da lontano, che hai vinto». Purtroppo Teseo .... (8) dimenticò ed Egeo si uccise buttandosi nel mare. Se .... (9. esserci) il telefonino, oggi quel mare, invece di chiamarsi *Egeo*, ... (10) chiamerebbe *Mare Telecom Italia Mobile*.

adattato da *www.corriere.it*

D Risolvi il cruciverba.

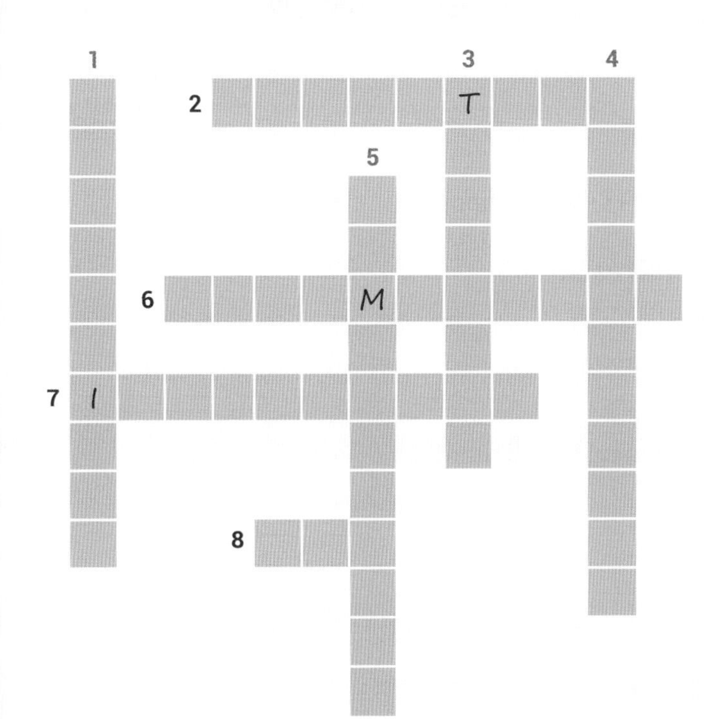

Orizzontali

2. Il computer che possiamo portare con noi.
6. La più importante associazione ambientalista italiana.
7. Inserire un programma nel computer.
8. Numero dei tipi di periodo ipotetico.

Verticali

1. @ in italiano.
3. La utilizziamo per scrivere al computer.
4. E-mail in italiano: posta ...
5. Espressione che usiamo per congratularci.

Risposte giuste: ..../35

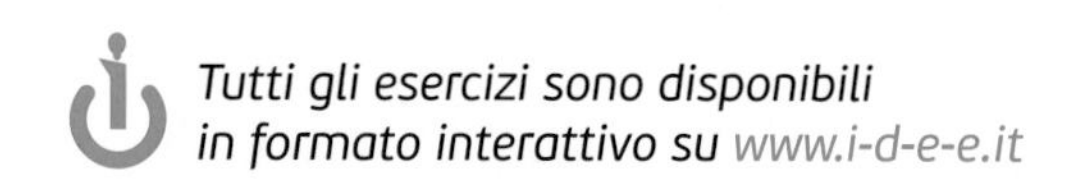

3° test di ricapitolazione

A Completa con i verbi alla forma giusta.

1. Signorina, la prego, mi .... (*fare*) parlare con il direttore!
2. Signor Vitale, ... (*stare*) attento, non .... (*avvicinarsi*) troppo a quel cane!
3. Signora Carla, ... (*accomodarsi*)! Il dottore arriva subito.
4. Se pensa di far prima, ... (*chiamare*) pure un taxi!
5. Dottoressa, ... (*non chiamare*) il signor Mattei, ci penso io!
6. Signora Rossi, ... (*rilassarsi*); non è successo niente di grave!
7. Un momento! .... (*non spegnere*) il computer, ho bisogna di un'ultima informazione.

.... /8

B Completa le seguenti frasi con gli indefiniti.

1. A pranzo non ho mangiato .... e ora ho una fame da lupi!
2. Di .... cosa avrai bisogno, rivolgiti pure a me!
3. .... cerca di risolvere i suoi problemi come meglio può.
4. Dopo .... chilometro ci siamo accorti di aver sbagliato strada!
5. Direttore, ci sono .... problemi con i nostri soci bolognesi.
6. È proprio un ragazzo fortunato: ha ...., non gli manca proprio ....!
7. Dopo lo spettacolo applaudivano ....

.... /8

C Leggi le seguenti frasi e formula dei periodi ipotetici (1° - 2° - 3° tipo).

1. Non hai dato l'esame e adesso devi studiare tutta l'estate.
   ....
2. Non sei stato sincero e ovviamente non ti hanno creduto.
   ....
3. In centro c'era molto traffico e sono arrivato con mezz'ora di ritardo.
   ....
4. Sono molto impegnato, perciò non leggo tanto.
   ....
5. Vieni anche tu alla festa, così non mi annoio.
   ....

6. Laura visiterebbe Venezia durante il Carnevale, ma non trova una camera.

....

7. Fa molto freddo, non esco.

....

8. Forse oggi pomeriggio arriva un pacco per me. Apri tu al postino.

....

........../8

D Completa le seguenti frasi con *ci* e *ne*.

1. • Sei mai stato in Sicilia? • No, non .... sono mai stato, però me .... ha parlato spesso Valerio che .... è stato tante volte.
2. Comprare un altro televisore? Non .... vedo la necessità.
3. Con la mia macchina nuova, per andare a Pisa .... abbiamo messo solo un'ora.
4. Io ti consiglio di sposare Marina solo se .... sei veramente innamorato.
5. Hai sentito quello che ha detto Paolo? Ma tu .... credi?
6. Hai visto quella ragazza in macchina? Era Teresa: .... sono sicuro.
7. Con questi occhiali .... vedo benissimo.
8. Manco da una settimana dal mio paese e già .... sento la nostalgia.

........../10

E Coniuga i verbi tra parentesi al tempo e al modo opportuni.

1. Non pensavo che uno come te .... (*credere*) alle favole che racconta Luisa.
2. Sei già tornato? E io che credevo che ti .... (*piacere*) l'Italia.
3. Non riuscivo proprio a capire cosa .... (*volere*) Piero da me.
4. Credevo di .... (*spiegarsi*, io) bene e che non ci fosse bisogno di riparlarne.
5. Federica, non immaginavo che .... (*finire*) già il liceo.
6. Avrei voluto tanto che .... (*essere*, voi) presenti alla scena!
7. Non sapevo che i tuoi genitori .... (*conoscersi*) all'università!
8. Magari .... (*sapere*, io) prima la verità!

........../8

Risposte giuste: ..../42

Glossary p. 223

Tutti gli esercizi sono disponibili in formato interattivo su www.i-d-e-e.it

L'arte... è di tutti!

1 Fai l'abbinamento.

1. Il campionato è stato
2. Questa canzone sarà presto
3. Un computer nuovo sarebbe stato
4. È importante che gli inviti siano stati
5. Aveva paura che il suo libro non fosse
6. Nel film quella storia era

a. apprezzato di più come regalo.
b. vinto dalla mia squadra.
c. raccontata in modo molto divertente.
d. letto da nessuno.
e. ascoltata da tutti.
f. spediti in tempo.

2 Trasforma le seguenti frasi alla forma passiva con *essere*, come nell'esempio.

es. Tutti considerano Leonardo da Vinci un genio.
Leonardo da Vinci è considerato da tutti un genio.

1. Più di quattro milioni di persone visitano ogni anno la Galleria degli Uffizi.
....
2. Gianna sceglierà il quadro per il direttore.
....
3. Le ragazze hanno superato la prima prova del concorso.
....
4. Tutti i siti specialistici danno la notizia.
....
5. I miei genitori hanno scambiato Luca per il mio fidanzato.
....
6. Credo che Elena scelga la sorella come testimone di nozze.
....

Leonardo da Vinci, Milano

3 Trasforma, quando possibile, le frasi dell'esercizio 2, come nell'esempio.

es. Leonardo da Vinci è considerato da tutti un genio.
Leonardo da Vinci viene considerato da tutti un genio.

....
....
....
....
....

4 Trasforma le frasi con il verbo alla forma passiva. Dove possibile, usa sia *essere* che *venire*.

1. Era preferibile che la professoressa Numi accompagnasse i suoi studenti in gita al Parco Nazionale del Pollino.
2. In questo paesino della Calabria fanno il miglior gelato d'Italia!
3. Credo che Stefano abbia interpretato male le mie parole.
4. Ogni giorno in Italia rubano circa 350 auto.
5. Tutti consideravano questo museo uno dei più sicuri del mondo.
6. Alessandro Volta inventò la batteria elettrica.

Parco Nazionale del Pollino, Basilicata

5 Riscrivi alla forma passiva le parti in verde dei titoli di giornale.

1 MAXI OPERAZIONE ANTIMAFIA: SEMBRA CHE LA POLIZIA ABBIA ARRESTATO PIÙ DI 20 PERSONE.

2 IL 15 APRILE IL MACRO INAUGURA LA NUOVA MOSTRA SUL FUTURISMO: ATTESI PIÙ DI 100.000 VISITATORI.

3 GONDOLA SI CAPOVOLGE: I VIGILI DEL FUOCO SALVANO QUATTRO TURISTI.

4 FACEVANO IL BAGNO NELLA FONTANA DI TREVI. LA POLIZIA HA SORPRESO I TURISTI E HA FATTO LORO UNA MULTA.

5 AVREBBE RUBATO CIRCA VENTIMILA BOTTIGLIE DI PROSECCO. ARRESTATO IL CUSTODE DELLA SEDE DELL'AZIENDA.

6 *LA BELLEZZA SALVERÀ IL MONDO? UNA DOMANDA A CUI CERCHERANNO DI DARE RISPOSTA DOMANI AL CAFFÈ LETTERARIO DI VIA FIRENZE ARTISTI, ARCHITETTI E SCRITTORI.*

1.
2.
3.
4.
5.
6.

6 Scrivi alla forma passiva con *venire* alcuni importanti avvenimenti della storia d'Italia e del mondo.

1. Nel 1492, Cristoforo Colombo scoprì l'America.
   ....
2. Nel 1576, Benedetto Gentile ideò la lotteria.
   ....
3. Nel 1854, Antonio Meucci costruiva il primo telefono.
   ....
4. Nel 1903, Giuseppe Bezzera inventa la macchina per il caffè espresso.
   ....
5. Nel 1957, la FIAT mise sul mercato la 500, simbolo del boom economico.
   ....
6. Nel 2002 solo 12 Paesi dell'Unione Europea adottavano l'Euro.
   ....

7 Trasforma le frasi alla forma passiva.

1. Nel museo della nostra città esporranno opere di Caravaggio.
   ....
   ....
2. Pensavo che avrebbe restaurato il quadro il professor Biglia.
   ....
   ....
3. Non abbiamo speso niente perché Giovanni aveva pagato tutto.
   ....
   ....
4. Credo che molti stranieri conoscano le opere artistiche italiane.
   ....
   ....
5. Era strano che nessuno avesse visto i ladri.
   ....
6. Pensavo che Giulia avesse già ordinato i mobili per la villa.
   ....

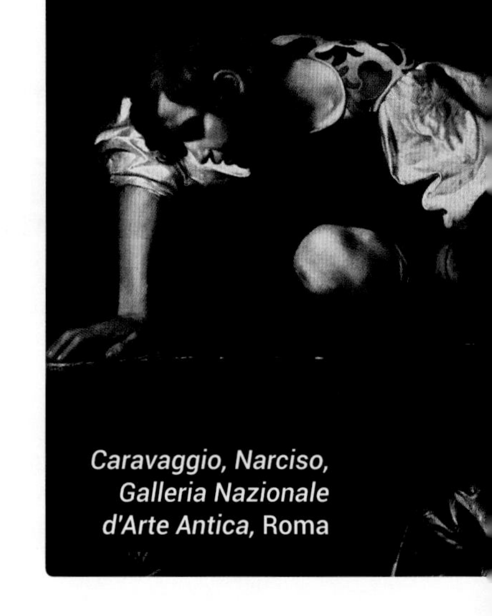
Caravaggio, Narciso, Galleria Nazionale d'Arte Antica, Roma

8 Fai l'abbinamento.

1. Ma sul serio
2. Non scherzo mai
3. Dimmi che è andato tutto bene:
4. Ti posso garantire che
5. Non c'è dubbio che i ragazzi
6. È davvero incredibile

a. è così, vero?
b. che la nostra squadra sia riuscita a vincere.
c. abbiano detto la verità.
d. quando si tratta del nostro futuro.
e. vuoi cambiare lavoro?
f. è uno spettacolo bellissimo: devi vederlo.

9 Metti in ordine gli elementi per completare le frasi alla forma passiva con i verbi *potere* e *dovere*.

1. pagato | entro la | dovrebbe | essere | fine del mese. | il conto del dentista
   Il conto del dentista ....
2. presi | e il venerdì. | i libri | in prestito | il lunedì, | possono | essere | il mercoledì
   I libri ....
3. essere | rispettati | devono | i professori | dagli studenti | e viceversa.
   I professori ....
4. da tutti. | non | un articolo | essere | letto | così difficile | può
   Un articolo ....
5. un libro così | solo | poteva | grande scrittore. | essere | scritto | da un
   Un libro così ....
6. da poche persone. | essere | comprata | penso che | possa | una villa così grande e confortevole
   Penso che ....

10 Completa le frasi con le parole date e poi trasformale dalla forma attiva a quella passiva.

cantante ♦ *museo* ♦ *architetto* ♦ *scultore* ♦ *pittore* ♦ *fotografi*

1. Pochi .... professionisti possono fare foto con questi colori.
   ....
2. Quel .... potrebbe dipingere l'intero affresco in una sola settimana.
   ....
3. Solo un .... dovrebbe acquistare questo quadro di grande valore.
   ....
4. Il tuo amico .... potrebbe realizzare la statua da regalare al nostro capo.
   ....
5. Un bravo e famoso .... deve progettare un edificio così importante.
   ....
6. La .... del loro gruppo potrebbe interpretare questo tipo di brano.
   ....

11 a Fai l'abbinamento.

1. Il curriculum vitae
2. Questi documenti
3. Il maglione di lana
4. I formaggi
5. Questa intervista
6. È il museo più importante della città:
7. C'è un documentario sull'ambiente in TV, credo che

a. devono essere consegnati domani.
b. devono essere tenuti in frigorifero.
c. deve essere visitato.
d. debba essere visto da tutta la famiglia.
e. va inviato per email.
f. doveva essere lavato in acqua fredda.
g. deve essere letta con attenzione.

b Trasforma le frasi alla forma passiva con il verbo *andare*, come nell'esempio.

es. Il curriculum vitae va inviato per email.

1. ....

2. ....

3. ....

4. ....

5. ....

6. ....

12 a Completa con le parole date. Attenzione: ci sono due parole in più.

pittura ♦ *natura morta* ♦ *l'architettura* ♦ *capolavori* ♦ *Cappella* ♦ *chiaroscuro*
scolpito ♦ *il prototipo* ♦ *mosaico* ♦ *riproduzione* ♦ *la statua*

Opere celebri di Michelangelo

Quale opera rappresenta meglio il genio artistico di Michelangelo? Difficile dirlo, visto che di .... (1) l'artista ne ha realizzati tanti!
Tra i più celebri c'è sicuramente il *David*, ... (2) dal Buonarroti tra il 1501 e il 1504, oggi esposto alla Galleria dell'Accademia di Firenze. All'epoca però, un comitato di artisti, di cui faceva parte anche Leonardo da Vinci, aveva scelto di mettere .... (3) all'aperto, sotto la Loggia dei Lanzi, mentre Michelangelo aveva proposto una posizione davanti a Palazzo Vecchio dove sarebbe stata più visibile e dove, infatti, ancora oggi si trova una .... (4) dell'originale.
I più famosi esempi della straordinaria .... (5) di Michelangelo sono gli affreschi della volta e il *Giudizio Universale* (1536-1541) della .... (6) Sistina. L'uso di un forte .... (7), la mole delle figure nude e i colori vivaci renderanno questi dipinti .... (8) per il futuro stile manierista.
Infine, per quanto riguarda .... (9), negli anni Trenta del XVI secolo, l'artista ha ristrutturato Piazza del Campidoglio (1534-1538) a Roma, aggiungendo il particolare disegno a stella.
Non tutti sanno, però, che l'unica opera firmata da Michelangelo è la *Pietà*, scultura giovanile del 1497-1499 che si trova nella Basilica di San Pietro in Vaticano.

b Leggi di nuovo il testo e metti in ordine cronologico le opere di Michelangelo.

a ☐

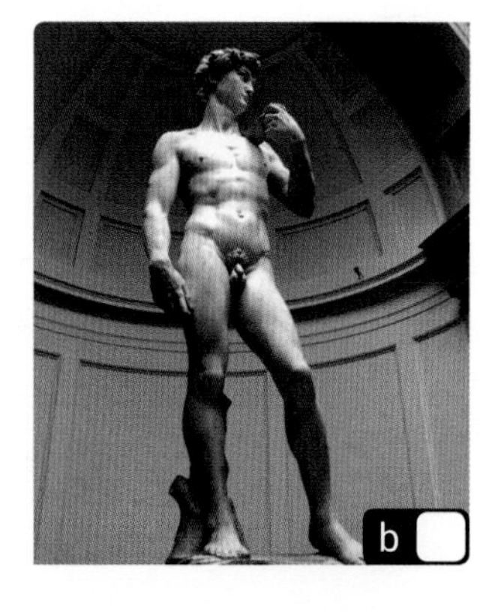
b ☐

c ☐

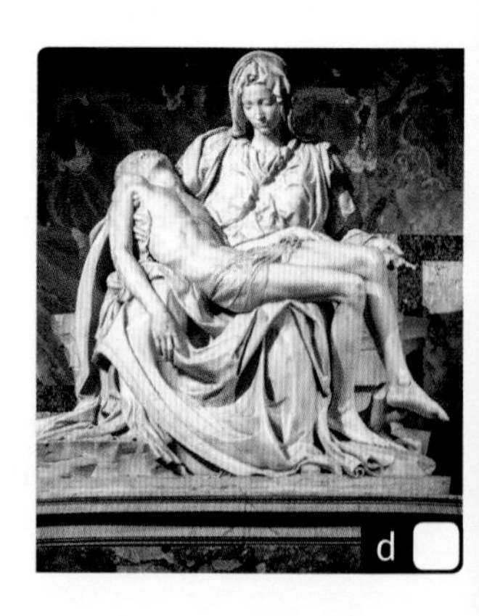
d ☐

13 Scegli l'alternativa corretta per completare il testo su Leonardo da Vinci.

Leonardo da Vinci

L'artista - Nel 1472, a soli vent'anni, dipinge a Firenze l'*Annunciazione* (Uffizi). Nel 1481 comincia l'*Adorazione dei magi* (Uffizi) .... (1) lascia incompiuta per andare a Milano, dove .... (2) circa vent'anni è al servizio di Ludovico il Moro .... (3) pittore, scultore, architetto, regista e scenografo.
A questo periodo appartengono *La Vergine delle rocce* e il famosissimo *Cenacolo* o *Ultima cena*, che si .... (4) nel convento di Santa Maria delle Grazie, a Milano.
Nel 1501 torna a Firenze dove dipinge *La Gioconda*, attualmente .... (5) al Louvre a Parigi, sul .... (6) sorriso enigmatico sono state avanzate tante teorie. Passa un secondo periodo fertile a Milano e muore in Francia nel 1517, dove era stato chiamato dal re Francesco I, suo .... (7) ammiratore.
Nei suoi dipinti applica la tecnica dello sfumato, cioè del morbidissimo chiaroscuro, frutto della sua sperimentazione tecnica.
Lo scienziato - Si occupa di anatomia, astronomia, idraulica, fisica, matematica e ottica. Le sue invenzioni e i suoi studi fanno di Leonardo forse il più grande .... (8) di tutti i tempi. Disegnò tantissime macchine (ad esempio elicotteri, carri armati) tutte rivoluzionarie per quell' .... (9) . Lasciò oltre 7.000 manoscritti con schizzi, disegni, commenti, studi, tra cui il *Codice Atlantico*, il *Codice Arundel* e quello *sul* .... (10) *degli uccelli* (anche per questo l'aeroporto di Roma si chiama *Leonardo da Vinci*).

	A	B	C
1.	che	dove	quando
2.	a	se	per
3.	per	come	dal
4.	dipinge	trova	ascolta
5.	trovata	rubata	conservata
6.	cui	di	che
7.	ottimo	grande	felice
8.	scrittore	genio	filosofo
9.	epoca	decennio	corrente
10.	canto	ali	volo

14 *Andare* o *venire*? Completa le frasi con il verbo giusto.

1. In bicicletta o in moto, il casco .... sempre messo.
2. Il biglietto .... convalidato prima di salire sul treno.
3. Credo che il concerto del primo maggio .... organizzato ogni anno a Roma.
4. Ho saputo che Claudia ha trovato lavoro: .... assunta tra un mese come segretaria.
5. Questi sono errori che .... corretti per poter parlare bene una lingua straniera.
6. È giusto che la visione dei film horror .... proibita ai minori di 14 anni?

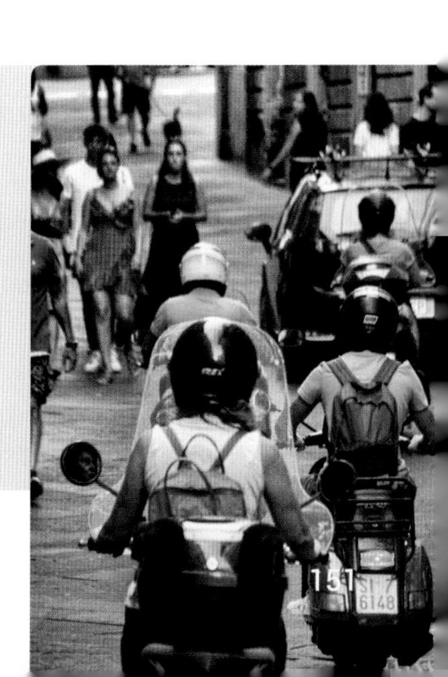

15 Completa le frasi con la forma passiva (*si* passivante) dei verbi dati.

cucinare ♦ *fare* ♦ *produrre* ♦ *trovare* ♦ *vedere* ♦ *studiare*

1. Dalla cupola di San Pietro .... un panorama fantastico.
2. In quel negozio non .... mai sconti.
3. Nel mio Paese .... molto le lingue straniere.
4. In quel ristorante .... benissimo il piatto tipico della regione.
5. Nei mercati all'aperto .... tante cose a buon prezzo.
6. In Italia .... degli ottimi vini.

San Pietro, Roma

16 **a** Indica quali di queste frasi si possono trasformare usando il *si* passivante.

1. Uso sempre di più l'aereo per viaggiare. ☐
2. Tra un mese verrà pubblicato un libro sul recente restauro del *Giudizio Universale* dal mio professore di Arte. ☐
3. In quel piccolo paese della Sicilia la posta viene consegnata due volte alla settimana. ☐
4. La musica jazz è ascoltata da poche persone. ☐
5. La cucina italiana viene apprezzata in tutto il mondo. ☐
6. Questi bellissimi gioielli sono fabbricati in Italia. ☐

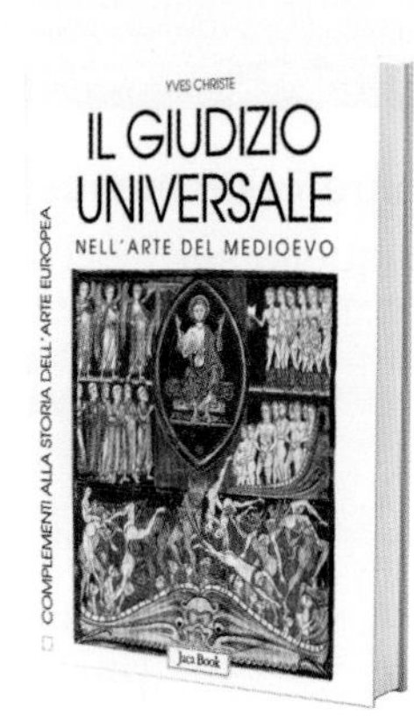

b Trasforma le frasi che hai indicato nell'esercizio precedente.

....

....

....

17 Metti in ordine le parole per formare delle frasi come nell'esempio. Inizia con le parole evidenziate.

es. sono | molte | del passato | **si** | perse
Si sono perse molte tradizioni del passato.

1. è | **per** | una | costruire | ponte | quel | si | usata | nuova | tecnica
....
2. di soldi | **per l'inaugurazione** | si | pinacoteca | sono | un | della | spesi | sacco
....
3. **l'antica** | nel 1748 | di | scoprì | Pompei | città | si
....

4. corso | si | molte attività | organizzate | durante il | sono | divertenti

....

5. bugie | molte | tra | si | sono | sul | Michele | dette | e Veronica | rapporto

....

6. Botticelli | nuovi | si | sugli ultimi | stanno | anni di | di | dati | raccogliendo | vita

....

18 Modifica le frasi come nell'esempio.

es. C'è un canale TV dove possiamo vedere tanti vecchi film.
C'è un canale TV dove si possono vedere tanti vecchi film.

1. Per continuare dobbiamo scrivere la password in questo spazio.

....

2. Se vuoi studiare a Milano, dobbiamo trovare una stanza in affitto.

....

3. Possiamo fare molto per la tutela dell'ambiente.

....

4. Gli amici devono essere rispettati e devono essere aiutati.

....

5. Domenica possiamo visitare i musei senza pagare il biglietto.

....

6. Questa decisione dovrebbe essere presa in fretta, se vogliamo fare in tempo.

....

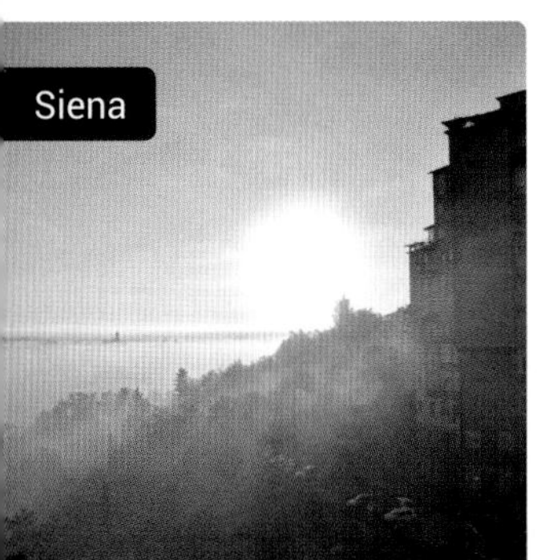
Siena

19 *Si* passivante (P) o *si* impersonale (I)? Indica la risposta corretta.

1. Si dice che nei prossimi giorni farà molto caldo. ☐
2. Negli ultimi mesi si sono creati molti posti di lavoro. ☐
3. Non si dovrebbe giudicare senza conoscere bene la situazione. ☐
4. Quando si è stanchi, è normale che si dorma fino a tardi. ☐
5. Non si può vedere la città perché c'è la nebbia. ☐
6. Non è vero che in questa casa si mangia male. ☐

20 Collega le due colonne e completa i proverbi.

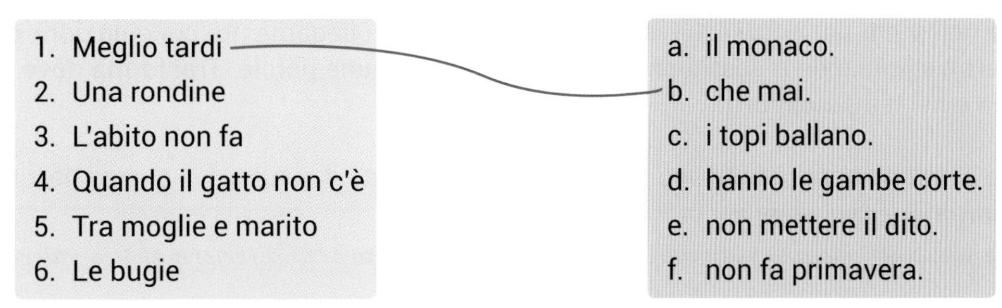

1. Meglio tardi	a. il monaco.
2. Una rondine	b. che mai.
3. L'abito non fa	c. i topi ballano.
4. Quando il gatto non c'è	d. hanno le gambe corte.
5. Tra moglie e marito	e. non mettere il dito.
6. Le bugie	f. non fa primavera.

21 a Completa con le parole date.

capolavoro ♦ serata ♦ museo ♦ dipinti ♦ pittore ♦ restauro

A Castiglione d'Orcia, sabato 14 novembre alle ore 16.30, presentazione dei lavori di .... (1) compiuti sul dipinto trecentesco *Madonna col Bambino* della scuola del celebre .... (2) senese Pietro Lorenzetti. Il .... (3) torna in mostra tra gli altri straordinari .... (4) della scuola senese nella Sala d'Arte San Giovanni. Alla presentazione seguirà una visita al .... (5) per ammirare il dipinto restaurato accanto ai capolavori di Simone Martini, Giovanni di Paolo e Vecchietta. La .... (6) sarà conclusa da un aperitivo.

adattato da *www.beniculturali.it*

b Scrivi i nomi che corrispondono ai seguenti verbi.

1. costruire
2. inventare
3. affrescare
4. dipingere
5. restaurare
6. inaugurare

22 Completa con le preposizioni semplici o articolate.

STRESS DA GIOCONDA, I DIPENDENTI
DEL LOUVRE SMETTONO DI LAVORARE

Il personale .... (1) museo di Parigi ha chiesto un premio .... (2) direzione per "ripagarlo" dallo stress supplementare causato .... (3) maggiore attenzione che viene loro richiesta .... (4) controllare il dipinto di Leonardo. «Lo stress è chiaramente legato .... (5) numero di visitatori. – ha spiegato un dipendente del Louvre – Quel che è insopportabile è il continuo rumore .... (6) folla, specialmente .... (7) sale più note, come quella dove si trova la Monna Lisa. La domenica, quando l'ingresso è gratis, è ancora peggio. Si può arrivare fino .... (8) 65 mila visitatori in un giorno».

Museo di Louvre, Parigi

23 Collega, come nell'esempio, le frasi con le opportune forme di collegamento (congiunzioni, preposizioni, pronomi, avverbi) eliminando o sostituendo, se necessario, alcune parole. Trasforma dove necessario i verbi nel modo e nel tempo opportuni.

es. Mio padre aveva un quadro prezioso | mio padre ha venduto il quadro | il prezzo del quadro è stato inferiore al valore reale
Mio padre aveva un quadro prezioso che ha venduto a un prezzo inferiore al suo valore reale.

1. Maurizio è laureato in Storia dell'Arte | Maurizio cerca lavoro | non ci sono molte possibilità di lavoro nel suo campo | Maurizio forse dovrà trasferirsi all'estero

   ....

   ....

2. Ieri è arrivata a casa mia Mary | Mary è una ragazza inglese di 23 anni | io ho conosciuto Mary a Londra | io mi sono innamorato subito di Mary

   ....

   ....

3. Ho molti amici all'estero | io utilizzo Skype | mi sento molto più spesso con i miei amici all'estero

   ....

   ....

4. Non sono sicuro di una cosa | Luca ha capito bene l'ora dell'appuntamento | ho aspettato Luca più di mezz'ora | Luca non è arrivato

   ....

   ....

5. Stefano vuole andare a vedere una mostra d'arte | io preferisco andare al cinema | accetterò di andare con Stefano | Stefano deve pagarmi il biglietto

   ....

   ....

6. Teresa è felice | oggi è il compleanno di Teresa | il padre di Teresa ha promesso di regalare a Teresa una bicicletta

   ....

   ....

24 Ascolta l'intervista al responsabile di un museo italiano e indica l'affermazione giusta tra quelle proposte.

23 CD 2

1. Il museo è attrezzato
a. ☐ per l'ingresso ai portatori di handicap
b. ☐ per le visite alle collezioni private
c. ☐ con un bar a ogni piano
d. ☐ per le attività culturali all'aperto

2. I programmi per i visitatori prevedono anche
a. ☐ escursioni in siti archeologici
b. ☐ visite guidate in varie lingue
c. ☐ opuscoli informativi
d. ☐ audio e video in una sala speciale

3. Il museo prevede anche
a. ☐ misure di sicurezza speciali
b. ☐ sconti per gli studenti
c. ☐ programmi specifici per le scuole
d. ☐ carte speciali per gli stranieri

4. Il pezzo forte del museo è
a. ☐ un ritratto
b. ☐ un quadro astratto
c. ☐ una scultura
d. ☐ un libro raro

A Scegli l'alternativa corretta.

1. Le nuove tecniche di restauro ...... (1) su uno degli affreschi di Giotto. L'affresco ...... (2) restaurato prima che sia troppo tardi.

   (1) a. saranno applicate
   b. hanno applicato
   c. sono state applicate

   (2) a. andava
   b. si doveva
   c. va

2. Per il concerto di Andrea Bocelli, i biglietti ...... (1) acquistare a teatro. Il concerto ...... (2) trasmesso anche su Rai 3.

   (1) a. possono essere
   b. vanno
   c. si possono

   (2) a. verrà
   b. si è
   c. è stato

3. • Conosci il proverbio che dice "L'abito non ...... (1) il monaco"?
   • Certo! Un proverbio che ...... (2) da tutti.

   (1) a. significa
   b. fa
   c. realizza

   (2) a. se ne dovrebbe ricordare
   b. dovrebbe essere ricordato
   c. dovrebbe ricordarsi

4. Le offerte ...... (1) dall'avvocato Berti, ma l'opera ...... (2) da un collezionista di cui non conosciamo il nome.

   (1) a. sono fatte
   b. si sono fatte
   c. sono state fatte

   (2) a. è stata comprata
   b. va comprata
   c. si è comprata

5. Direttore, poiché la mostra ...... (1) l'ultima settimana di settembre, gli inviti per l'inaugurazione ...... (2).

   (1) a. si terrà
   b. è stata tenuta
   c. si è tenuta

   (2) a. venivano già spediti
   b. si potrebbero già spedire
   c. vadano già spediti

6. L' ...... (1) più famosa di Leonardo da Vinci è senz'altro ...... (2).

   (1) a. opera
   b. arte
   c. artista

   (2) a. *la Gioconda*
   b. *la Primavera*
   c. *il Giudizio Universale*

B Completa con la forma passiva dei verbi tra parentesi nel modo e tempo indicato.

Il Leonardo ritrovato in America

Un dipinto di Leonardo, che .... (1. *ritenere*, indicativo imperfetto) perduto da diversi secoli, ... (2. *analizzare*, indicativo passato prossimo) da alcuni tra i maggiori studiosi di Leonardo da Vinci e .... (3. *esporre*, indicativo futuro semplice) alla National Gallery di Londra.

Nell'opera, il *Salvator Mundi*, ... (4. *raffigurare*, indicativo presente) Cristo con la mano destra alzata e la sinistra che tiene un globo. .... (5. *dipingere*, condizionale passato) da Leonardo a Milano, poco prima di lasciare la città nel 1499, lasciandone anche alcuni studi, i più noti dei quali .... (6. *conservare*, indicativo presente) al castello di Windsor.

L'opera, molti mesi fa, ... (7. *consegnare*, indicativo passato prossimo) da alcuni collezionisti americani alla National Gallery per un restauro prima della mostra. Gli studiosi del museo ritenevano che fosse di scuola leonardesca. Dopo l'eliminazione di una parte di pittura che .... (8. *aggiungere*, indicativo trapassato prossimo) in un precedente restauro, i tecnici e importanti studiosi hanno valutato l'opera e l'hanno attribuita a Leonardo stesso, dal momento che i meravigliosi colori, i rossi e gli azzurri ricordano proprio quelli dell'*Ultima Cena*.

adattato da *www.corriere.it*

C Risolvi il cruciverba.

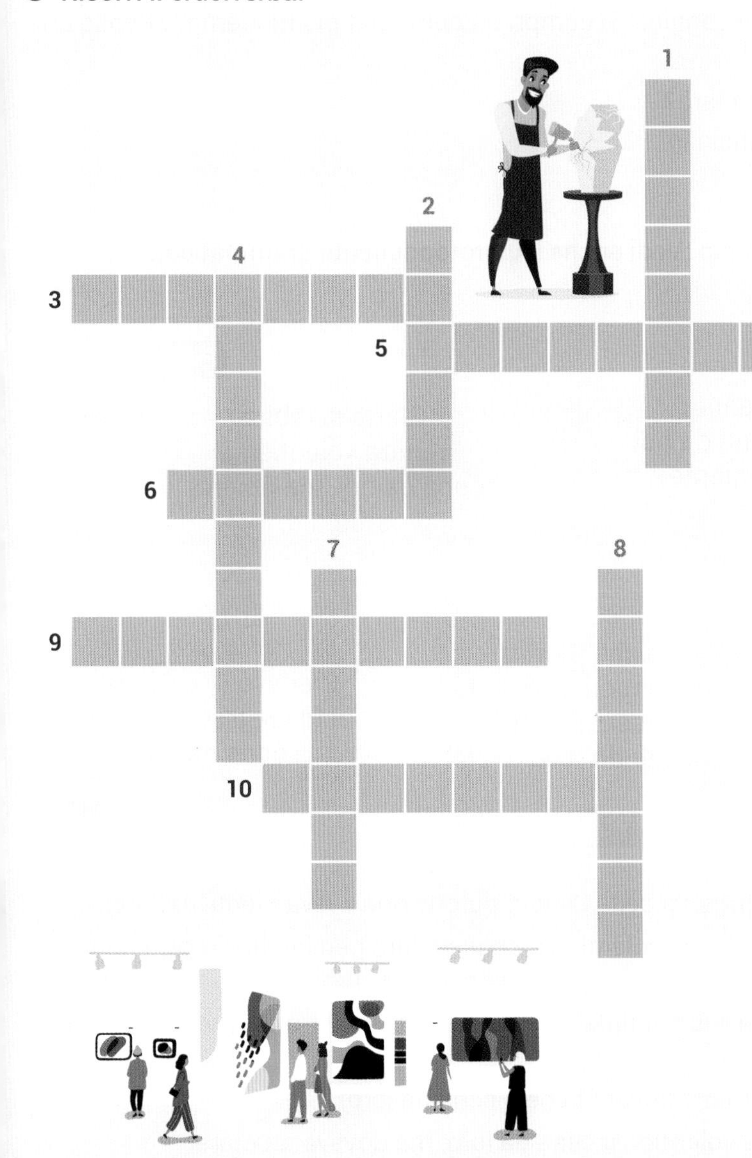

Verticali

1. Altro nome per indicare l'*Ultima cena* di Leonardo.
2. C'è una nuova ... dedicata a Romiti a Bologna.
4. "Mettere a posto" un'opera d'arte (verbo).
7. Ha l'oro in bocca.
8. È stata rubata dal Louvre nel 1911.

Orizzontali

3. Un dipinto che si trova sul muro!
5. Professione del Bernini.
6. È "morta" se dipingiamo degli oggetti e della frutta su un tavolo.
9. Un artista del Seicento.
10. Fotografia su tela.

Risposte giuste: .... /30

Unità 10

Paese che vai, problemi che trovi

Tutti gli esercizi sono disponibili in formato interattivo su www.i-d-e-e.it

Glossary p. 226

1 **Completa il dialogo tra Aldo e Bruno con le parole date.**

allarme ♦ *a quanto ne so* ♦ *telecamere* ♦ *faccia tosta* ♦ *furti* ♦ *incredibile* ♦ *questura* ♦ *colmo*

- Ciao Bruno!
- Ciao Aldo, come va? Hai sentito dei .... (1) che ci sono stati nel nostro quartiere?
- Sì. Pensa che Gianni, nel suo appartamento, oltre ad avere installato un sistema d' .... (2), ha messo anche le .... (3) di sicurezza.
- Ah, non sapevo che avesse tanta paura. Beh, almeno così può stare tranquillo.
- Anche lui lo pensava, ma pare che non sia stato sufficiente. Infatti, ieri gli sono entrati i ladri in casa. E il .... (4) è che i ladri hanno rubato tutto tranne il computer perché era troppo vecchio. E gli hanno anche lasciato un messaggio: "Si compri un computer più moderno!". Pensa che .... (5) !
- Ma è .... (6) ! E adesso cosa farà?
- .... (7), ha già fatto la denuncia in .... (8).

2 **Abbina ogni fumetto al discorso indiretto giusto. Vedi anche l'Approfondimento grammaticale a pagina 208.**

a ☐ Penso che Gloria verrebbe volentieri a cena da noi; non ha niente da fare.

b ☐ Gloria è venuta volentieri a cena da noi: non aveva niente da fare.

c ☐ Gloria sarebbe venuta volentieri a cena da noi, ma doveva studiare.

d ☐ Credevo che Gloria fosse contenta di venire a cena da noi.

e ☐ Penso che Gloria venga volentieri a cena da noi; stasera non ha niente da fare.

f ☐ Credevo che Gloria si fosse trovata bene a cena da noi.

1. Fabio ha detto che Gloria era andata volentieri a cena da loro perché non aveva niente da fare.
2. Fabio ha detto che pensava che Gloria andasse volentieri a cena da loro perché quella sera non aveva niente da fare.
3. Fabio ha detto che pensava che Gloria sarebbe andata volentieri a cena da loro perché non aveva niente da fare.
4. Fabio ha detto che credeva che Gloria si fosse trovata bene a cena da loro.
5. Fabio ha detto che Gloria sarebbe andata volentieri a cena da loro, ma doveva studiare.
6. Fabio ha detto che credeva che Gloria fosse contenta di andare a cena da loro.

3 **Trasforma le seguenti frasi al discorso indiretto, come nell'esempio.**

es. Anna ieri ha detto: "Non riesco a trovare la mia borsa."
Anna *ha detto che non riusciva a trovare* la sua borsa.

1. Carlo ha detto: "Torno verso le due."
   Carlo .... verso le due.
2. Sofia ha detto: "Forse domani non andrò all'università."
   Sofia .... all'università.
3. Marco ci disse: "Gianni era stanco, per questo è restato a casa."
   Marco .... a casa.
4. Sandro disse a suo figlio: "Dovresti studiare di più."
   Sandro .... di più.
5. Enrico mi ha detto: "Ricordo bene quel giorno in cui siamo andati al mare a pescare."
   Enrico .... al mare a pescare.
6. Giulia mi disse: "Non ho salutato Francesco perché non l'ho riconosciuto."
   Giulia ....

4 **Trasforma le seguenti frasi dal discorso diretto al discorso indiretto. Vedi anche l'Approfondimento grammaticale a pagina 208.**

1. "Lucio, mi sembra incredibile che tu abbia imparato il tedesco in soli due mesi!"
   Sara ha detto a Lucio che ....
   ....
2. "Secondo me, avresti dovuto telefonare tu a Cinzia."
   Paolo mi disse che .... 
3. "Credo sia arrivata in aereo, non in treno."
   Credeva che Gianna
   ....
4. "Comprerò una macchina a mio figlio!"
   Matteo ha detto che
   ....
   ....
5. "Non riuscirei mai a imparare una lingua come l'arabo: è troppo difficile."
   Valeria disse che
   ....
   ....
6. "Preferisco prendere un taxi; così arriverò in tempo."
   Luisa ieri mi ha detto che
   ....
   ....

5 **Trova nel testo i sinonimi delle parole date.**

Le persone anziane sono spesso vittime di ladri e truffatori che, approfittando a volte della loro solitudine e dei riflessi un po' rallentati, anche a causa di una salute non sempre perfetta, cercano, con abili inganni, di impossessarsi di denaro e oggetti preziosi.

Solite tecniche, soliti stratagemmi: finti tecnici di luce, gas, energia; fantomatici nipoti fermati dalla Polizia o che hanno subito un incidente stradale; finti agenti delle forze dell'ordine o finti assicuratori.
Il malvivente, che in genere indossa una finta divisa ed espone un cartellino identificativo falso, con la scusa di dover controllare gli impianti, con fare gentile conquista la fiducia dell'anziano e si introduce in casa.
«Avete oro e soldi in casa? - chiede il finto tecnico - Se li avete dovete metterli in una busta in frigo perché rischiano di essere danneggiati o distrutti durante il lavaggio delle tubature». Basta un attimo di distrazione e la truffa è compiuta: il ladro scappa con il bottino preparato dalla vittima stessa.

1. truffe: ....
2. soldi: ....
3. Polizia/Carabinieri: ....
4. ladro: ....
5. uniforme: ....
6. con modi educati: ....
7. va via: ....
8. oggetti rubati: ....

6 **Abbina le frasi delle due colonne.**

1. Hai sentito che Lucia è partita per il Giappone?
2. Antonio, non comportarti così in pubblico!
3. Hai sentito che Claudio e Anna Maria si sono lasciati?
4. Claudia, domani verrai con me a fare spese?
5. Sergio è veramente bravo: pensa che ha fatto tre esami in due mesi!
6. Che dici? Carlo verrebbe con noi alla presentazione di un libro?

a. Mah... Lo sai bene che non gli importa niente della letteratura.
b. E con ciò? Anch'io ne sarei capace...
c. Perdere l'intero pomeriggio in giro per i negozi? Non mi interessa affatto!
d. Ma chi se ne frega! Che facciano quello che vogliono!
e. Me ne infischio di cosa pensano gli altri!
f. E allora? Io non la vedo da una vita...

7 **Scegli l'alternativa giusta.**

1. Ho visto Matteo: dice che parlerà con i suoi genitori domani / il giorno dopo.
2. Francesco raccontò che aveva visto Carmen due giorni fa / due giorni prima, ma non le aveva detto nulla.
3. Barbara ha avvertito che il giorno seguente / il giorno precedente sarebbe tornata più tardi del solito.
4. I ragazzi mi hanno detto che quel giorno / oggi vanno a vedere la mostra di Caravaggio al museo.
5. Stefania confessò che quella sera / stasera era molto felice.

8 Trasforma le seguenti frasi dal discorso diretto al discorso indiretto o viceversa.

a. "*Stasera non esco, guardo la TV perché danno un film di Bertolucci.*" ➜ Giovanni mi disse che ....

b. ".." ➜ Christine mi ha detto per telefono che sarebbe venuta in Italia due giorni dopo.

c. "*Prenoterò domani il volo per Milano.*" ➜ Alessandra ci aveva detto che ....

d. ".." ➜ Simone ha detto che gli dispiaceva e che Gianna era uscita proprio in quel momento.

e. "*Sono tornata dalle vacanze una settimana fa.*" ➜ Milena ha detto che ....

f. ".." ➜ Sua madre ci aveva detto che se volevamo, potevamo entrare; credeva che Luigi fosse in casa.

9 Scegli l'alternativa corretta.

GLI ADOLESCENTI E LA DROGA

Quello dei giovani e la droga è un problema che riguarda la società a 360 gradi: dai ragazzi .... (1) loro famiglie, dalla scuola fino alle associazioni del terzo settore.
Occorre prima di tutto chiarire i confini del problema: secondo un rapporto dell'Agenzia europea delle droghe, il nostro Paese è al terzo posto per .... (2) di cannabis: un ragazzo su cinque, tra i 15 e i 34 anni, l'ha provata almeno una volta. Inoltre l'età media si sta abbassando: nel 2018 è stato .... (3) un incremento del 34 per cento del numero di minori che hanno assunto la droga per la prima volta. Guardando alle statistiche della droga tra i giovani, è facile capire come il problema non .... (4) certo essere sottovalutato, soprattutto dai genitori. Per questo è fondamentale intervenire fin da subito, individuando atteggiamenti e gesti "sospetti". Secondo quanto raccomandato sul portale online dei Carabinieri, si consiglia di prestare attenzione al .... (5) del figlio al rientro dai ritrovi con gli amici o dalle discoteche. Ovviamente si tratta di indicazioni in via generale, visto che ogni sostanza .... (6) effetti differenti: se la marijuana genera rilassamento ed euforia, la cocaina allontana il senso di stanchezza e provoca eccitazione.
Cosa bisogna fare .... (7) il proprio figlio confessa di fare uso di sostanze .... (8)? Il portale dei Carabinieri suggerisce di non commettere un errore pericoloso: lasciare da solo il ragazzo o la ragazza, chiudendo al dialogo, anzi. Prima di tutto bisogna capire il tipo di droga e le .... (9) di assunzione. Occorre poi cambiare il mondo attorno al giovane, modificando la sua routine e assicurando sempre il supporto della famiglia. È inoltre cruciale rivolgersi a un professionista che abbia esperienza in questo campo e sappia gestire la situazione. Sul territorio sono presenti tante .... (10) che possono dare un grande aiuto alle famiglie e ai ragazzi.

adattato da *www.donne.it*

	A	B	C	D
1.	per le	delle	alle	con le
2.	rifiuto	consumo	consumazione	fumo
3.	registrato	ricordato	affermato	cancellato
4.	può	poteva	possa	potesse
5.	umore	atteggiamento	movimento	comportamento
6.	dona	provoca	causi	sente
7.	perché	come	se	qualora
8.	stupefacenti	droghe	chimiche	tossiche
9.	dosi	modi	tipologie	modalità
10.	gruppi	regioni	associazioni	riabilitazioni

10 Trasforma le frasi come nell'esempio. Vedi anche l'Approfondimento grammaticale a pagina 208.

es. "Marco, va' a prendere il giornale in edicola!"
Disse a Marco di andare a prendere il giornale in edicola.

1. "La mia casa è sempre aperta agli amici; vieni pure quando vuoi!"
   Mi disse che ....
2. "Vattene, maleducato!"
   Gli ha detto ....
3. "Non vi preoccupate, portate pure i vostri amici!"
   Ci hanno detto ....
4. "Cosa avete fatto ieri sera?"
   Ci chiese ....
5. "Chi sono quei ragazzi che ti aspettano in piazza?"
   Mi hanno chiesto ....
6. "Franco, nonostante i suoi settant'anni, è ancora attivo come pacifista e animalista?"
   Ci ha chiesto se ....
   ....

11 Completa l'articolo di giornale con le parole del riquadro.

CittàOggiWeb
Il quotidiano del Magentino, Castanese, Alto Milanese e Sempione

condanna ♦ far finta di ♦ stupefacenti ♦ spaccio
parente ♦ evasione ♦ arresti domiciliari

Magenta. Quando A. F. ha visto la Polizia Stradale di Magenta ha cercato di .... (1) niente. Gli agenti hanno fermato la Fiat Panda sulla quale viaggiava e l'uomo, di 46 anni, ha detto che andava all'ospedale a trovare un .... (2), ma la risposta non ha convinto i poliziotti. Così hanno controllato e hanno scoperto che il 46enne era conosciuto per vari reati (furto e .... (3)), tanto da essere agli arresti domiciliari e, circa un mese fa, era stato arrestato per .... (4). Nonostante tutto ha pensato bene di uscire ancora di casa perché doveva trovare degli .... (5). La Polizia Stradale di Magenta lo ha nuovamente arrestato per evasione. Ieri il giudice lo ha rispedito agli .... (6) e non in carcere per scontare una .... (7) di un anno e otto mesi.

adattato da *www.cittaoggiweb.it*

12 Ascolta il servizio del TG sulle droghe e i giovani e completa le informazioni (massimo 4 parole).

27 CD 2

1. Sono belle, colorate, sembrano caramelle: .... utilizzate dai giovani.
2. Possiamo avere delle alterazioni ...., sia in senso depressivo che soprattutto in senso eccitatorio.

3. E per danno tossico diretto, e per uso anche ....
4. Se i giovani .... in queste pasticche, forse si guarderebbero bene dal prenderle.
5. Quel che è peggio è che, una volta fatti i danni alle cellule del cervello, ...

13 **Trasforma le seguenti frasi dal discorso diretto al discorso indiretto o viceversa.**

1. Antonio ha ordinato al suo cane di uscire subito dalla macchina.
"...!"
2. "Perché non si riesce a risolvere il problema della droga?"
Costanza chiedeva perché ....
3. "È possibile avere uno sconto?"
La signora chiede se ....
4. Voleva sapere se andavo spesso in quella palestra.
"...?"
5. "Quanto costa il biglietto per Lisbona?"
Volevano sapere ....
6. Vincenzo chiese a Sara se dovessero andare in quel momento da Filippo.
"...?"

14 **Completa il testo con le parole date.**

mafiose ♦ animali ♦ reati ♦ illegale
miliardi ♦ organizzazioni ♦ combattimento

La parola ecomafia è un neologismo creato dall'associazione Legambiente per indicare le .... (1) criminali che commettono reati che provocano danni all'ambiente.
In particolare, sono definite "ecomafie" le associazioni criminali dedite al traffico e smaltimento .... (2) di rifiuti e all'abusivismo edilizio di larga scala. La lista di attività è tuttavia ben più lunga: tra tante ricordiamo l'escavazione abusiva, il traffico di .... (3) esotici, il saccheggio dei beni archeologici e l'allevamento di animali da .... (4).
Secondo il rapporto di Legambiente, il giro d'affari delle ecomafie sarebbe di circa 23 .... (5) di euro all'anno. Le regioni in cui si registrano il maggior numero di .... (6) ambientali sono nell'ordine Campania, Sicilia, Calabria e Puglia, le stesse in cui sono presenti le principali organizzazioni .... (7) italiane.

adattato da *www.caboto-el.eu*

15 Metti in ordine i paragrafi del testo, come negli esempi in blu.

QUANDO GLI IMMIGRATI ERANO GLI ITALIANI

☐ **A** A partire, tuttavia, non erano solo braccianti. Gli strati più poveri della popolazione spesso non riuscivano a pagarsi il viaggio, per questo tra gli emigranti prevalevano i piccoli proprietari terrieri che con le loro rimesse compravano casa o terreno in patria.

4 **B** La maggior parte di loro, comunque, era diretta negli Stati Uniti e a New York, che erano le destinazioni più comuni, anche se non erano le uniche. I genovesi, ad esempio, ben prima del 1861 partirono per l'Argentina e l'Uruguay. E, proprio come gli immigrati di oggi, non iniziavano l'avventura con tutta la famiglia: quasi sempre l'emigrazione era programmata come temporanea e chi partiva era di solito un maschio solo.

☐ **C** A fare eccezione furono solo le intere famiglie che emigrarono dal Veneto e dal Meridione verso il Brasile, specie dopo l'abolizione in quel Paese della schiavitù (1888) e l'annuncio di un vasto programma di colonizzazione.

☐ **D** Intere cittadine del Sud, come Padula in provincia di Salerno, videro infatti la loro popolazione dimezzarsi nel decennio tra '800 e '900. Di questi quasi un terzo aveva come destinazione il Nord America, affamato di manodopera.

1 **E** Tra il 1861 e il 1985 dall'Italia sono partiti quasi 30 milioni di emigranti. Come se l'intera popolazione italiana di inizio Novecento se ne fosse andata in blocco. La maggioranza degli emigranti italiani, oltre 14 milioni, partì nei decenni successivi all'Unità d'Italia, durante la cosiddetta "grande emigrazione" (1876-1915). Provenivano da tutte le regioni della penisola, anche se la percentuale di meridionali era superiore a quelli dei settentrionali.

☐ **F** Venivano considerati dagli americani "*una razza inferiore*" o una "*stirpe di assassini, anarchici e mafiosi*". E il presidente degli Stati Uniti, Richard Nixon, in una telefonata del 1973 fu il più chiaro di tutti. Disse: "*Non sono come noi. La differenza sta nell'odore diverso, nell'aspetto diverso, nel modo di agire diverso. Il guaio è che non si riesce a trovarne uno che sia onesto*".

☐ **G** Se in Sud America, però, conquistarsi un posto nella nuova patria fu più facile, negli Stati Uniti era una faticaccia. I nostri connazionali preferivano così ghettizzarsi nei quartieri italiani e frequentare scuole parrocchiali, rallentando così la diffusione dell'inglese nelle comunità. Forse anche per questo motivo furono a lungo vittime di emarginazione e razzismo.

adattato da *www.focus.it*

16 Trasforma le frasi come nell'esempio. Vedi anche l'Approfondimento grammaticale a pagina 210.

es. "Se non mi chiamerà, gli telefonerò io."
Sandra ha detto che se *non l'avesse chiamata, gli avrebbe telefonato lei*.

1. "Se effettui il pagamento in banca, fammelo sapere."
   Ha detto che ....
2. "Se non avessi studiato tanto, non avrei passato questo esame."
   Claudio ha detto che se ....
3. "Chiudi tutte le finestre, se esci di casa per ultimo."
   Fulvia mi ha detto di ....
4. "Se vado a Londra, ti porterò qualcosa in regalo."
   Lo zio mi ha appena detto che se ....

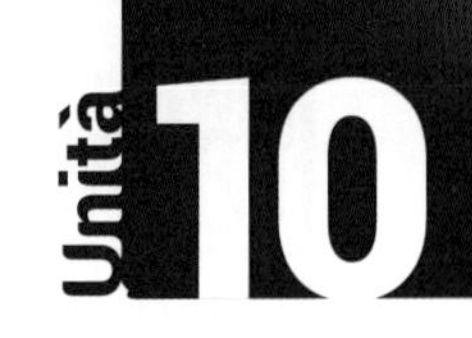

5. "Se mi lasciaste da solo, forse sarebbe meglio."
   Federico diceva che ....
6. "Se tu ne avessi voglia, potremmo andare a fare una passeggiata."
   Luisa mi ha detto che se ....
   ....

17 Completa l'intervista fatta a Mohamed, trasformando al discorso diretto le sue risposte a sinistra.

Attualmente gli immigrati presenti in Italia sono circa quattro milioni di persone. Leggiamo la testimonianza di Mohamed, un ragazzo egiziano che vive a Roma da tre anni.

Mohamed:

1. risponde che studiava Giurisprudenza all'università.
2. risponde che si vive bene, ma la vita è molto cara.
3. dice che conosceva una persona che gli aveva offerto lavoro in una pizzeria.
4. risponde che secondo lui, il motivo principale è perché si può trovare un lavoro.
5. dice di sì, qualcosa invia alla sua famiglia, ma poco.
6. risponde di no, le persone con cui passa il tempo sono le stesse che conosceva già prima di trasferirsi in Italia. Ha pochissimi amici italiani.
7. dice di sì, c'è stato qualcuno che ha avuto comportamenti poco amichevoli, di intolleranza, nei suoi confronti, ma non per quello pensa che gli italiani siano tutti razzisti.
8. dice di no, preferisce la compagnia di persone che, come lui, hanno lasciato l'Egitto per trasferirsi in Italia.
9. risponde che non crede di essersi integrato pienamente e che spesso deve fare i conti con la nostalgia di casa. Gli manca tanto la sua famiglia.
10. risponde che non ha progetti a lungo termine, ma se avesse la possibilità di scegliere, tornerebbe nel suo Paese.

1. - *Cosa facevi in Egitto?*
   ....
2. - *Come si vive in Egitto?*
   ....
3. - *Come mai hai scelto Roma per trasferirti?*
   ....
   ....
4. - *Perché molti scelgono di emigrare in Italia?*
   ....
   ....
5. - *Di quello che guadagni riesci a mandare qualche soldo a casa?*
   ....
6. - *Hai fatto nuove amicizie in questi tre anni?*
   ....
   ....
7. - *Hai notato atteggiamenti razzisti, xenofobi nei tuoi confronti? Ti hanno mai insultato?*
   ....
   ....
   ....
8. *Quindi non è per questo motivo che non hai fatto nuove conoscenze?*
   ....
   ....
9. *Ti senti integrato in Italia?*
   ....
   ....
   ....
10. *Progetti per il futuro?*
    ....
    ....

adattato da *chiarapalermo.blogspot.com*

18 Collega con dei connettivi le frasi date e cerca di formarne una. Se necessario elimina o sostituisci alcune parole e trasforma i verbi nel modo e nel tempo opportuni.

1. Laura non riesce a trovare lavoro. | Laura ha deciso di trasferirsi a Milano. | A Milano ci sono più possibilità di trovare lavoro.

   ....

   ....

2. Biagio ha un contratto a tempo determinato. | Il contratto di Biagio scade il mese prossimo. | Biagio non sa se il contratto verrà rinnovato.

   ....

   ....

3. Dario mi ha detto una cosa. | Dario ha conosciuto un'altra ragazza. | Dario credeva di amare Chiara. | Dario ha cambiato idea a causa di questa ragazza.

   ....

   ....

4. Quest'estate Sara ha pochi giorni di ferie. | Sara voleva andare in Australia in vacanza. | Sara alla fine resterà in Italia.

   ....

   ....

19 Scegli l'alternativa corretta.

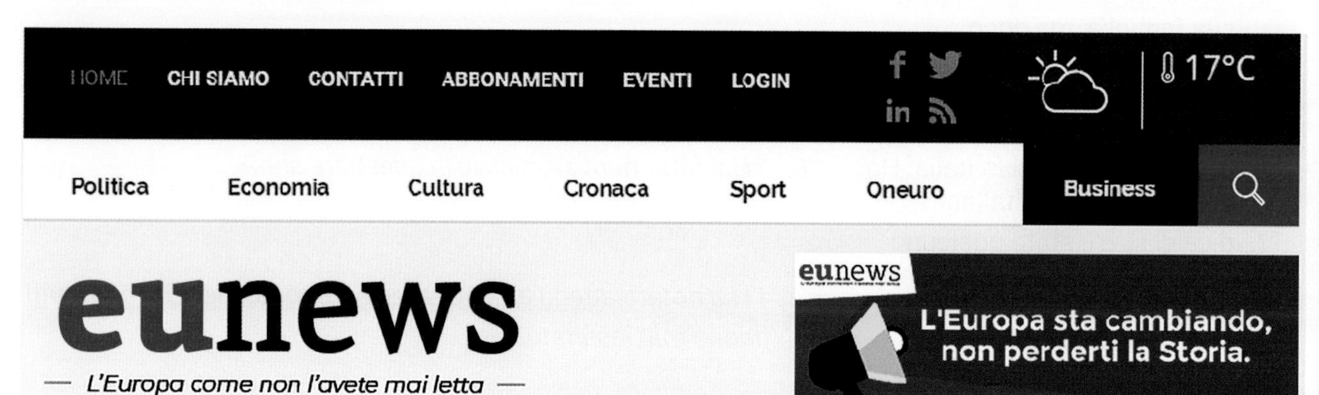

NEI PAESI DEL SUD IL PIÙ FORTE CALO DELLE NASCITE

Per mantenere un figlio servono soldi, ma per guadagnare soldi bisogna / c'è bisogno / necessario (1) avere un lavoro. Così, in un'Europa quando / che / dove (2) aumenta la disoccupazione, soprattutto tra i più giovani, nascano / nascono / si nasce (3) sempre meno bambini. Lo sostiene uno studio pubblicato dall'Istituto Demografico di Vienna la quale / che / a cui (4) evidenzia la stretta relazione tra l'inizio della crisi economica e il calo delle nascite nell'Ue.

Secondo i ricercatori austriaci, non sorprende che fossero stati / siano / erano (5) i Paesi europei del Sud a presentare maggiori problemi. Tra questi l'Italia con un tassì / tasto / tasso (6) di 1,40 figli per donna, rispetto a una media europea di 1,59, ma vicino alle / dalle / delle (7) percentuali di altri Paesi come Grecia (1,43), Spagna (1,36) e Portogallo (1,35).

Lo studio prende in esame un secondo dato: l'età delle mamme al momento della loro prima nascita / gravidanza / relazione (8). Negli ultimi anni sono diminuite le mamme under-25. Anche in questo caso a pesare sul numero delle nascite sono, secondo lo studio, le sicurezze / sfide / incertezze (9) economiche per i neo-genitori.

Negli ultimi anni anche i Paesi del Nord Europa hanno avuto un piccolo calo della natalità. Ma ci sono alle / per le / delle (10) eccezioni: Germania e Francia. La prima è rimasta stabile, la Francia, invece, ha visto aumentare le nascite, grazie a una generosa politica di aiuti / aiuta / aiutare (11) alle famiglie.

Per il futuro, l'Istituto di Vienna prevede che nel 2050 in Italia saremo 6 milioni di persone in più, ma quasi il 70% della popolazione sia / sarà / è stata (12) over-65, contro una media Ue comunque già alta, al 60%.

adattato da *www.eunews.it*

20 **a** Ascolta il brano, tratto da una trasmissione radiofonica dedicata al tema del lavoro, e abbina ogni parola alla definizione corretta.

28 CD 2

1. stage
2. precariato
3. contratto
4. mutuo

a. accordo che pone delle regole, per esempio nel lavoro
b. prestito ottenuto da una banca per comprare una casa
c. periodo di formazione o perfezionamento professionale
d. condizione di un lavoratore che ha un lavoro non sicuro e senza garanzie

b Adesso leggi le affermazioni che seguono, ascolta di nuovo il brano e indica le cinque informazioni veramente presenti.

Lecce, Puglia

1. ☐ Alessandro tornerà a vivere con i suoi genitori a Lecce.
2. ☐ I nuovi contratti danno una grande sicurezza economica ai giovani d'oggi.
3. ☐ L'acquisto di una casa per chi ha contratti a tempo determinato diventa sempre più difficile.
4. ☐ Il precariato è un problema che riguarda solo i giovani sotto i 30 anni.
5. ☐ Valerio lavora, ormai da 5 anni, con un contratto di lavoro a tempo indeterminato.
6. ☐ Valerio ha una famiglia da mantenere.
7. ☐ Sabrina si accontenterebbe anche di un lavoro di pochi mesi.
8. ☐ Sabrina si sente umiliata e presa in giro.
9. ☐ Alessandro lavora come responsabile di un museo d'arte moderna a Firenze.
10. ☐ Con la scusa degli stage molte aziende utilizzano mano d'opera gratuita.

A Scegli l'alternativa corretta.

1. "Avrei tante cose da dire a proposito del viaggio in Australia."
   a. Ha detto che ha avuto tante cose da dire a proposito del viaggio in Australia.
   b. Ha detto che avrebbe tante cose da dire a proposito del viaggio in Australia.
   c. Ha detto che aveva avuto tante cose da dire a proposito del viaggio in Australia.

2. Ha detto che era una persona semplice e che cercava solo di vivere la sua vita nel miglior modo possibile.
   a. "Sono una persona semplice e cerco solo di vivere la mia vita nel miglior modo possibile."
   b. "Sono una persona semplice e cerca solo di vivere la sua vita nel miglior modo possibile."
   c. "Ero una persona semplice e ho cercato solo di vivere la mia vita nel miglior modo possibile."

3. "Non ti fermare in questo Autogrill perché non si mangia bene."
   a. Mi ha detto di non fermarti in quest'Autogrill perché non si mangiava bene.
   b. Mi ha detto di non fermarci in quell'Autogrill perché non si mangia bene.
   c. Mi ha detto di non fermarmi in quell'Autogrill perché non si mangiava bene.

4. "Se mi fossi accorto di essere stato maleducato mi sarei certamente scusato."
   a. Ha detto che se si fosse accorto di essere maleducato si scuserebbe certamente.
   b. Ha detto che se si fosse accorto di essere stato maleducato si sarebbe certamente scusato.
   c. Ha detto che se mi accorgevo di essere stato maleducato mi sarei certamente scusato.

5. "Bambini, fate meno rumore: mamma sta riposando!"
   a. Ci ha chiesto di fare meno rumore perché mamma stava riposando.
   b. Ci chiese fate meno rumore poiché mamma sta riposando.
   c. Ci chiede di fare meno rumore perché mamma riposa.

6. "Se telefona il mio ragazzo, ditegli che sono andata a trovare mio zio."
   a. Ha detto che se telefona il suo ragazzo, ditegli che sono andata a trovare mio zio.
   b. Ha detto che se telefona il suo ragazzo, di dirgli che è andata a trovare suo zio.
   c. Ha detto che se avesse telefonato il suo ragazzo, di dirgli che sarebbe andata a trovare suo zio.

B Scegli il termine corretto e completa il testo.

Una laurea, un dottorato di ricerca e poi... una pasticceria! È questo il percorso di Roberta, 29 anni, che, dopo aver trascorso anni nell'università italiana, ha scelto di .... (1) alla sua grande passione: le torte. «Il dottorato in Italia non aiuta a trovare lavoro. Avevo le .... (2) e avevo un sogno».
Va a Londra, ospite della sorella, alla quale confessa di essere rimasta affascinata dal sito della Little Venice Cake Company, la scuola di dolci che serve la Casa reale e tutti i vip britannici. Inizia a lavorare in una pasticceria londinese («Eravamo otto persone in un piccolo spazio, senza aria condizionata, niente tempo libero, ma tanto entusiasmo») .... (3) presentare il proprio curriculum e ricevere il primo no. «Sapevo che .... (4) difficile. Ma non potevo accettare così quel rifiuto». Così ha insistito e ha chiesto alla direttrice dei corsi se .... (5) metterla in lista d'attesa. L'hanno richiamata lo stesso pomeriggio per una prova ed è stata accettata.

Il resto della storia parla di un master .... (6) con ottimi risultati, di un ritorno in Italia perché «nel mio Paese io ci sto bene», e di un'impresa personale che sta .... (7) un grande successo. Il segreto? «Credere in .... (8) che faccio, e farlo bene; utilizzare sempre gli ingredienti migliori, e proporre un tipo di prodotto che prima non c'era»

adattato da www.*corriere.it*

1. a. dedicare	b. dedicarsi	c. offrirsi	d. darsi
2. a. capacità	b. domande	c. risposte	d scuole
3. a. prima da	b. prima che	c. prima	d. prima di
4. a. è stato	b. sarebbe stato	c. era stato	d. fosse stato
5. a. avessero	b. possono	c. potessero	d. avessero potuto
6. a. chiuso	b. concluso	c. fatto	d. conquistato
7. a. ottenendo	b. realizzando	c. facendo	d. producendo
8. a. quale	b. quanto	c. tanto	d. quello

C Completa le frasi.

1. Gianni mi aveva chiesto se ...... (1) giusto secondo me dedicare così tanto tempo all' ...... (2) fisica.

(1) a. era / b. fosse / c. era stato
(2) a. attività / b. sport / c. attenzione

2. Visto che suo figlio ha un grave problema di ...... (1) dalla droga, Sandro pensava di ...... (2) a uno specialista.

(1) a. sostanza / b. uso / c. dipendenza
(2) a. andarsene / b. rivolgersi / c. contattare

3. Chiara ha detto che ...... (1) incontrato Stefano domenica ...... (2).

(1) a. avrebbe / b. aveva / c. abbia
(2) a. dopo / b. prossima / c. precedente

4. Le mafie non ...... (1) né i cittadini né le forze dell' ...... (2).

(1) a. hanno rispetto / b. rispettano / c. truffano
(2) a. avvocati / b. Polizia / c. ordine

5. Il problema della violenza ...... (1) genere è un fenomeno ancora molto ...... (2) in Italia.

(1) a. su / b. di / c. per
(2) a. diffuso / b. parlato / c. rifiutato

D Risolvi il cruciverba.

Orizzontali

1. Sentimento negativo verso chi è straniero.
4. La... "diminuzione" demografica.
6. Completa il proverbio: *Le bugie hanno le gambe ...*
7. Le ecomafie lo danneggiano.
9. Lo è chi ha abbandonato il proprio Paese per venire a lavorare in Italia.
10. L'autore di un furto.

Verticali

2. Sinonimo di *criminalità organizzata*.
3. Una persona che non ha lavoro.
5. Sono "in fuga" quelli dei giovani italiani.
8. Quella "di genere" indica che l'uomo e la donna hanno gli stessi diritti.
11. Sinonimo di *sostanza stupefacente*.

Risposte giuste: .... /35

Tutti gli esercizi sono disponibili in formato interattivo su www.i-d-e-e.it

Che bello leggere!

Unità 11

Glossary p. 228

1 Leggi il dialogo alle pagine 86-87 e fai l'abbinamento.

1. In che senso?
2. Ti facevo più...
3. Meno male!
4. Ho proprio un vuoto...
5. mica io...
6. Mannaggia!

a. Credevo che tu fossi...
b. Per fortuna!
c. Accidenti!
d. Cioè?
e. Non mi ricordo assolutamente...
f. io non...

2 Metti in ordine le parole per formare le frasi. Inizia con la parola evidenziata.

1. studiando | del | gli esami | solo | tutti | passerai | semestre
....
2. più sport | Sonia | facendo | è | e mangiando | meglio | dimagrita
....
3. ogni giorno | miei sono | giornale, | i | leggendo | molto | il | informati
....
4. dimenticato | da molti | il pin | prelevando | del | non | ho | mesi, | bancomat
....
5. del | entro le | lo sconto | prenotando | 24 | 40% | ottiene | di oggi | si
....
6. il suo | Cesare | la Gallia | le sue | potere | dimostrò | conquistando | capacità e
....

3 Completa le frasi con il gerundio semplice.

1. .... (*studiare*) molto, sono riuscita a superare tutti gli esami del semestre!
2. .... (*dormire*) meglio si è più produttivi al lavoro.
3. Non .... (*potere*) uscire, stasera guarderò un bel film!
4. Mio zio, che faceva il sarto, ascoltava sempre la radio .... (*lavorare*)!
5. Non risolverai nulla .... (*piangere*).
6. .... (*tornare*) a casa, Marco ha incontrato Laura e Camilla e si è fermato a bere un caffè con loro.
7. .... (*passeggiare*) per il centro, ho apprezzato di più le bellezze della città!
8. .... (*parlare*) dei nostri gusti musicali, abbiamo scoperto di avere molto in comune.

4 **Riscrivi le frasi in verde usando il gerundio semplice, come nell'esempio.**

es. Poiché ho seguito le sue indicazioni, sono arrivato al lago più velocemente. ➜ *Seguendo le sue indicazioni*, sono arrivato al lago più velocemente.

1. In quel negozio si possono trovare bei vestiti anche se si spende poco. ➜ In quel negozio si possono trovare bei vestiti anche ....
2. Poiché ottenni un prestito dalla banca, potei comprare casa. ➜ ...., potei comprare casa.
3. È uscita e ha sbattuto la porta. ➜ È uscita ....
4. Se bevi meno caffè forse ti passerà il mal di stomaco. ➜ .... forse ti passerà il mal di stomaco.
5. Se posso scegliere, preferisco restare a casa. ➜ ...., preferisco restare a casa.
6. Sono caduto mentre correvo al parco. ➜ Sono caduto ....

5 **Trasforma le frasi usando il gerundio presente o passato, come nell'esempio.**

es. Sapevo cosa era successo perché avevo letto il giornale.
Avendo letto il giornale, sapevo cosa era successo

1. Poiché ha condotto trasmissioni di successo, Alberto Angela viene intervistato spesso.
....
2. Siccome Samuele è a conoscenza dei fatti, dovremmo ascoltarlo con attenzione.
....
3. Abbiamo venduto l'appartamento al mare e abbiamo potuto acquistare una casetta in montagna.
....
4. Faccio il biglietto in anticipo, per questo trovo sempre tariffe convenienti.
....
5. Se ricicliamo e non sprechiamo le risorse, potremo ridurre il nostro impatto ambientale.
....
6. Poiché ha la Luna in Gemelli, Marta è un po' negativa in questo periodo.
....

6 **Completa le frasi con il gerundio presente o passato dei verbi dati e i pronomi corretti, come nell'esempio. Vedi anche l'Approfondimento grammaticale a pagina 210.**

parlare ♦ andarsene ♦ proporre ♦ trattarsi ♦ vivere ♦ conoscere ♦ riposarsi

es. *Parlandone*, hanno risolto il problema e ora sono più sereni.

1. .... da un po' di tempo, sapevo che Carlo era una persona onesta.
2. Beh, ... di un tuo amico, gli farò uno sconto!

3. .... prima, evito il traffico.
4. .... durante il giorno, ho potuto guidare tutta la notte.
5. .... di venire al concerto di Emma con te, sicuramente attirerai l'attenzione di Valeria.
6. Provo un grande affetto per Ferrara .... tanti anni.

7 Completa il cruciverba con gli aggettivi che descrivono il carattere di una persona.

Orizzontali

2. Quando non si è sognatori per nulla!
4. Contrario di egoista.
7. Segue la logica, il cervello.
9. Chi si comporta in modo diverso.
11. Chi non tradisce.
12. Un po' artista.

Verticali

1. Lo è chi arriva in orario.
3. Chi si lascia guidare dall'amore.
5. Chi lascia che gli altri abbiano le loro opinioni e modi di vivere.
6. Il contrario di pessimista.
8. Chi si lascia andare al sogno e alla fantasia in amore.
10. Una persona che ha pazienza.

8 Completa il dialogo con le parole date.

testardo ♦ *eccentrica* ♦ *impulsivo* ♦ *affidabili* ♦ *personalità*
pianeti ♦ *fattori* ♦ *originale* ♦ *indipendenti*

Elisa: Senti qua... Giusy, la mia amica astrologa, ha postato la playlist dello zodiaco!

Matteo: E cioè?!

Elisa: Dice che, anche se è difficile generalizzare perché, oltre al segno, sulla .... (1) influiscono molti altri .... (2), come la posizione dei .... (3), le case eccetera, dice che ci sono generi e canzoni preferiti per ogni segno... Tipo: Ariete, segno .... (4), che si getta nelle cose senza pensare troppo alle conseguenze... Rock!

Matteo: Ma sì... ma a chi non piace il rock?! Di me, per esempio, che sono Toro, cosa dice? Si sa che siamo persone molto .... (5), di noi ci si può fidare, siamo forti...

Elisa: A me sembra che più che forte, tu sia .... (6), poco elastico! Comunque qui dice che, visto che siete "sensibili alla bellezza", vi piacciono molti generi, dal pop al rock, alla disco dance...

Matteo: Ma va... E di te? Che sei Acquario? Cosa dice?

Elisa: Allora... Acquario: fantasiosi, ... (7), che non seguono il modo di pensare degli altri, amiamo le novità e le canzoni di impegno sociale! Verissimo! Guarda, cita proprio una delle mie canzoni preferite di De Andrè!

Matteo: Ah, sì? Ma che strano, chissà a chi pensava mentre scriveva questo post la tua amica astrologa... non certo a te, che più che .... (8), mi sembri .... (9), anzi un po' matta!

9 Abbina i consigli, le istruzioni e gli ordini all'immagine corrispondente.

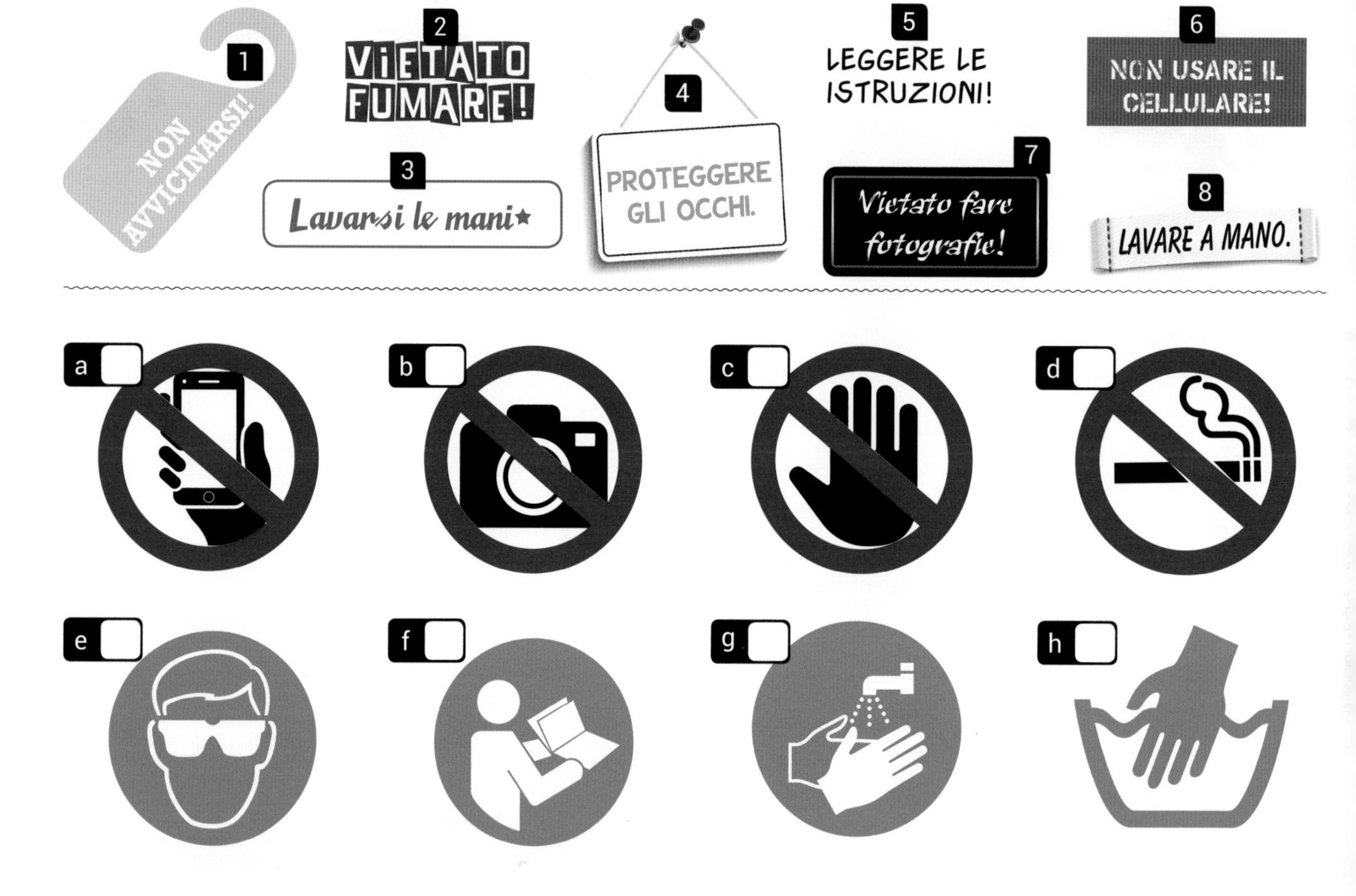

10 Fai l'abbinamento e completa le indicazioni.

1. La porta si apre verso l'esterno:
2. Negli uffici pubblici è severamente
3. Per informazioni sull'appartamento,
4. Compilare e firmare il modulo
5. Per ulteriori informazioni sul corso,
6. Si prega la gentile clientela di

a. contattare l'agenzia di Corso Ingrao.
b. non toccare la merce esposta.
c. spingere, prego.
d. vietato fumare.
e. mentre si aspetta il proprio turno.
f. rivolgersi alla segreteria.

11 Completa i mini dialoghi usando l'infinito presente o passato, come nell'esempio.

es. • Luca ieri è tornato alle tre del mattino.
• Incredibile! ....*Tornare*.... così tardi il giorno prima di un esame!

1. • Dove è andata Maria?
• Deve .... al supermercato.
2. • Hai capito tutto quello che ti ha detto l'insegnante?
• Credo di .... solo la prima parte.
3. • Se devo essere sincero... il tuo vestito non mi piace molto!
• A .... sincera, nemmeno la tua cravatta è molto bella!
4. • Il mio ballo preferito è il tango e da qualche mese prendo lezioni.
• Davvero? Anche a me .... piace tanto, ma non ho mai ballato il tango...
5. • Hai sentito del nuovo concorso per l'insegnamento?
• Mi sembra di .... qualcosa... le mie colleghe precarie comunque stanno già studiando da mesi!
6. • Davvero questo è stato il suo ultimo film?
• Sì, dopo .... il Leone d'oro, ha deciso di ritirarsi dalle scene.

12 Coniuga i verbi al gerundio presente o passato o all'infinito presente o passato.

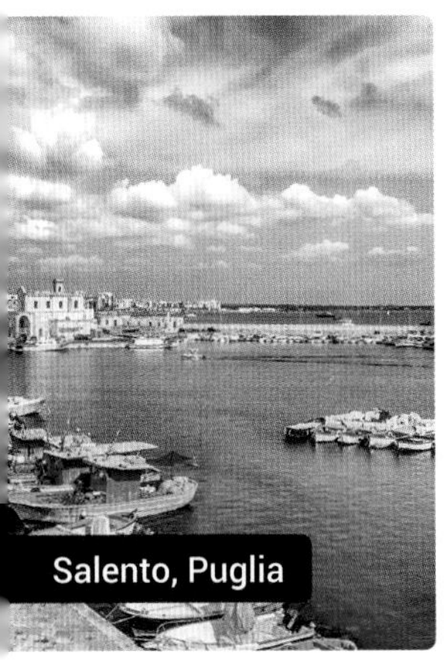
Salento, Puglia

1. Prima di .... (*partire*) per la Grecia, mi fermerò qualche giorno in Salento a casa di amici.
2. L'ultimo film di Matteo Garrone è veramente da .... (*vedere*)!
3. Mi sembra di non .... (*leggere*) questo libro, me lo puoi prestare? Te lo riporto la settimana prossima.
4. L'inquinamento sta .... (*mettere*) in pericolo il futuro del pianeta.
5. Dopo .... (*pranzare*) sono uscito a fare una passeggiata nonostante facesse freddo.
6. Non .... (*vendere*) molti dipinti quando era in vita, è morto povero e sconosciuto.
7. A parità di lavoro, ... (*guadagnare*) meno solo perché si è donna è un'ingiustizia!
8. Se i governi non agiranno, i migranti continueranno a rischiare la vita per .... (*arrivare*) in Europa.

13 Completa la recensione del libro con le parole date.

maturità ♦ passione ♦ autore ♦ ritratto ♦ protagonista ♦ opera ♦ famiglia indimenticabile ♦ faticosamente ♦ adolescenza ♦ vicende ♦ avvincente

PAOLO COGNETTI
Sofia si veste sempre di nero
ROMANZO
minimum fax

.... (1): PAOLO COGNETTI
Titolo: SOFIA SI VESTE SEMPRE DI NERO
Editore: MINIMUM FAX

La .... (2) del libro è una donna. L' .... (3) non è un romanzo, ma lo sembra: sono dieci racconti autonomi che raccontano le .... (4) di Sofia: dall'infanzia in una .... (5) apparentemente normale, ma percorsa da sotterranee tensioni, all' .... (6) tormentata da disturbi psicologici, alla liberatoria scoperta dell'amore e della .... (7) per il teatro, al momento della .... (8) e dei bilanci.
È il .... (9) di un personaggio femminile .... (10): una donna inquieta, capace di trovare, ... (11), la propria strada.
Un libro .... (12) in cui ciascun lettore troverà momenti di bellezza e di dolore, di ansia e di riscatto, che riconoscerà di aver vissuto anche sulla sua stessa pelle.

14 Trasforma le frasi usando il participio presente, come nell'esempio.

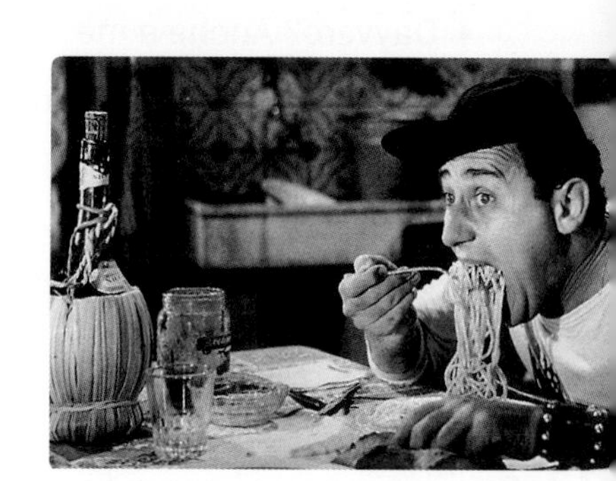
Alberto Sordi

es. Il buongustaio è uno che ama la buona cucina.
➜ Il buongustaio è un *amante* della buona cucina.

1. Quelli che manifestavano hanno gridato slogan contro il governo.
   ➜ I .... hanno gridato slogan contro il governo.
2. Abbiamo chiesto informazioni a uno che passava.
   ➜ Abbiamo chiesto informazioni a un ....
3. Secondo me, i test con le parole che mancano sono un po' difficili.
   ➜ Secondo me, i test con le parole .... sono un po' difficili.
4. È una cosa che preoccupa veramente. ➜ È una cosa veramente ....
5. Il film racconta una storia che emoziona. ➜ Il film racconta una storia ....
6. È una persona che affascina tutti. ➜ È una persona molto ....

15 Completa le frasi con il participio presente dei verbi dati.

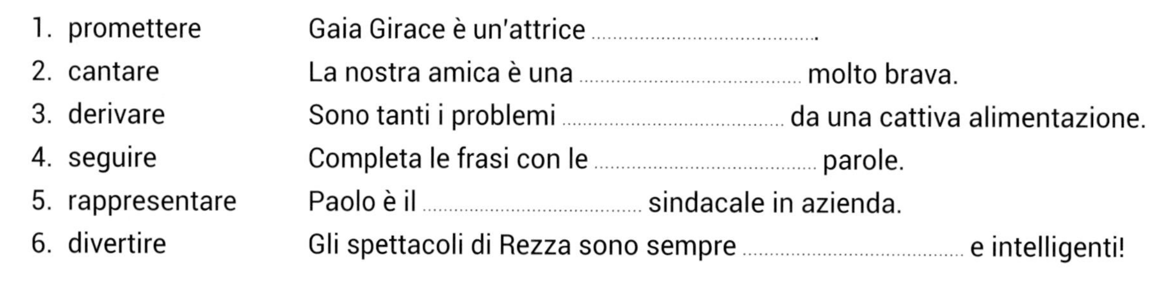

1. promettere — Gaia Girace è un'attrice ....
2. cantare — La nostra amica è una .... molto brava.
3. derivare — Sono tanti i problemi .... da una cattiva alimentazione.
4. seguire — Completa le frasi con le .... parole.
5. rappresentare — Paolo è il .... sindacale in azienda.
6. divertire — Gli spettacoli di Rezza sono sempre .... e intelligenti!

16 Forma il participio passato dei verbi dati e completa le frasi.

permettere ♦ *invitare* ♦ *amare* ♦ *scoprire*
sorprendere ♦ *finire* ♦ *riposarsi*

1. .... la lezione, mi sono fermata a bere un caffè con Giulia.
2. Gli .... sono andati via tardi.
3. Valeria è una persona .... da tutti per il suo carattere aperto e genuino.
4. .... un po' e mangiato un panino, ho potuto continuare il viaggio.
5. Il professore di Storia del liceo era .... dei miei ottimi voti all'università.
6. Il mio capo mi ha concesso un .... per andare alla riunione dei genitori.
7. Si dice che sia la .... scientifica più importante del secolo!

17 Scegli la forma verbale corretta.

1. Avere capito / Avendo capito / Capito bene la spiegazione del professore, non ho avuto problemi al compito di Fisica.
2. Luca è molto interessante / interessato / interessando alla matematica.
3. Terminando / Terminati / Essere terminati gli esami, siamo partiti insieme per un viaggio in Europa.
4. Andando / Essere andato / Essendo andato al lavoro, incontro spesso Marcello in autobus.
5. Grazie! I film che mi hai consigliato sembrano tutti molto interessanti / interessati / interessando!
6. Ti ho preso questo maglione pensando / avendo pensato / pensante a come ti sta bene il blu.

18 Trasforma con i suffissi -ino/a, -ello/a, -etto/a, -one/a, -accio/a.

1. Ho passato una magnifica settimana sulle rive di un piccolo lago di montagna.
   Ho passato una magnifica settimana sulle rive di un .... di montagna.
2. Sono nato in un piccolo paese della Calabria.
   Sono nato in un .... della Calabria.
3. Ha preso un piccolo pezzo di torta.
   Ha preso un .... di torta.
4. Per fortuna è finita! È stata proprio una brutta giornata!
   Per fortuna è finita! È stata proprio una ....!
5. Ha comprato una grossa macchina per farsi notare da tutti.
   Ha comprato una .... per farsi notare da tutti.
6. Nel mio paese c'è una piccola piazza con una fontana del '500.
   Nel mio paese c'è una .... con una fontana del '500.
7. Chi leggerà questo grosso libro?
   Chi leggerà questo ....?

Calabria

19 Completa la tabella, come negli esempi.

Nome	Diminutivo	Accrescitivo	Peggiorativo
1. casa	casetta	casona	casaccia
2. strada			stradaccia
3. ragazzo		ragazzone	
4. libro			
5. gatto	gattino		
6. parola		parolona	
7. borsa			borsaccia
8. faccia		facciona	

20 Completa le frasi con uno dei nomi alterati dell'esercizio 19.

1. A volte mio fratello non pensa alle conseguenze e si comporta come un .... di quindici anni.
2. Il fine settimana scorso siamo andati in campagna da Gino: ha una bellissima .... con giardino.
3. Lo leggerai in poche ore: è un .... di poche pagine.
4. Il gatto di mia sorella è cresciuto in fretta, è diventato proprio un ....!
5. È stata proprio una brutta giornata: mi hanno rubato la .... e ho anche perso l'aereo.
6. Hai visto che bello il nipote di Francesco? Ha una .... così dolce!

21 In ogni gruppo, sottolinea la parola che non è un nome alterato.

1. mammina	stradina	regina	gattina
2. uccellino	bambino	ragazzino	vestitino
3. ragazzone	azione	macchinone	tavolone
4. manina	tavolino	quadernino	magazzino
5. giardino	orologino	sorrisino	dentino
6. fazzoletto	casetta	libretto	foglietto

22 Completa il testo con le parole date.

fenomeno ♦ *bisogno* ♦ *previsioni* ♦ *tecnologia*
propositi ♦ *futuro* ♦ *profezia* ♦ *interessato* ♦ *influenzare* ♦ *occhiata*

L'ANNO NUOVO È FATTO DI BUONI .... (1) **E... OROSCOPO!**

Ogni anno, a dicembre, sono davvero pochi gli italiani che riescono a resistere a riviste e quotidiani con le .... (2) segno per segno dell'anno che verrà! Anche chi normalmente non è .... (3), in questo periodo dà un'.................... (4): 9 italiani su 10, infatti, consultano l'oroscopo e il 3% di questi si farà .... (5)! Parola dello psichiatra Tonino Cantelmi: "Siamo tutti influenzabili, anche nell'era della .... (6). L'oroscopo risponde all'unico .... (7) che la scienza non ha ancora soddisfatto: controllare il .... (8)!"

Torre dell'orologio, Padova

"Un consiglio per l'anno nuovo? – suggerisce lo psichiatra – Non leggete l'oroscopo! C'è un .... (9) in psicologia, che si chiama ".................... (10) che si auto-avvera": se leggiamo una cosa, ci lasciamo influenzare e alla fine, senza accorgercene, la facciamo diventare realtà!"

23 Completa le frasi con il verbo tra parentesi al modo indefinito opportuno.

1. .... (*finire*) di lavorare presto, Laura riesce a portare i bambini al parco.
2. .... (*leggere*) il libro, Antonio si è subito messo a scrivere una recensione.
3. Anna, lo sapevi che .... (*andare*) in bicicletta a Venezia è consentito solo fino agli 8 anni?
4. Pur .... (*studiare*) al Nord, Sonia non ha mai perso il suo accento napoletano.
5. .... (*nascere*) sotto il segno dei Gemelli, il nostro capo ogni tanto fa un po' confusione.
6. Elena e il suo .... (*convivere*) non vanno sempre d'accordo, ma sono fatti l'uno per l'altra.
7. Silvana ha sposato Ernesto dopo .... (*divorziare*) da Alessio.
8. .... (*andarsene*) non è mai stata una mia intenzione, ma ultimamente ci penso spesso.

24 Ascolterai un estratto da una trasmissione televisiva. Sentirai quattro voci: il conduttore, l'intervistato (Carofiglio) e due ospiti. Ascolta il testo e indica quali affermazioni sono vere (V) e quali sono false (F).

32 CD 2

	V	F
1. L'intervistato è già stato ospite della trasmissione in passato.		
2. Secondo Carofiglio, tutti i settori del mercato editoriale sono in crescita.		
3. *L'estate fredda*, l'ultimo libro dell'autore, sarà in libreria dal 18 maggio.		
4. Carofiglio ha trasformato in audiolibri anche altri suoi romanzi.		
5. Tra gli ascoltatori di audiolibri ci sono portatori di handicap.		
6. L'ascolto di audiolibri è sconsigliato alla guida.		
7. L'autore sostiene che l'audiolibro deve essere recitato da bravi attori.		
8. Il conduttore ha ascoltato *I promessi sposi* al mare.		
9. Entrambi gli ospiti amano ascoltare audiolibri.		

A Scegli l'alternativa corretta.

1. Ti hanno già presentato Stefano? È un ragazzo veramente .... (1)! .... (2), sono sicuro che ti piacerebbe.

(1)		(2)	
	a. interessato		a. Conoscerti
	b. interessando		b. Conoscendoti
	c. interessante		c. Avendoti conosciuto

2. .... (1) anche l'angolo fumetti, la libreria .... (2) da poco nel nostro quartiere è piaciuta in modo particolare ai giovani.

(1)		(2)	
	a. Aver avuto		a. aperta
	b. Avendo		b. aprendo
	c. Avente		c. aprente

3. Il corriere ha lasciato un .... (1) per te. L'ho lasciato sul .... (2) del salotto.

(1)		(2)	
	a. pachino		a. tavolino
	b. pacchetto		b. tavolinaccio
	c. pacchello		c. tavolonetto

4. .... (1) tanto per il mondo, mio nonno conosceva tantissime .... (2) curiose.

(1)		(2)	
	a. Viaggiato		a. storielle
	b. Avendo viaggiato		b. storiellette
	c. Aver viaggiato		c. storiucce

5. A chi non piace .... (1) in poltrona a .... (2) un bel libro?

(1)		(2)	
	a. stare seduto		a. essere letto
	b. stando seduto		b. leggere
	c. sedendosi		c. leggendo

6. .... (1) è stato molto bello e mi dispiace che tu te ne vada... Per ricordarti di me quando sarai lontana, ti ho portato un .... (2).

(1)		(2)	
	a. Avendoti conosciuta		a. regalino
	b. Conosciuta		b. regalaccio
	c. Averti conosciuta		c. regalato

B Abbina le due colonne e completa le frasi.

1. Non conoscendo la città,	a. feste molto divertenti.
2. Camminare un'ora al giorno	b. non avevo più nessun obbligo.
3. Mario organizza sempre	c. tutti i partecipanti al corso.
4. È stato sempre il suo sogno	d. ci perdemmo subito.
5. Essendo scaduto il contratto	e. è un ottimo esercizio.
6. Avvisarono con un'email	f. comprarsi una casetta al mare.

C Risolvi il cruciverba.

Orizzontali

2. L'autrice che ha scritto *La Storia*.
3. Il colore del romanzo poliziesco.
6. Il personaggio principale.
8. Lo scrittore di *Gli amori difficili*.
9. La storia di un romanzo.
11. Previsioni che riguardano i vari segni zodiacali.
12. Un grande quaderno.

Verticali

1. Tre fratelli del teatro italiano.
4. Lo diciamo di una persona sentimentale, poetica, sognatrice.
5. Se si ha, non si ha paura.
7. Un piccolo albero.
10. Gli chiediamo le indicazioni (participio di *passare*).

Risposte giuste: .... /30

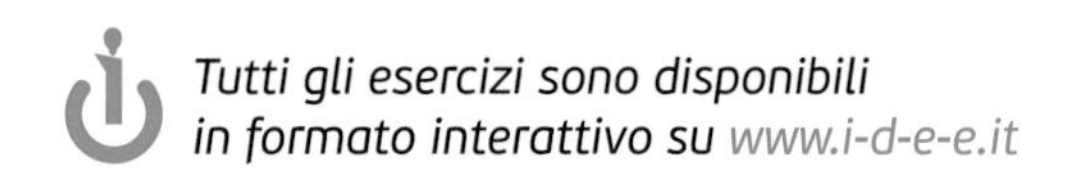

4° test di ricapitolazione

A **Trasforma le seguenti frasi dalla forma attiva a quella passiva e viceversa.**

1. La sua magnifica voce affascinò tutti gli spettatori.
   ....
2. Credo che la notizia sia stata trasmessa dalla radio.
   ....
3. La mia città è stata colpita da un violento temporale.
   ....
4. Credo che i Carabinieri abbiano chiuso quella discoteca per motivi di sicurezza.
   ....
5. La nostra scuola assegnerà cinque borse di studio ad altrettanti studenti.
   ....
6. Tante persone, in Italia, studiano il cinese.
   ....

........../6

B **Trasforma alla forma passiva le seguenti frasi utilizzando il si passivante.**

1. Ultimamente la medicina ha fatto passi da gigante.
   Ultimamente in medicina .... passi da gigante.
2. A Napoli possiamo mangiare una buona pizza ovunque.
   A Napoli .... una buona pizza ovunque.
3. Dobbiamo spedire questo pacco entro domani.
   Questo pacco .... entro domani.
4. Molte volte perdiamo occasioni che sono veramente uniche.
   Molte volte .... occasioni veramente uniche.

........../4

C **Trasforma le frasi dal discorso diretto al discorso indiretto.**

1. *Ha chiesto*: "Stasera sei libera? Vuoi venire al cinema con me?"
   Mi ha chiesto ....
2. *Francesco disse*: "Questo quadro non è niente di speciale; anch'io sarei capace di farne uno uguale!"
   Francesco disse che ....
   ....
3. *Stefano mi consigliò*: "Cerca di mettere da parte qualche euro, altrimenti resterai senza soldi prima della fine del mese."
   Stefano mi consigliò di ....
   ....

4. *Stefania disse*: "Temo che Chiara non stia bene, la vedo molto stressata in questo periodo."
   Stefania mi confessò che ....
   ....
5. *Gianni ha detto*: "Se finissi il lavoro in tempo oggi, potrei venire anche io alla festa di Luca."
   Gianni ha detto che ....
   ....

......../5

D **Trasforma le frasi mettendo al modo e al tempo giusti le parti in verde.**

1. Mentre tornavo a casa, mi ha chiamato sul cellulare Aldo.
   .... a casa, mi ha chiamato sul cellulare Aldo.
2. Poiché avevo lavorato molto, me ne sono andato in vacanza per due settimane.
   .... molto, me ne sono andato in vacanza per due settimane.
3. Poiché ne avevamo parlato a lungo, riconoscemmo subito il suo amico spagnolo.
   .... a lungo, riconoscemmo subito il suo amico spagnolo.
4. Mentre venivo, mi sono ricordato di aver lasciato la luce del bagno accesa.
   ...., mi sono ricordato di aver lasciato la luce del bagno accesa.
5. Poiché avevano già visto quello spettacolo teatrale, non vennero con noi.
   .... quello spettacolo teatrale, non vennero con noi.
6. Mi sono fatto male mentre sciavo.
   Mi sono fatto male ....

......../6

E **Trasforma le seguenti frasi in base al significato, usando l'infinito e il participio.**

1. Dopo che siamo arrivati in albergo, abbiamo fatto una doccia e siamo andati a ballare.
   Dopo .... in albergo, abbiamo fatto una doccia e siamo andati a ballare.
   .... in albergo, abbiamo fatto una doccia e siamo andati a ballare.
2. Dopo che avevo accompagnato i miei all'aeroporto, sono passato a prendere Chiara.
   Dopo .... i miei all'aeroporto, sono passato a prendere Chiara.
   .... i miei all'aeroporto, sono passato a prendere Chiara.
3. Dopo che avevano passato il fine settimana nella casa al mare, sono tornati a Napoli.
   Dopo .... il fine settimana nella casa al mare, sono tornati a Napoli.
   .... il fine settimana nella casa al mare, sono tornati a Napoli.

......../6

F **Trasforma, in base al significato, i sostantivi in verde.**

1. Vive in una casa enorme: vive in una ....
2. Rosa portava un piccolo cappello: Rosa portava un ....
3. Lui ha veramente un brutto carattere: lui ha un ....
4. Questo non è un paese molto grande: è un ....
5. È stato un grande successo: è stato un ....

......../5

Risposte giuste: ..../32

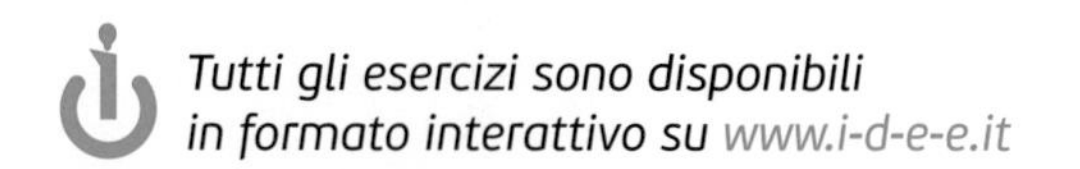

Test generale finale

A Collega le frasi con le opportune forme di collegamento. Se necessario, elimina o sostituisci alcune parole. Trasforma, dove necessario, i verbi nel modo e nel tempo opportuni.

1. ho comprato un tavolino online | il tavolino aveva un problema | ho scritto una email al servizio clienti | mi hanno inviato un altro tavolino

....

....

....

....

2. avevo la febbre alta | sono rimasto in ufficio a lavorare | dovevo consegnare il lavoro in giornata

....

....

....

....

3. ai tempi dell'università abitavo in un appartamento | nell'appartamento vivevano due ragazzi stranieri, Carlos e Annika | Carlos era spagnolo e Annika era svedese

....

....

....

....

4. Alberto vuole andare in vacanza | Alberto non ha abbastanza soldi per andare in vacanza | Alberto decide di trovare un secondo lavoro

....

....

....

....

5. non siamo sicuri di andare a Parigi | alla fine decidiamo di partire | tutte le camere sono prenotate | abbiamo prenotato una camera carissima

....

....

....

....

6. Claudia ha regalato un libro a Eugenio | a Eugenio il libro è piaciuto moltissimo | ha letto tutto il libro in un giorno solo

....

....

....

....

........../6

B Completa i due testi, inserendo una parola in ogni spazio.

1 Gli italiani fanno scarsa attività fisica, mangiano poca frutta e verdura e 4 .... (1) 10 sono in lotta con la bilancia, soprattutto andando avanti con l'età. Tanto che, tra gli over 65 i problemi di peso riguardano quasi 6 persone su 10.
Per .... (2) riguarda la fascia di età 18-69 anni, il 40% è in eccesso di peso e appena uno su 10 consuma la quantità di frutta e verdura raccomandata dalle linee guida per una .... (3) alimentazione, ovvero 5 porzioni al giorno.
Quanto all'alcol, tra gli adulti uno su 6 ne consuma troppo. Ancora alto, inoltre, il numero di fumatori: un adulto su 4 .... (4) rinuncia alle sigarette. Percentuale che scende andando avanti con l'età e si riduce al 10% tra gli over 65.

2 Una senzatetto di 65 anni che viveva sui marciapiedi di un quartiere di Parigi da 25 anni nascondeva 40mila euro nelle .... (5) cinque valigie. A scoprirlo è stata la squadra di assistenza ai senzatetto quando è intervenuta per .... (6) la donna nel centro di accoglienza dei clochard. Gli agenti hanno consegnato il bottino al commissariato di zona. Era .... (7) appropriato il soprannome "La principessa" che gli abitanti del quartiere .... (8) avevano dato ironicamente per il trucco marcato.

.... /8

C Abbina le frasi sotto all'oroscopo corrispondente.

A GEMELLI

Lei

amore: Fine settimana turbato dalla Luna nei Pesci: è meglio evitare discussioni con il partner.

lavoro: La buona notizia che aspetti potrebbe tardare ancora, ma arriverà di sicuro entro la fine del mese.

salute: Forma al massimo.

Lui

amore: La voglia di sentirti libero da qualsiasi impegno familiare non piacerà certo alla partner: pensaci prima di prendere decisioni affrettate.

lavoro: Chi è del 10 giugno e dintorni raggiungerà un importante traguardo.

salute: Almeno a tavola cerca di rilassarti.

B CANCRO

Lei

amore: Una nuova amicizia ti farà stare bene. E c'è chi farà una conquista.

lavoro: Con Marte che arriva in Ariete dovrai sforzarti di essere più tollerante se vuoi che tutto vada bene.

salute: Non accettare passaggi da chi alla guida non è molto attento.

Lui

amore: Chi è di giugno si guardi dal pretendere troppo dalla partner.

lavoro: La vita comoda piace molto ai nati del tuo segno, ma se vuoi il successo dovrai guadagnartelo.

salute: Prudenza negli spostamenti domenica e lunedì.

1. Non voglio andare in vacanza con i suoceri, ma meglio se ne parliamo la settimana prossima. A B
2. Oggi mi sento in grandissima forma. A B
3. Questo problema lo discuterò con Vittorio un altro giorno. A B
4. Enrico mi ha chiesto di uscire! A B
5. I risultati del concorso usciranno solo il 29. Speriamo bene... A B
6. No, io in macchina e con Gabriele al volante non viaggio. A B
7. Se vuoi un ambiente più sereno in ufficio, tratta meglio i tuoi dipendenti! A B
8. Non si fa carriera solo perché si conosce il presidente dell'azienda. A B

.... /8

D Leggi l'articolo e scegli l'alternativa corretta.

I bambini e il web

Il web aiuta davvero i bambini? La risposta è: dipende da come e quando lo usano. Ma la prima domanda da farsi è un'altra: noi quanto siamo attenti all'utilizzo di internet che fanno i nostri figli e nipoti?
A differenza della TV dove il controllo sui contenuti inadatti ai minori è più rigido ma comunque facile da aggirare, in rete i pericoli sono maggiori. Violenza, pornografia, furto di identità, sono soltanto alcuni dei rischi che i piccoli naviganti possono incontrare nel web. Il cyberbullismo è uno dei fenomeni più frequenti tra gli studenti della scuola dell'obbligo e lo smartphone è diventato in molti casi un'arma psicologica. Secondo i dati dell'ultimo Rapporto Censis, per esempio, il 52,7 per cento degli studenti tra 11 e 17 anni nel corso dell'ultimo anno scolastico ha subito comportamenti offensivi, non riguardosi o violenti da parte dei coetanei. La percentuale sale al 55,6 per cento tra le femmine e al 53,3 per cento tra i ragazzi più giovani (11-13 anni).
I casi sono numerosi e in crescita. Tuttavia, genitori e ragazzi possono combattere insieme questa tendenza. Quindi, anziché allarmarsi è necessario esserne consapevoli e prestare attenzione all'utilizzo che i figli fanno di cellulari, tablet e social network. Per tanti giovanissimi, ad esempio, il primo approccio con il web avviene proprio attraverso gli smartphone dei genitori, troppo poco attenti all'utilizzo della rete da parte dei figli, anche in età pre-adolescenziale.
Sempre secondo i dati della ricerca, fin dagli 11 anni, gli adolescenti tendono a scattarsi dei selfie in pose provocanti e questo li espone ancora di più a situazioni che possono provocare conseguenze drammatiche. Per fortuna, oggi esiste una tutela in più con la Legge 29 maggio 2017 n. 71 secondo cui "un minore di almeno 14 anni può chiedere, senza l'intervento di un adulto, di oscurare, rimuovere o bloccare i contenuti diffusi in rete al gestore del sito web o ai social network. Se il contenuto non viene cancellato entro 24 ore, egli può ricorrere al Garante della privacy".

1. L'articolo parla
   a. dei pericoli della rete per i minori
   b. della socializzazione online
   c. del rapporto tra TV e web

2. La ricerca citata dimostra che
   a. il cyberbullismo è un fenomeno strettamente scolastico
   b. più della metà degli studenti ha subito cyberbullismo
   c. il fenomeno interessa solo le ragazze tra gli 11 e i 17 anni

3. Secondo l'articolo, il cyberbullismo sarebbe in parte causato
   a. da insegnanti poco competenti
   b. da genitori talvolta superficiali
   c. dalla mancanza di filtri adeguati

4. Il fenomeno sarebbe arginabile
   a. controllando i social network dei minori di 14 anni
   b. richiedendo una legge speciale al Governo
   c. facendo attenzione all'utilizzo della rete da parte dei minori

5. La Legge 29 maggio 2017 n. 71 decreta che i minori di almeno 14 anni
   a. non possono scattarsi selfie in pose provocanti e drammatiche
   b. devono nominare un garante della loro privacy oltre ai genitori
   c. possono richiedere di bloccare la diffusione di contenuti in autonomia

........../5

E Abbina le informazioni al testo corrispondente.

Testo A

Chi può metta, chi non può prenda. Non tutti sanno che a coniare questo motto all'inizio del Novecento fu Giuseppe Moscati, medico napoletano poi diventato santo, che usava riscuotere il suo onorario per le visite a casa solo da chi poteva permettersi di pagare. Oggi la frase accomuna le iniziative solidali nate spontaneamente in molte città d'Italia per far fronte a un momento di grande difficoltà per tutti, ma soprattutto per tutte quelle persone che non possono più contare sul proprio lavoro e spesso non riescono neppure a sfamarsi. Il numero delle famiglie indigenti, in Italia, è in continuo aumento: il governo ha cercato di portare sollievo stanziando 400 milioni di euro in buoni spesa, ma è chiaro che non tutti potranno usufruire dell'aiuto. E il motto di Giuseppe Moscati torna a essere attuale.

Tanto più che proprio da Napoli è partito quello che oggi potremmo definire un "movimento" nazionale. Nel capoluogo partenopeo l'idea del *panaro* (il cesto) solidale è stata promossa in prima battuta nel quartiere limitrofo alla Chiesa di Santa Chiara, per iniziativa di una coppia che calando un panaro pieno di cibo cucinato dal balcone ha pensato di sfamare così i senzatetto della zona. Sono bastati pochi giorni perché i panari solidali – variamente riempiti di piatti pronti o generi alimentari di prima necessità – si moltiplicassero in città. E l'eco dell'iniziativa è rimbalzata nel mondo, ripresa tra l'altro da una superstar come Madonna, che ha rilanciato un video del panaro commentando "God bless you Italy".

adattato da *www.gamberorosso.com*

Testo B

Chi può metta, chi non può prenda. Enzo Di Nocera, lo ha scritto sul *panaro* pieno di libri che ha sistemato davanti alla sua storica bancarella-libreria di via Luca Giordano al Vomero. "Ne regaliamo circa venticinque al giorno", dice Di Nocera, 52 anni, libraio da 44. "Ho iniziato da bambino quando rimasi affascinato dalla vetrina di una libreria nel centro storico vicino alla tipografia di mio nonno - racconta - e, appunto, iniziai da bimbo a lavoricchiare lì e da allora non ho mai smesso di occuparmi di libri, salvo per i periodi durante i quali sono andato in giro per il mondo. L'idea della bancarella mi venne da un racconto sulle storiche *bouquinistes* di Parigi. Ci sono stato più volte e nel 1979 sono stato uno dei primi ad aprire in via Luca Giordano. Oggi, purtroppo, anche le *bouquinistes* a Parigi sono costrette a vendere calamite, stampe e statuine per riuscire a tirare avanti". "Conosco bene chi vive di lettura, chi campa con pane e libri. E poterli aiutare in un momento difficile mi rende felice" continua il commerciante. L'iniziativa del cesto della cultura piace, sono in tanti a fermarsi, a guardare quell'insolito *panaro* che trabocca di volumi, a prenderne uno o, qualche volta, a lasciare a loro volta i libri per i più bisognosi.

Certo va messa in conto anche qualche amarezza. "C'è chi ci marcia, chi non ne avrebbe bisogno ma si porta via dei libri senza pagarli - spiega il commerciante - spero però che almeno li facciano circolare e che prima o poi arrivino nelle case di chi non ha i soldi per acquistarli".

adattato da *www.repubblica.it*

1. Il motto è stato inventato a Napoli all'inizio del secolo scorso. A B
2. La cultura è preziosa e indispensabile quanto il cibo. A B
3. L'iniziativa si è estesa a tutta Italia. A B
4. Il negozio è stato uno dei primi ad aprire nella zona. A B
5. Per riuscire a sopravvivere i negozi devono vendere souvenir. A B
6. Sono stati stanziati degli aiuti governativi per aiutare gli indigenti. A B
7. C'è chi approfitta dell'iniziativa anche se non ne ha bisogno. A B
8. È un momento molto difficile, c'è disoccupazione. A B
9. Il primo "panaro" voleva aiutare i senzatetto del quartiere. A B
10. L'iniziativa ha ricevuto attenzioni internazionali. A B

.........../10

F **Completa il testo, inserendo una parola in ogni spazio.**

Firmino salì in camera sua. Fece una doccia, si rase, indossò un .... (1) di pantaloni di cotone e una Lacoste rossa che gli aveva .... (2) la sua fidanzata. Prese velocemente un caffè e uscì per strada. Era domenica, la città era quasi deserta. La gente dormiva ancora, e più tardi .... (3) andata al mare. Gli venne voglia di andarci anche lui, anche se non aveva il costume .... (4) bagno, solo per prendere una boccata d'aria buona. Poi ci rinunciò. Aveva la sua .... (5) turistica con sé e pensò di andare alla scoperta della città, per esempio i mercati, le zone popolari che non .... (6). Scendendo per le viuzze ripide della città bassa cominciò a trovare un'animazione che non sospettava. Veramente Oporto manteneva delle tradizioni che Lisbona aveva ormai perduto...

tratto da *La testa perduta di Damasceno Monteiro* di Antonio Tabucchi

........../6

G **Immagina di lavorare nella redazione di un giornale e di dover rispondere alla domanda di queste lettrici, dandogli alcuni consigli (100-120 parole).**

Mamma preferisce restare in città

Ogni anno si ripresenta il solito problema: le vacanze della mamma. Io e mia sorella siamo sposate e viviamo in città diverse dalla sua: lei benché anziana, se la cava ancora bene da sola, circondata da cani, gatti e fiori. Però l'afa la fa soffrire. E proprio a causa dei suoi "protetti" se la sorbisce tutta, perché non può allontanarsi da casa. Io e mia sorella avevamo trovato mille soluzioni, nessuna accettabile per lei. E così ci rimane solo il dispiacere di saperla morire di caldo.
Come calmare i nostri turbamenti?

Anna e Vittoria, Bologna

....
....
....
....
....
....
....
....
....
....
....
....
....
....

........../12

Risposte giuste: ..../55

Unità 6

1. 1. e, 2. a, 3. d, 4. c, 5. b
2. 1. d, 2. c, 3. a, 4. e, 5. b
3. 1. La Traviata; 2. qualche, ogni; 3. me lo dica; 4. ciclismo; 5. prescrizione
4. 1. tenore; 2. pillole, collirio 3. autobus, fermata; 4. spettatori, spettacolo; 5. antibiotici

Unità 7

1. 1. b, 2. e, 3. a, 4. c, 5. d
2. 1. c, 2. e, 3. d, 4. b, 5. a
3. 1. bilocale, 2. desertificazione, 3. risorse, 4. raccolta differenziata, 5. problemi ambientali
4. **Orizzontale:** applausi, paziente, alluvione, palcoscenico **Verticale:** incendi, siccità, sottosuolo, tenore

Unità 8

1. 1. d, 2. b, 3. e, 4. c, 5. a
2. 1. d, 2. e, 3. a, 4. b, 6. c
3. 1. Etna; 2. Guglielmo Marconi; 3. riflessivo, diretto, indiretto; 4. noi fossimo stati; 5. cartella
4. 1. installare, 2. connessione, 3. stampante, 4. riciclare, 5. sprecare, 6. invenzione, 7. salvaguardia

Unità 9

1. 1. e, 2. d, 3. f, 4. b, 5. c
2. 1. d, 2. e, 3. a, 4. c, 5. b
3. 1. riesca; 2. sono stati arrestati; 3. avesse avuto, avrebbe brevettato; 4. sono/vengono richieste; 5. sono state ritrovate
4. 1. denaro, 2. calore, 3. si alzano, 4. Picasso

Unità 10

1. 1. c, 2. b, 3. d, 4. e, 5. a
2. 1. c, 2. e, 3. a, 4. b, 5. d
3. 1. il giorno dopo/seguente, 2. Sacra Corona unita, 3. andare via dal proprio Paese, 4. Roma, 5. vendere droga
4. 1. affresco, 2. calo demografico, 3. abuso, 4. clientelismo, 5. femminicidio, 6. disobbedire, 7. stupefacente

Unità 11

1. 1. e, 2. d, 3. a, 4. b, 5. c
2. 1. d, 2. e, 3. a, 4. b, 5. c
3. 1. scrittori; 2. letteratura; 3. copertina; 4. fuga di cervelli; 5. spaccio
4. 1. L'amica geniale/Il commissario Montalbano, 2. Eduardo De Filippo, 3. passante, 4. capitoletto, 5. un'azione che sta per accadere

Autovalutazione generale

1. 1. a, 2. c, 3. b, 4. c, 5. a, 6. b
2. 1. f, 2. e, 3. b, 4. c, 5. i, 6. g, 7. h, 8. a
3. 1. *banca*: interessi, sportello, prelevare; 2. *albergo*: prenotazione, mezza pensione, soggiornare; 3. *università*: corsi, tesi, appunti; 4. *opera*: tenore, soprano, libretto; 5. *museo*: scultura, statua, dipinto; 6. *libreria*: racconto, romanzo, giallo; 7. *agenzia immobiliare*: doppi servizi, monolocale, angolo cottura
4. 1. mi, 2. glielo, 3. chi, 4. di, 5. cui, 6. ci, 7. ce, 8. ne
5. 1. avrei richiamato, si trattasse; 2. sono stati sorpresi, minacciandoli; 3. arrivati, aver dimenticato; 4. lavorando, farai; 5. si possono, si possono
6. 1. purché, c; 2. prima che, b; 3. nonostante, d; 4. affinché, f; 5. nel caso, a; 6. a meno che, e
7. 1. ambientalisti, 2. professionista, 3. tranquillità, 4. spaziosa, 5. improvvisamente, 6. difficoltà

Istruzioni dei giochi

Gioco Unità 1-11, Gioco dell'oca, pagina 190

Giocate in 3 o in 3 piccoli gruppi. Inizia per primo il giocatore che lancia il dado e ottiene il numero più alto.

A turno, tirate il dado e svolgete il compito proposto.

Se la risposta non è giusta, tornate indietro di due caselle. Dopo, il turno passa al giocatore successivo.

Vince chi arriva per primo all'Arrivo, dopo la casella 37!

Attenzione alle caselle colorate: se trovate una casella verde, tirate di nuovo il dado; se trovate una casella rossa, tornate indietro di 2, 3 o 4 caselle, in base al numero indicato.

Gioco unità 1-11

1

Definizione di *utilitaria*.

2

Elenca tr problem ecologici tip. delle città spiega le lor conseguenz

20

Convinci un compagno a fare un viaggio in Italia con te.

21

22

Nomina due rimedi alla dipendenza da social network.

23

Due frasi con *n* e due frasi con *c*

19

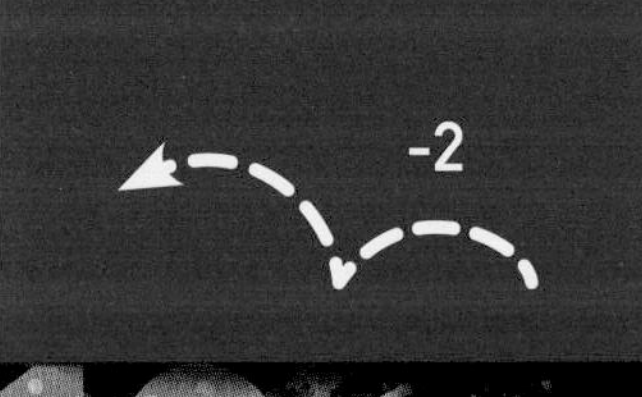

34

Da' + ci + ne

35

Una frase con *non me ne importa.*

36

Il nome di tre organizzazioni mafiose italiane

18

Il titolo dell'opera.

33

Impara l'arte e... Completa il detto!

32

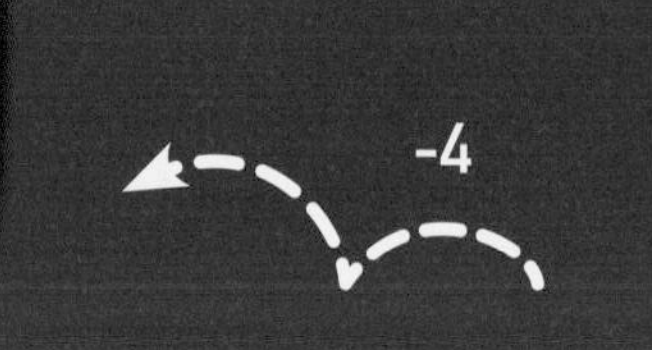

31

17

Due frasi con *qualsiasi*, due frasi con *chiunque*!

16

Vuoi comprare una casa nuova: cosa deve avere?

15

Un imperatore romano e due monumenti dell'antica Roma.

14

Pare che... continu la fras

3

osa non avresti mai creduto? Rispondi.

I tuoi amici ti dicono che hai superato l'esame d'ammissione all'università. Rispondi in modo sorpreso.

5

Una frase con *magari* e una con *come se*.

6

Il titolo di almeno due famose opere liriche italiane.

4

Inventa il tuo oroscopo di oggi.

25

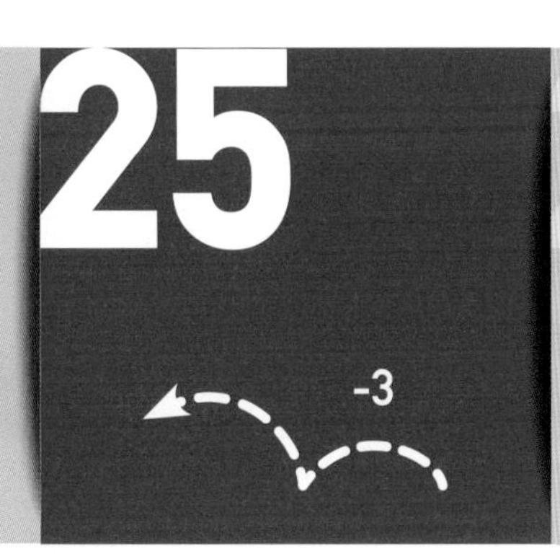

26

Lei mi disse: "Domani Paolo tornerà a casa." Trasforma al discorso indiretto.

7

-2

7

Rimanere al congiuntivo presente.

27

Una frase con il periodo ipotetico del 3° tipo.

8

GRAND HOTEL

Elenca cinque servizi alberghieri che ricordi.

0

Fai le alterazioni di *trucco*, *macchina* e *fuoco*.

29

Immagina il dialogo tra i due.

28

Parla di un libro che hai letto.

9

Tre parole relative alla banca.

3

-3

12

Una frase passiva con il verbo *attivare*.

11

10

Dai indicazioni stradali a un/una signore/a, usando la forma di cortesia.

Materiale per A

Unità 7

pagina 33

Via di Colle Pizzuto
Frascati, RM

250 mq **4** camere da letto **€ 300.000**

CONDIZIONI: abitabile

Nel centro abitato, villetta bifamiliare di mq. 250 circa su due livelli, immediatamente abitabile. Al secondo livello 4 camere, 2 bagni, soggiorno, cucina, terrazzo, al primo livello soggiorno, cucina rustica, garage, depositi vari, termoautonoma, allarme.

Via Cesare Crescenzi
Frascati, RM

160 mq **4** camere da letto **€ 270.000**

CONDIZIONI: da ristrutturare

Bella proprietà con casolare, da ristrutturare, mq. 160 circa su due piani, garage per 2 posti auto, doppio ingresso. Divisibile in 2 appartamenti con ingressi indipendenti. Ideale come agriturismo, come rifugio dallo stress della città o per chi vuole rilassarsi immergendosi nella natura.

Via Catone
Frascati, RM

180 mq **5** camere da letto **€ 310.000**

CONDIZIONI: abitabile

Villetta su due livelli più sottotetto, composta da 2 camere, salone, angolo cottura e bagno al primo piano, e da 3 camere, salone, angolo cottura e bagno al piano terra. Cantina, giardino, vicina a tutti i negozi di prima necessità e ad altre case abitate. Ideale anche per due nuclei familiari.

Unità 11

pagina 97

› Opzione 1:

Sara, tua sorella, è appassionata di romanzi polizieschi e romanzi storici. È a capo di una grande azienda e, nonostante le piaccia la lettura, non ha molto tempo per leggere, se non un'oretta al giorno mentre va al lavoro in metropolitana.

› Opzione 2:

Giovanni, il tuo migliore amico, è un grande amante dei classici della letteratura italiana. È una guida turistica e viaggia spesso. Nel tempo libero gli piace fare trekking e stare a contatto con la natura, magari ascoltando o leggendo un buon libro.

Materiale per B

Unità 6

pagina 17

Qui di seguito troverai la pianta del teatro con i posti ancora disponibili, indicati in grigio, e relativi prezzi che *A* può scegliere. Posti disponibili in platea, in galleria (zona 2, 3, 5) e sui palchi (zona 1, 2, 3).

– *Il Trovatore* –

Musica di *Giuseppe Verdi*

Platea	250,00 Euro
Palchi zona 1	250,00 Euro
Palchi zona 2	200,00 Euro
Palchi zona 3	130,00 Euro
Palchi zona 4	80,00 Euro
Palchi zona 5	63,00 Euro
Galleria zona 1	100,00 Euro
Galleria zona 2	79,00 Euro
Galleria zona 3	50,00 Euro
Galleria zona 4 Visibilità ridotta	29,00 Euro
Galleria zona 5 Visibilità ridotta	15,00 Euro

6 febbraio

Durata spettacolo: 2 ore e 55 minuti incluso intervallo
Coro e Orchestra del Teatro alla Scala
Nuova Produzione Teatro alla Scala in coproduzione con Salzburger Festspiele

PRIMO e SECONDO ATTO 75 minuti / Intervallo 25 minuti / TERZO e QUARTO ATTO 75 minuti

Portare in scena Verdi non è sempre facile, ma in questo caso la scenografia è curatissima, come anche i costumi. Bravo il regista e gli interpreti, soprattutto il giovane soprano.

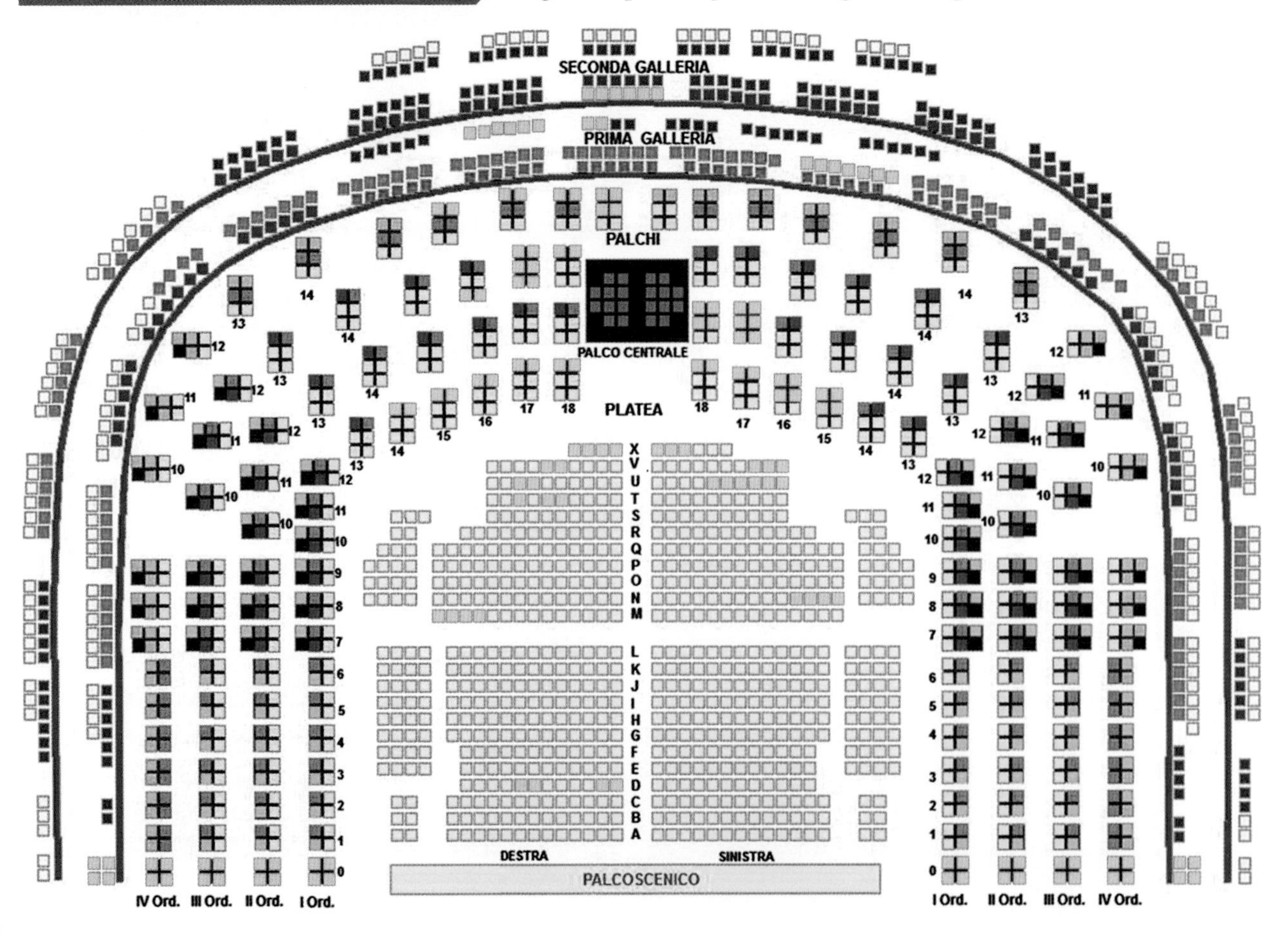

Unità 9

pagina 65

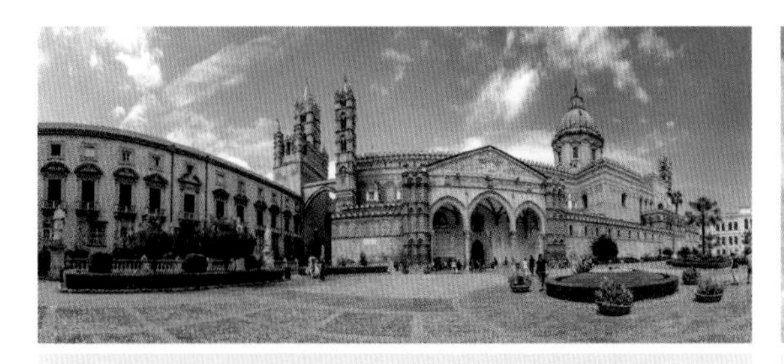

La Cattedrale di Palermo

Ingresso libero per la Cattedrale

ORARI

- lunedì-sabato ore 7:00/19:00
- domenica e festivi ore 8:00/13:00 e 16:00/19:00

Area monumentale (Tombe reali, Tesoro, Cripta, Sotteranei, Absidi e Tetti)

ORARI

- lunedì-sabato ore 9:00/18:00
- domenica e festivi ore 8:00/13:00 e 16:00/19:00

BIGLIETTO

Adulti 7,00 €

Ragazzi (11-17 anni) 5,00 €

Palazzo dei Normanni

ORARI

- lunedì-sabato ore 8.15/17.40 (ultimo biglietto ore 17.00)
- domenica e festivi ore 8.15/13.00 (ultimo biglietto ore 12.15)

BIGLIETTO
(Cappella Palatina, Appartamenti Reali)

Intero 12,00 €

Ridotto 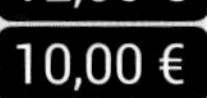 10,00 €

Valle dei templi - Agrigento

ORARI

Aperto tutti i giorni dalle ore 8.30 alle 20.00
La biglietteria del Teatro ellenistico chiude alle 19.30

BIGLIETTI

Intero 12,00 €

Ridotto* 7,00 €

* Il biglietto ridotto è valido per i cittadini di età compresa tra i 18 e i 25 anni della Comunità Europea

INGRESSO GRATUITO

Prima domenica del mese.
La prima domenica di ogni mese ingresso gratuito per tutti i visitatori secondo gli orari ordinari di apertura. L'ingresso è gratuito per:

- i visitatori sotto i 18 anni della Comunità Europea ed extracomunitari; i visitatori che abbiano meno di dodici anni devono essere accompagnati da un maggiorenne;
- i portatori di handicap e un loro familiare o altro accompagnatore;
- i gruppi di studenti delle scuole pubbliche e private dell'Unione Europea.

COME ARRIVARE

Da Palermo (130 km) prendere la SS121 e l'uscita Agrigento/SS189. Dopo Aragona seguire le indicazioni per il centro di Agrigento o se si vuole arrivare direttamente alla Valle dei Templi, seguire le indicazioni per Caltanissetta.

Da Palermo: Dalla stazione ferroviaria centrale di Palermo ci sono 13 treni al giorno dal lunedì al venerdì, 10 il sabato, 6 la domenica. Tempo di percorrenza: circa 2 ore. La stazione ferroviaria centrale di Agrigento si trova in Piazza Marconi, nel centro della città.

pagina 97

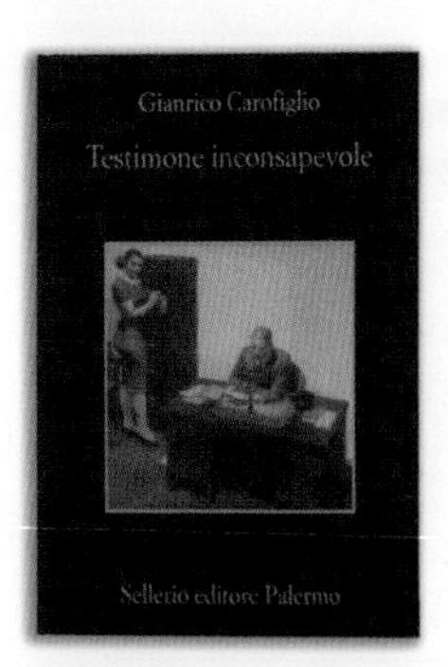

Testimone inconsapevole
di Gianrico Carofiglio

Romanzo poliziesco
pp. 336

Un ambulante del Senegal viene accusato dell'omicidio di un bambino di nove anni, trovato morto in un pozzo. Un avvocato in crisi proverà a difenderlo dai pregiudizi e da una condanna sicura. *Testimone inconsapevole* è il primo legal thriller veramente italiano, scritto da un magistrato che racconta di avvocati e di giudici italiani in vere aule di giustizia italiane.

La luna e i falò
di Cesare Pavese

Romanzo
pp. 246

È la storia del ritorno a casa del protagonista Anguilla, che era emigrato in America per fare fortuna. Dei suoi vecchi amici ritrova solo Nuto, ormai padre di famiglia, mentre tutti gli altri abitanti dei luoghi della sua infanzia non ci sono più, ognuno scomparso per un triste e ingiusto destino.

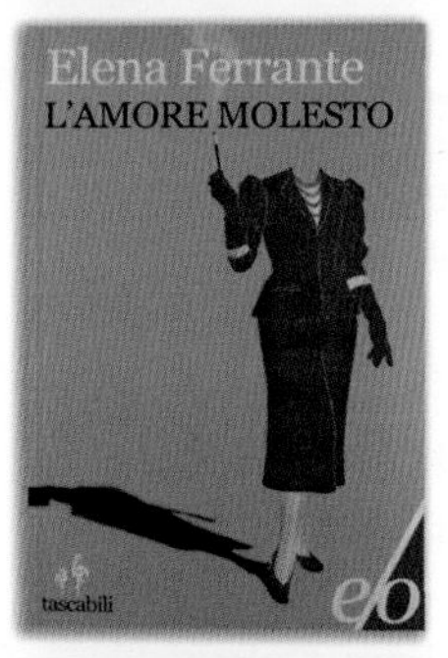

L'amore molesto
di Elena Ferrante

Romanzo
pp. 176

Il romanzo inizia con la protagonista Delia che torna a Napoli dopo la morte della madre, e cerca di scoprire cos'è davvero accaduto ad Amalia e chi c'era con lei la notte in cui è morta. L'indagine di Delia si snoda in una grigia Napoli che non dà tregua, trasformando una vicenda di problemi familiari in un thriller domestico davvero avvincente.

La lunga vita di Marianna Ucrìa
di Dacia Maraini

Romanzo storico
pp. 265

Il romanzo narra la storia di Marianna, una giovane che vive nella Sicilia del '700 ed è sordomuta dall'età di 5 anni. Nonostante il suo problema, la protagonista riuscirà comunque a vivere la sua vita e a diventare una donna forte, madre e capofamiglia, alla morte dell'odiato marito.

La casa delle voci
di Donato Carrisi

Giallo noir, Thriller
pp. 400

Pietro Gerber è uno psicologo specializzato nell'ipnosi e i suoi pazienti sono tutti bambini. Quando riceve una telefonata da parte di una collega australiana che gli raccomanda una paziente, Pietro reagisce con perplessità e diffidenza. Perché Hanna Hall è un'adulta, tormentata da un ricordo vivido, ma che potrebbe non essere reale: un omicidio. Hanna è un'adulta oggi, ma quel ricordo risale alla sua infanzia e Pietro dovrà aiutarla a far riemergere la bambina che è ancora dentro di lei.

Unità 6

Direct (informal) imperative

We use the imperative to give commands or advice. The informal imperative, or imperativo diretto, is used for the second-person singular (*tu*) and the first- and second-person plural (*noi* and *voi*).

	1st conjugation (-are)	2nd conjugation (-ere)	3rd conjugation (-ire)	
	parlare	**prendere**	**aprire**	**finire**
tu	parla!	prendi!	apri!	finisci!
noi	parliamo!	prendiamo!	apriamo!	finiamo!
voi	parlate!	prendete!	aprite!	finite!

Note: the verb conjugations in the direct imperative are identical to those of the present indicative, except for the second-person singular form of *-are* verbs, which end in -a instead of -i: *Alice, mangia la mela! / Non ti sento, parla più forte!*

Indirect (formal) imperative

In Italian we used the third-person singular or plural of the present subjunctive to give commands in the third-person singular (Lei) and, rarely, the third-person plural (Loro). This is known as the indirect imperative, or imperativo indiretto or imperativo di cortesia.

	parlare	**prendere**	**aprire**
Lei	parli!	prenda!	apra!
Loro	parlino!	prendano!	aprano!

The verb conjugations of the indirect (formal) imperative are identical to those of the third-person singular and plural forms of the present subjunctive.

The imperative of *essere* and *avere*

	essere		avere	
	affirmative commands	**negative commands**	**affirmative commands**	**negative commands**
tu	sii!	non essere!	abbi!	non avere!
lui, lei, Lei	sia!	non sia!	abbia!	non abbia!
noi	siamo!	non siamo!	abbiamo!	non abbiamo
voi	siate!	non siate!	abbiate!	non abbiate!
loro	siano!	non siano!	abbiano!	non abbiano!

Negative commands

The negative form of direct (informal) commands:

- of the second-person singular (*tu*) is expressed using non + infinitive: *Non scrivere altri sms! / Non urlare!*
- of the first- and second-person plural (*noi* and *voi*) is expressed using non + the form of direct imperative: *Non dimentichiamo di comprare il pane! / Non urlate!*

	1st conjugation (-are)	2nd conjugation (-ere)	3rd conjugation (-ire)	
	parlare	**prendere**	**aprire**	**finire**
tu	non parlare!	non prendere!	non aprire!	non finire!
noi	non parliamo!	non prendiamo!	non apriamo!	non finiamo!
voi	non parlate!	non prendete!	non aprite!	non finite!

To form negative indirect (formal) imperatives, simply put non in front of the imperative form of the verb: *Non tocchi i quadri! / Non si avvicinino troppo i signori! Grazie.*

The imperative with pronouns

When using pronouns (*diretti*, *indiretti*, and combined pronouns, or *ci* or *ne*):

- with direct (informal) imperatives, the pronouns attach to the end of the conjugated verb to create a single word: *Scrivila subito! / Consegnagliela ora!*
- with negative direct (informal) imperatives, the pronouns can precede the verb or attach to the end of infinitive, which loses its final -*e*: *Non le telefonare! / Non telefonarle!*
- with the irregular second-person singular forms of the direct imperative (va', da', fa', sta', di') the pronouns attach to the end of the verb and the consonant is doubled: *Va' a Roma!* ➔ *Vacci! / Di' a me!* ➔ *Dimmi! / Sta' accanto a lei!* ➔ *Stalle accanto!* This consonant doubling doesn't occur with the pronoun gli: *Da' i biglietti a lui!* ➔ *Dagli i biglietti!*

When we use pronouns with the indirect (formal) imperative:

- pronouns always come before the verb in both negative and affirmative commands: *Glielo dica lei! / Ne parli a tutti! / Non glielo dica! / Non ne parli a nessuno!*

Indefinite adjectives

Indefinite adjectives express an indeterminate quantity or quality of the noun that they describe:

Indefinite adjectives that indicate quantity:

alcuno/a/i/e	molto/a/i/e	qualche
alquanto/a/i/e	nessuno/a	tanto/a/i/e
altrettanto/a/i/e	ogni	troppo/a/i /e
ciascuno/a	parecchio/a/chi/chie	tutto/a/i/e
diverso/a/i/e	poco/a/chi/che	vario/a/i/e

Indefinite adjectives that indicate quality:

altro/a/i/e	qualunque
certo/a/i/e	qualsiasi
tale/i	

- The adjectives ogni, qualche, qualsiasi and qualunque are invariable and only used in the singular form: *Abbiamo dato ad ogni studente due libri da leggere per l'estate. / Chiamami a qualsiasi ora! / Qualunque decisione tu prenda, io sarò d'accordo.*
- The adjective alquanto/a is not used frequently and parecchio is often used instead: *Ho avuto alquanta/parecchia paura.*
- The adjectives nessuno/a and ciascuno/a vary in gender but are always singular (*Nessuna scrittrice è brava come lei.*). Nessuno has a negative meaning, so when it precedes a verb there is no need for a double negative, (*Nessun albero dev'essere tagliato!*) but the double negative is used when *nessuno* follows the verb, in which case alcuno can also be used (*Non ho trovato nessun/alcun portafoglio in macchina, chissà dove lo hai perso.*). In interrogative phrases, *nessuno* can also be used interchangeably with qualche to mean "any" or "anyone": *È arrivata nessuna/qualche email per me?*
- Tale/i varies in number but not in gender and is often preceded by the indefinite article (*un, una, dei, delle*) to indicate one or more people whom the speaker does not know: *Questa mattina è venuto un tale Signor Fiorello che ti cercava.*
- When preceded by a definite article (*il, la, i, le*) or demonstrative pronoun (*quel, quella, quei, quelle*), it indicates a specific person (*Questa mattina è venuta quella tale Barbara che ti cercava.*). In some expresssions, the adjective tale can have the same meaning as tanto/a: *Ho provato una tale paura che sarei voluto sparire.*
- Altro/a/i/e has different meanings depending on the context: it can refer to a difference between people or things (*Quella che stai raccontando è un'altra storia* [*a different story*].); it can express an additional amount or a second, new thing (*Ho bisogno di altri soldi* [*more money*]. / *Lo hanno considerato come un*

altro Cesare [*a new Cesar*].); finally, it can refer to a past moment (*L'altra settimana sono stato a Milano* [*the other week*].).

- Certo/a/i/e can have different meanings. In the singular, when preceded by an indefinite article, it has the same meaning as tale (*Ti saluta un certo* [*a certain*] *Alberto che ho incontrato ieri al cinema.*), otherwise it can refer to an indeterminate quality (*Vedere queste foto mi crea sempre una certa emozione.* [a certain feeling]); when used in the plural, it means "some" and is synonymous with alcuni/e and qualche (*Certi* [*some*] *film non posso proprio vederli.*), and can have a negative connotation: *Certe persone preferisco non averle come amiche.*
- Diverso and vario when preceded by a collective noun (*classe, clientela, folla, gente* etc.) or a plural noun have the same meaning as alquanto, parecchio and molto: *C'era diversa gente al mare.* (*There were many people at the sea*).

Indefinite pronouns

Indefinite pronouns express a generic quantity or identity of the noun they replace:

The indefinite pronouns include:
alcunché   niente, nulla   qualcosa   uno/a   chiunque   ognuno   qualcuno

- Alcunché is now mostly used only in literary contexts: *Di Stefano non si può dire alcunché.*
- Chiunque is invariable and used only in the singular to refer to people: *Non faccio amicizia con chiunque.* It can also be used to mean "anyone who": *Chiunque abbia la bicicletta può venire in gita domani.*
- Niente and nulla mean "nothing". If they follow a verb, non must go in front of the verb (*Non è cambiato nulla/niente da quando sei andato via.*); if they precede the verb, no double negative is necessary: *Nulla/Niente è cambiato da quando sei andato via.*
- Ognuno is used only in the singular to mean "everyone" and thus is synonymous with ciascuno: *Ognuno ha le sue responsabilità in questa storia. / Ciascuno faccia le proprie scelte.*
- Qualcuno is used only in the singular and usually indicates only one person (*Qualcuno ci aspetta.*) or an unspecified number of people (*Ieri c'erano tanti vecchi amici, potevi salutare qualcuno!*).
- Qualcosa/Qualche cosa are invariable and mean "something" (*Vuoi qualcosa da mangiare?*). When followed by the adverb *come*, they refer to an approximate amount of something ("about" or "around"): *Per ristrutturare casa abbiamo speso qualcosa come ventimila euro.*
- Uno/a: *Uno di voi potrebbe aiutarmi, per favore?*

Indefinite adjectives and pronouns

Indefinite adjectives and pronouns include:

alcuno/a/i/e	diverso/a/i/e	tale/i
altro/a/i/e	molto/a/i/e	tanto/a/i/e
altrettanto/a/i/e	nessuno/a	troppo/a/i/e
certo/a/i/e	parecchio/a/chi/chie	tutto/a/i/e
ciascuno/a	poco/a/chi/che	vario/a/i/e

- Alcuno/a/i/e is used in the plural as an adjective to mean "some": *Sono stati fatti alcuni errori.*

  In the singular form, it is used mostly in negative phrases and in spoken Italian often replaces nessuno/a: *Mi dispiace, ma non sei stato di alcun/nessun aiuto.*
- Altro/a/i/e, when preceded by an article, means "someone else" (*Carlo non sta più con Paola, si è innamorato di un'altra.*). Otherwise, it means "anything else" (*Signora Fiore, ha bisogno di altro?*).

  It is often used with the indefinite pronoun uno in the expressions *l'uno/-a... l'altro/-a, gli/le uni/-e... gli/le altri/-e*: *Per le vacanze? Gli uni sono d'accordo, gli altri no.*

- Altrettanto indicates the "same amount of something": *Tu hai tanti CD, ma io ne ho altrettanti.*
- Certi/e as a pronoun is used only in the plural to mean "some": *I miei amici lavorano, ma certi/alcuni hanno trovato lavoro all'estero.*
- Ciascuno/a as a pronoun is only used in the singular to mean "everyone": *Se ciascuno/ognuno fa quello che vuole senza pensare agli altri, le cose andranno male.*

  When followed by a verb, it is used in the singular, but when preceded by a verb it must be plural: *Se fanno ciascuno/ognuno quello che vogliono senza pensare agli altri, le cose andranno male.*
- Tale/i varies in number but not in gender. As with its adjective form, when used as a pronoun it is often preceded by the indefinite article (*un, una, dei, delle*) to indicate a person whose identity is unknown (*Riccardo mi ricorda un tale che ho visto oggi in metro.*), or it can follow a definite article (*il, la, i, le*) or demonstrative pronoun (*quel, quella, quei, quelle*) to indicate a known person: *Ti aspetta quel tale della banca.*
- Tanto/a/i/e if used in relation to quanto/a/i/e indicates an identical quantity (*Ho comprato tanti gelati quanti sono i bambini.*). If tanto is preceded by *un* it refers to a certain, though unspecified, number or quantity: *I soldi che mi hai prestato, te li restituirò un tanto al mese.*

Unità 7

Imperfect subjunctive

	1st conjugation (-are)	2nd conjugation (-ere)	3rd conjugation (-ire)
	parlare	**avere**	**finire**
io	parlassi	avessi	finissi
tu	parlassi	avessi	finissi
lui, lei, Lei	parlasse	avesse	finisse
noi	parlassimo	avessimo	finissimo
voi	parlaste	aveste	finiste
loro	parlassero	avessero	finissero

Imperfect subjunctive

In **independent clauses**, the imperfect subjunctive (*congiuntivo imperfetto*) describes an event or desire that we believe is unlikely to occur in the present or future: *Potessi partire con te!* (If only I could leave with you!)/ *Ah! Se non fossi da solo ora!* (If only I weren't alone now!). It can also express doubt: *Lea non ha giocato con gli altri bambini: che avesse la febbre?* (Lea didn't play with the other children: I wonder if she had a fever?)

In **secondary clauses** it expresses:

a. a past action that occurred **simultaneously** with the past action in the main clause: *Credevo che tu fossi stanco.* (I thought you were tired).

b. an action that occurred **before** a present action in the main clause: *Tante persone pensano che cinquant'anni fa si vivesse meglio.* (Many people think that life was better fifty years ago).

We also use the imperfect subjunctive in secondary clauses when the main clause contains a verb in the conditional that expresses a desire or wish (*desiderare, preferire, volere*, etc.): *Vorrei che tu mi aiutassi di più.* (I would like if you helped me more.)

Tense agreement with the subjunctive

Main clause	Secondary clause	
present-tense verb *Credo che...*	**present subjunctive/future indicative** *...Giulia torni/tornerà domani.*	➜ action occurs after that of the main clause
	present subjunctive *...Giulia torni oggi.*	➜ simultaneous actions
	past subjunctive *...Giulia sia tornata ieri.*	➜ action occurred before that of the main clause
past-tense verb *Credevo che...*	**imperfect subjunctive/past conditional** *...Giulia andasse/sarebbe andata con Paola.*	➜ action occurs after that of the main clause
	imperfect subjunctive *...Giulia andasse con Paola.*	➜ simultaneous actions
	past perfect subjunctive *...Giulia fosse andata con Paola.*	➜ action occurred before that of the main clause

Past Perfect Subjunctive

The past perfective subjunctive (*congiuntivo trapassato*) is formed as follows:

imperfect subjunctive of the auxiliary verb essere or avere + **past participle** of the verb

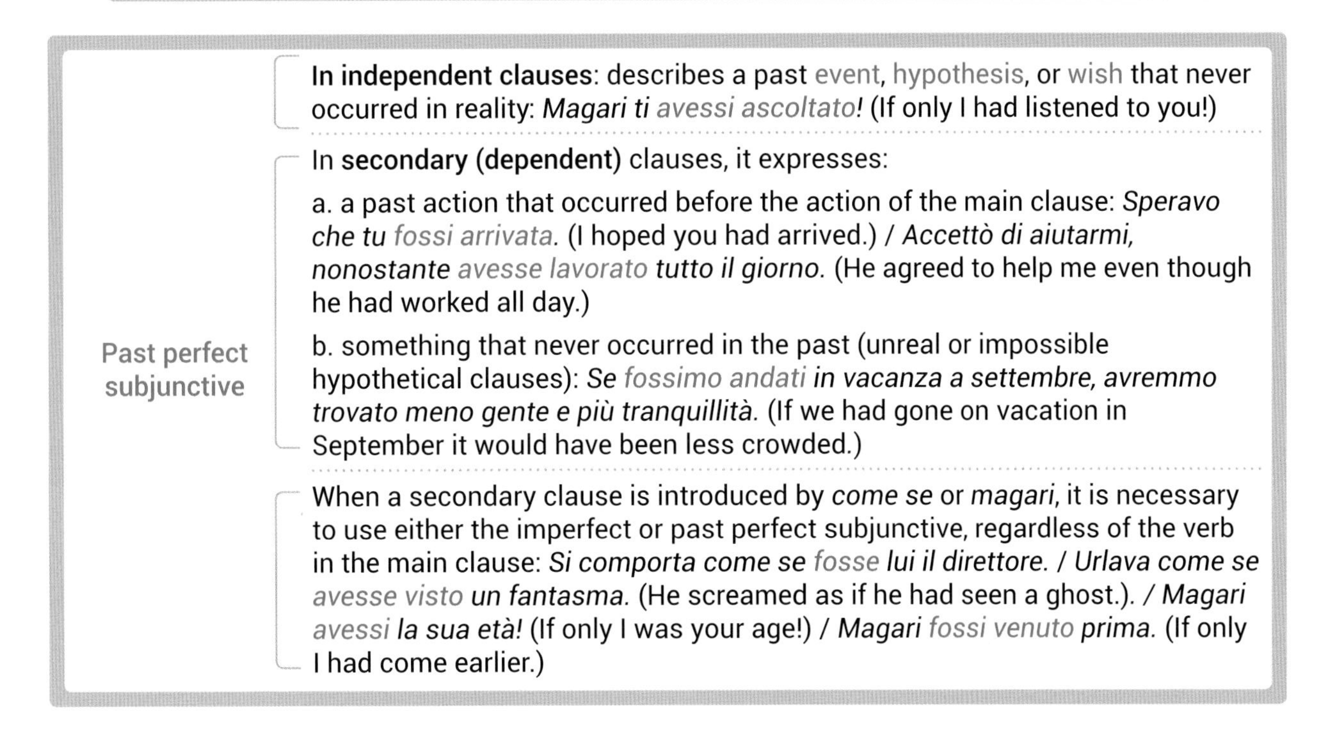

Past perfect subjunctive	**In independent clauses**: describes a past event, hypothesis, or wish that never occurred in reality: *Magari ti avessi ascoltato!* (If only I had listened to you!)
	In **secondary (dependent)** clauses, it expresses: a. a past action that occurred before the action of the main clause: *Speravo che tu fossi arrivata.* (I hoped you had arrived.) / *Accettò di aiutarmi, nonostante avesse lavorato tutto il giorno.* (He agreed to help me even though he had worked all day.) b. something that never occurred in the past (unreal or impossible hypothetical clauses): *Se fossimo andati in vacanza a settembre, avremmo trovato meno gente e più tranquillità.* (If we had gone on vacation in September it would have been less crowded.)
	When a secondary clause is introduced by *come se* or *magari*, it is necessary to use either the imperfect or past perfect subjunctive, regardless of the verb in the main clause: *Si comporta come se fosse lui il direttore.* / *Urlava come se avesse visto un fantasma.* (He screamed as if he had seen a ghost.). / *Magari avessi la sua età!* (If only I was your age!) / *Magari fossi venuto prima.* (If only I had come earlier.)

When to use the imperfect or past perfect subjunctive

The imperfect and past perfect subjunctive are used in secondary clauses when the main clause contains a verb in the past tense under the same circumstances we saw with the present and past subjunctive in Unit 5:

- after a verb or phrase that expresses a **subjective opinion**: *Credevo/Immaginavo/Pensavo che Elena non volesse venire perché non le sono simpatica. / Avevo l'impressione che lei non mi stesse dicendo la verità.*
- after a verb or phrase that expresses **desire**: *Luisa voleva che l'insegnante le spiegasse il congiuntivo un'altra volta. / Il mio unico desiderio era che tu venissi a vivere qui.*
- after a verb or phrase that expresses an **emotional state**: *Quando ho visto l'ora, temevo che aveste perso il treno. / Avevo paura che il regalo non gli fosse piaciuto.*
- with **impersonal phrases**: *Era meglio che avessero scelto un albergo vicino al mare. / Sembrava che questo appartamento fosse il più economico.*
- after one of the following conjunctions:
  - *benché, sebbene, nonostante, malgrado: Mi sentivo riposato, sebbene/nonostante/benché avessi dormito poco.*
  - *purché, a patto che, a condizione che, basta che: Ti avevo prestato i soldi a patto che/a condizione che/purché tu me li restituissi.*
  - *senza che: Lo arrestarono senza che avesse fatto nulla.*
  - *nel caso in cui: Ho mandato te, nel caso in cui non fossi stato puntuale.*
  - *affinché, perché: Ho comprato i biglietti, affiché andassimo al concerto.*
  - *prima che: Andammo via prima che fosse finito il film.*
  - *a meno che, fuorché, tranne che, salvo che: Ho creduto a tutto, tranne che/fuorché/salvo che tu avessi trovato lavoro.*

- in secondary clauses in which a relative pronoun is preceded by a relative superlative: *Era la persona più sincera che io avessi conosciuto.*
- in relative clauses that express an intended outcome (*Il direttore cercava un collaboratore che conoscesse bene le lingue.*) or consequence (*Non c'era un solo appartamento che potessi comprare.*).
- in secondary clauses introduced by an adjective or indefinite pronoun: *A casa mia, il solo che facesse sport era mio fratello.*
- in secondary clauses that consist of indirect questions: *Mi sono sempre chiesto chi facesse i graffiti sui muri.*
- to create additional emphasis: *Che il fumo facesse male, lo sapevano tutti.*

Unità 8

The hypothetical period

The hypothetical period is formed by two clauses: a secondary clause introduced by se, which expresses a condition, and a main clause that expresses a consequence: *Se avrò tempo* (condizione), *passerò da casa tua* (conseguenza).

There are 3 types of hypothetical constructions:

- **probable or real (1st type)** - for events that will happen, or are likely to happen: se + indicativo presente/futuro semplice – indicativo presente/futuro semplice/imperativo
  Se finisco prima, verrò da te. / Se avrò tempo, andrò a fare spese. / Se vai all'edicola, comprami il giornale.

- **possible (2nd type)** - for events that are possible but not certain: se + congiuntivo imperfetto – condizionale semplice
  Se avessi tempo libero, andrei in palestra. / Se fosse un vero amico, mi farebbe un favore.

- **impossible or unreal (3rd type)** - for events that are impossible because they are imaginary or because they refer to the past and thus can no longer occur:
  - se + imperfect subjunctive – present conditional ⊖ the hypothesis refers to the present
    Se tutti fossero come te, il mondo andrebbe sicuramente meglio. (If everyone was like you, the world would be better.)
  - se + past perfect subjunctive – past conditional ⊖ the hypothesis refers to the past
    Se me l'avessi chiesto, te l'avrei dato. (If you had asked me for it, I would have given it to you.)
  - se + past perfect subjunctive – present conditional ⊖ the hypothesis refers to the past with a consequence in the present.
    Se avessi comprato un computer migliore, ora non avresti tutti questi problemi. (If you had bought a better computer, you wouldn't have all of these problems now.)
  - se + imperfect indicative – imperfect indicative ⊖ used in spoken Italian
    Se mi telefonavi (avessi telefonato), venivo (sarei venuto) subito. (If you had called, I would have come right away.) This is similar to hypothetical expressions in spoken English such as "*I was interested in going to the party if you were going*" (meaning "I would have been interested in going to the party if you had gone".).

Occasionally, the verb in the clause that expresses the condition is implied but not actually present; other times, the entire condition is implied but not present: [Se io fossi al posto tuo] *Al posto tuo, comprerei un appartamento in centro.*

In spoken Italian, the conjunction se is sometimes implied but not present: [Se] *Avessi i tuoi soldi, comprerei un appartamento in centro.*

Overview of hypothetical clauses

1st type	**present indicative or future + present indicative or future** *Se leggi di più, imparerai più cose.* Describes a certain outcome.
2nd type	**imperfect subjunctive + present conditional** *Se leggessi di più, impareresti più cose.* Describes a possible but not immediately achievable outcome.
3rd type	**past perfect subjuntive + past conditional** *Se avessi letto di più, avresti imparato più cose.* Describes an impossible situation because it refers to the past.

Uses of *ci*

reflexive pronoun (1st-person plural)	*Noi, di solito, ci svegliamo presto.*
impersonal form of a reflexive verb	*Con il tempo ci si abitua a vivere in città.*
direct object pronoun (*noi*)	*Luca ci ha invitato a casa sua stasera.*
indirect object pronoun (*a noi*)	*Daniela ha detto che ci telefonerà domani.*
ci + essere = to be (there)	*Al concerto di Mengoni c'erano più di ventimila persone.*
ci + entrare = to fit within/among	*In questo armadio non c'entrano tutti i nostri vestiti.*
ci + entrare = to have to do with something	*Cosa c'entra che non è italiano? È un bravissimo ragazzo.*
pleonastic *ci*	*Il tablet ce l'ho io perché sto lavorando. / Mio nonno ormai ci sente poco, devi gridare più forte.*
pronoun meaning "about that person/thing"	*Non ci credo perché in te non ho fiducia! / Ci ho pensato tante volte: vado a lavorare all'estero.*
pronoun meaning "with that person/thing"	*– Come va con Gloria? – Ci sto benissimo. / Non ci giocare troppo, la PlayStation fa male agli occhi.*
pronoun meaning "on that person/thing"	*Speriamo che non ci salga sopra, è una sedia antica. / Ci ho riflettuto a lungo, non vengo con te.*
pronoun meaning "in that person/thing"	*Non è stato un buon affare, ci ho perso molti soldi. / In Antonio? Ci credo molto!*
pronoun meaning "of that person/thing"	*Parli sempre di teatro ma io non ci capisco niente.*
pronoun meaning "by or from that person/place/thing"	*Da quanto tempo non vai da Micol? Ci sono andata ieri. / Abbiamo discusso tutta la sera ma non ci abbiamo ricavato nulla.*
ci of place = replaces a place	*Il fine settimana andiamo a Roma, ci vieni anche tu?*
in pronominal verbs (*farcela, metterci, volerci*)	*Per Firenze di solito ci vogliono tre ore, ma io ce ne metto due!/ Ho bisogno di qualche giorno di ferie, non ce la faccio più!*

Uses of *ne*

partitive *ne*	*– Quanti anni ha Giorgio? – Ne ha trenta. / Di email ne ricevo parecchie.*
pronoun meaning "of or about something/someone"	*Sandra è partita ieri e io ne sento già la mancanza. / Hai sentito cosa è successo con il nuovo governo? Cosa ne pensi? / Ragazzi, oggi studiamo Leopardi. Ne avete già sentito parlare?*
pronoun meaning "from or out of something/someone"	*Non credo sia un buon affare: ne guadagnerà solo la banca. / Ti ho detto di non frequentare quei ragazzi: devi starne lontano! / Si tratta di una situazione così difficile che non so come uscirne.*
adverb *ne* meaning "from a place"	*Sì, prima ero a casa. Ne sono uscito circa un'ora fa. / È tardi ed io me ne vado. / Fino a ieri eravamo a Capri, ne siamo partiti con gran dispiacere.*
specific expressions *dimenticarsene, ricordarsene*	*Che Paolo ha il compleanno me ne sono ricordato.*
starsene	*Questa sera me ne sto tranquillo a casa.*
valerne la pena	*Non stare a sentire Claudio, non ne vale la pena [is not worth it].*
averne abbastanza	*Scusami, ma ne ho abbastanza [I'm tired of] di ascoltare sempre le stesse cose.*
non poterne più	*Non ne posso più [can't stand any longer] della tua stupida gelosia.*
farne di cotte e di crude	*Quando Micol era piccola, ne ha fatte di cotte e di crude [caused a lot of trouble].*
combinarne di tutti i colori	*Da piccolo, ne ho combinate di tutti i colori [I got into all kinds of trouble].*
farsene una ragione	*Ormai me ne sono fatto una ragione.*

Unità 9

The passive form

Alessandro scrive un nuovo libro.	→ ACTIVE FORM
Un nuovo libro è scritto da Alessandro.	→ PASSIVE FORM

In Italian, both transitive and intransitive verbs have an active form, and transitive verbs also have a passive form:

- in a sentence in the active voice, the person who performs an action (the agent) is the subject of the sentence (in the example above, Alessandro);
- in a sentence in the passive voice, the direct object (in the example above, *un nuovo libro*) becomes the subject that receives rather than performs the action, which is still performed by the agent (Alessandro).

The passive form is used to emphasize an action rather than the agent that performs it.

The passive form is constructed by using the verb essere + the past participle of the verb, which agrees in number and gender with the subject of the passive phrase. *Essere* is conjugated in the same tense as the active form and the preposition da precedes the name of the person that performs the action.

Tutti hanno letto il giornale.	➜ ACTIVE FORM
Il giornale è stato letto da tutti.	➜ PASSIVE FORM

Note: In the passive form, with simple tenses it is possible to use either the verb *essere* or *venire* (*Il nonno legge il giornale.* ➜ *Il giornale è/viene letto dal nonno.*); in compound tenses, however, only the verb *essere* is used (*Il giornale è stato letto dal nonno.*).

Pronouns and the passive form

In the transition from the active to the passive form:

- **direct pronouns** disappear and the past participle of the verb in the passive form agrees with the number and gender expressed by the pronoun in the active form:

ACTIVE FORM	➜	*Il direttore li ha chiamati.*
PASSIVE FORM	➜	*Sono stati chiamati dal direttore.*

- **indirect pronouns**, which were part of a combined pronoun, remain and the participle of the verb in the passive form agrees with the number and gender expressed by the pronoun in the active form, which has now disappeared:

ACTIVE FORM	➜	*Queste rose gliele ha date suo marito.*
PASSIVE FORM	➜	*Queste rose le sono state date da suo marito.*

The passive form with *dovere* and *potere*

The passive form of the modal verbs *dovere* and *potere* is formed as follows:

dovere/potere in the desired tense and mood + infinitive of *essere* + **past participle** of the verb

Luigi deve pagare il conto.	➜ *Il conto deve essere pagato da Luigi.*
Nessuno può fotografare quest'opera d'arte.	➜ *Quest'opera d'arte non può essere fotografata da nessuno.*

The passive form with *andare*

With simple tenses, the passive can also be formed with the verb andare:

> andare in the desired tense/mood + **past participle** of the verb

This construction expresses a sense of **necessity** and **obligation**:

• *Entro domani bisogna/dobbiamo pagare la bolletta del telefono.*	• *La bolletta del telefono va pagata/deve essere pagata entro domani.*
• Prima dei pasti bisogna/dobbiamo prendere la medicina.	• La medicina va/deve esser presa prima dei pasti.

Si passivante

It is also possible to construct a passive phrase using the si passivante:

> si + 3rd person singular or plural form of the verb

Characteristics:

- in this construction, no agent (the person who performs the action) is expressed, because the ***si passivante*** makes the sentence impersonal;
- this construction can also be used with modal verbs: si + 3rd person singular or plural of *dovere*, *potere* or *volere* + the infinitive verb, which also makes the sentence impersonal: *Il conto del ristorante deve essere pagato da Luigi. / Il conto del ristorante si deve pagare.*

To understand and distinguish between the ***si passivante*** and the ***si impersonale*** remember that:

- with the si passivante the verb will always agree with the subject that follows it: *In quel ristorante si mangia un'ottima pizza. / In quel ristorante si mangiano delle ottime pizze.*
- with the si impersonale no direct object follows the verb: *In quel ristorante si mangia molto bene.*

The *si passivante* in compound tenses

In sentences that require a compound tense, the *si passivante* is constructed as follows: si + auxiliary verb *essere* (in the appropriate mood and tense) + past participle of the verb that agrees with the subject of the sentence.

Il Governo ha costruito un nuovo stadio per le Olimpiadi.	→ *Un nuovo stadio per le Olimpiadi è stato costruito dal Governo.*
	→ *Si è costruito un nuovo stadio per le Olimpiadi.*

Indirect and direct discourse

When changing from direct discourse to indirect discourse, the main clause contains a verb such as *dire, affermare, domandare, rispondere, chiedere, osservare*, etc. and one or more secondary phrases is introduced by che: *Luigi dice ad Elena: «Domani andrò a Roma.»* ➔ *Luigi dice ad Elena che domani andrà a Roma.*

To change from direct to indirect discourse:

- when the verb in the main clause is in the past, the verbs in the secondary clause change according to these rules:

present indicative* ➔ imperfect indicative	*Elisa disse: «Gianni ha un bel cane.»* › *Elisa disse che Gianni aveva un bel cane.*
present indicative ➔ imperfect subjunctive	*Elisa ha chiesto a Gianni: «Cosa hai?»* › *Elisa ha chiesto a Gianni cosa avesse.*
present or future indicative ➔ past conditional	*Elisa ci ha promesso: «Non lo faccio/farò più.»* › *Elisa ci ha promesso che non lo avrebbe fatto più.*
present perfect indicative (*passato prossimo*) ➔ past perfect indicative (*trapassato prossimo*)	*Elisa disse: «Ho comprato un nuovo libro.»* › *Elisa disse che aveva comprato un nuovo libro.*
historical past (*passato remoto*) ➔ past perfect (*trapassato prossimo*)	*Elisa ha detto: «Feci tutto da sola.»* › *Elisa ha detto che aveva fatto tutto da sola.*
imperfect indicative ➔ imperfect indicative	*Elisa disse: «Da bambina ero molto timida.»* › *Elisa disse che da bambina era molto timida.*
past perfect indicative ➔ past perfect indicative	*Elisa mi disse: «Avevo preparato dei panini per il pic nic.»* › *Elisa mi disse che aveva preparato dei panini per il pic nic.*
future simple ➔ past conditional	*Elisa rispose: «Non mi sposerò mai.»* › *Elisa rispose che non si sarebbe mai sposata.*
present conditional ➔ past conditional	*Elisa disse: «Andrei io, ma non posso.»* › *Elisa disse che sarebbe andata lei ma non poteva.*
past conditional ➔ past conditional	*Elisa disse: «Sarei andata, ma non potevo.»* › *Elisa disse che sarebbe andata, ma non poteva.*
present subjunctive ➔ imperfect subjunctive	*Elisa ha detto: «Credo che lui non stia bene.»* › *Elisa ha detto che credeva che lui non stesse bene.*
imperfect subjunctive ➔ imperfect subjunctive	*Elisa ha detto: «Credevo che Ugo fosse italiano.»* › *Elisa ha detto che credeva che Ugo fosse italiano.*
past subjunctive ➔ past perfect subjunctive	*Elisa rispose: «Credo che Alice sia andata in ufficio.»* › *Elisa rispose che credeva che Alice fosse andata in ufficio.*

*When the effect of the action occurs in the present, the present indicative is used even if the main clause contains a verb in the past tense: *Elisa ha detto: «Giovanni è felice.»* ➔ *Elisa ha detto che Giovanni è felice.*

- Personal pronouns and possessive adjectives and pronouns in the 1st- and 2nd-person singular and plural change to the 3rd-person singular or plural:

io, tu ➔ lui/lei	*Elisa ha detto: «Io non vengo.»* › *Elisa ha detto che lei non viene.*
noi, voi ➔ loro	*I ragazzi dicono: «Noi ce ne andiamo.»* › *I ragazzi dicono che loro se ne vanno.*
mio/a/ei/e, tuo/a/oi/e ➔ suo/a/i/e	*Elisa dice a Maria: «Ti regalo il mio libro.»* › *Elisa dice a Maria che le regala il suo libro.*
nostro, vostro ➔ loro	*Le ragazze hanno detto: «Ci vediamo a casa nostra.»* › *Le ragazze hanno detto che ci vediamo a casa loro.*

- demonstrative adjectives and pronouns also change:

questo ➔ quello	*Elisa dice: «Voglio questa camicetta.»* › *Elisa dice che vuole quella camicetta.*

- when the verb in the main clause is in the past, adverbs of time and place also change:

ora (now, in this moment) ➔ allora (in that moment)	*Elisa ha detto: «Ora non posso telefonarti.»* › *Elisa ha detto che in quel momento non poteva telefonargli.*
ieri ➔ il giorno prima / il giorno precedente	*Elisa ha detto: «Ci siamo visti ieri.»* › *Elisa ha detto che si erano visti il giorno prima.*
oggi ➔ quel giorno	*Elisa ha detto: «Partirò oggi.»* › *Elisa ha detto che sarebbe partita quel giorno.*
domani ➔ il giorno dopo / il giorno seguente	*Elisa disse: «Arriverò domani.»* › *Elisa disse che sarebbe arrivata il giorno seguente.*
qui, qua ➔ lì, là	*Elisa ha detto: «Vi aspetto qui.»* › *Elisa ha detto che li aspettava lì.*
...fa ➔ ...prima	*Elisa ha detto: «Sono arrivata due ore fa.»* › *Elisa ha detto che era arrivata due ore prima.*
fra... ➔ ... dopo...	*Elisa disse: «Me ne vado fra un paio d'ore.»* › *Elisa disse che se ne andava dopo un paio d'ore.*

- other changes in the transition from direct to indirect discourse:

venire ➔ andare	*Elisa ha detto: «I ragazzi vengono al mare con me.» ❱ Elisa ha detto che i ragazzi andavano al mare con lei.»*
imperativo ➔ imperfect subjunctive/di + infinitive verb	*Elisa disse a Carla: «Va' dalla mamma!» ❱ Elisa disse a Carla che andasse dalla mamma. / Elisa disse a Carla di andare dalla mamma.*
question in the past ➔ se + subjunctive or indicative	*Le chiese: «Hai visto Marco?» ❱ Le chiese se avesse / aveva visto Marco.*
question in the future ➔ se + past conditional	*Mi ha chiesto: «Tornerai per cena?» ❱ Mi ha chiesto se sarei tornato/a per cena.*

When changing from direct to indirect discourse, the following do not change: the *indicative* and *subjunctive* moods of the *imperfect* and *past perfect*, *infinitive* verbs, *gerunds*, and *participles*. *«Andando a casa ho visto Alfredo.»* ➔ *Elisa disse che andando a casa aveva visto Alfredo.*

Hypothetical constructions in indirect discourse

When changing from direct to indirect discourse:

verb in the main clause in the past + 1st, 2nd, or 3rd type of hypothetical construction	➔	**verb in the main clause in the past + 3rd type of hypothetical construction**
Elisa disse: «Se vado in città cambierò lavoro.» *Elisa disse: «Se andassi in città cambierei lavoro.»* *Elisa disse: «Se fossi andata in città avrei cambiato lavoro.»*		*Elisa disse che se fosse andata in città avrebbe cambiato lavoro.*

If the verb in the main clause is in the present tense, none of the three types of hypothetical constructions change.

Unità 11

Indefinite moods

Gerunds, infinitives and participles are indefinite moods, meaning they do not indicate the person who completes the action. They not only function as verbs, but sometimes as adjectives and nouns.

The present gerund

1st conjugation (-are)	2nd conjugation (-ere)	3rd conjugation (-ire)
guardare	**leggere**	**partire**
guardando	leggendo	partendo

The gerund is invariable and expresses an action that occurs simultaneously to the action expressed in the main clause: *Uscendo dal cinema, ho incontrato Filippo.*

Some irregular gerunds: bere – bevendo, dire – dicendo, fare – facendo.

The past gerund

present gerund of the verb *avere* + **past participle** of the verb	present gerund of the verb *essere* + **past participle** of the verb
avendo guardato	essendo partito/a/i/e

The past gerund is a compound tense that expresses an action that occurred before the action of the main clause: *Essendo uscito prima dall'ufficio, sono andato in centro a fare spese.*

Uses of the gerund

The gerund is always used in secondary clauses and always expresses in action related to the main clause. The subject of the two clauses must be identical. The main functions of the gerund are:

present gerund	• **modal**: indicates how one behaves while completing an action. *È arrivato puntuale all'appuntamento, correndo.* • **instrumental**: indicates the instrument through which an action is completed. *Luisa è dimagrita, seguendo una dieta.* • **conditional**: indicates the necessary conditions for the action in the main clause to occur. *Continuando così, finiranno presto in carcere.*
present and past gerund	• **causal:** indicates the reason for which the action in the main clause was completed. *Conoscendo la persona, ho evitato di incontrarla. / Essendo stanco, decisi di non andare a teatro.* • **concessive:** when introduced by pur, the gerund is used to expressed an action that was completed inspite of the action in the main clause. *Pur essendo milanese, Fabio tifa per la Roma. / Pur avendo mangiato tanto, ho ancora fame.*

On rare occasions, the subject of a sentence with a gerund is different from that of the main clause, and it is necessary to state the subject: *Avendo i ragazzi gli esami, abbiamo rimandato il viaggio.*

The gerund is also used in the following constructions:

- *stare* + gerund: expresses the progressive aspect of an ongoing action. *Ora sto mangiando, ci vediamo tra un po'.*
- *andare* + gerund**:** expresses a progressive action with emphasis on its development. *Il paziente va migliorando.*

Direct, indirect, combined, and reflexive pronouns, and the particles *ci* and *ne*, attach to the end of the gerund: *Leggendo**lo** capì perché tutti gli consigliavano quel libro. / Essendo**si** svegliata prima, ha preparato la colazione.*

The present and past infinitive

The present infinitive

1st conjugation (-are)	2nd conjugation (-ere)	3rd conjugation (-ire)
guardare	leggere	partire

Past infinitive

infinitive of *essere* or *avere* + **past participle** del verbo

avere guardato	avere letto	essere partito

Uses of the infinitive

The present infinitive expresses an action that occurs simultaneously to or after the action expressed in the main clause: *Sono contento di partire. / Spero di partire la prossima settimana.*

The **present infinitive** can be used:

like a noun	➜	The infinitive behaves as the subject: *Camminare* [the act of walking] *fa bene. / Spesso sperare* [Hope] *aiuta a vivere meglio.*
in exclamatory or interrogative phrases	➜	*Parlare così a me?! / E ora, che fare? / Che dire?*
in instructions and negative commands	➜	*Compilare il modulo in tutte le sue parti. / Non fumare.*
in secondary clauses (di, a, da + infinitive)	➜	when the main clause and the secondary clause have the same subject, the infinitive can be used in the secondary clause: *Penso di invitare tutti i colleghi. / Giulio non è qui, è andato a comprare il latte.*
in final phrases (per + infinitive)	➜	in clauses that have the same subject as the main clause: *Sono andato via per non vederla.* [I left in order to avoid seeing her.]
in relative phrases	➜	*Se non sbaglio è stato Dario a parlarmene.* [If I'm not mistaken, it was Dario who spoke to me about it.] / *Sono sicuro: sei una persona di cui potermi fidare.* [I am certain that you are a person in whom I can place my trust.]
in conditional phrases (a + infinitive)	➜	in phrases that have the same subject as the main clause: *A giudicare dall'apparenza, si sbaglia.* [One is mistaken to judge by appearances.] / *A saperlo, sarei venuto anch'io con voi.* [If I had known, I would have come with you.]
in the construction fare + infinitive / lasciare + infinitive	➜	in these constructions, someone is urged or allowed to do something: *Ho fatto fare la torta a mia madre perché sapevo che sarebbe stata più buona. / Per la prima volta, ho lasciato andare i ragazzi da soli in vacanza.*
in the construction stare per + infinitive	➜	expresses an action that is about to take place: *Finalmente, le pizze stanno per arrivare.*

The **past infinitive** is used to express an action that occured before the action in the main clause. The past infinitive can be used:

in temporal phrases (dopo + past infinitive)	➜	in phrases that have the same subject: *Dopo aver mangiato, mi sono messo in viaggio. / Dopo aver finito l'università, ho trovato subito lavoro.*
in causal phrases (per + past infinitive)	➜	in phrases that have the same subject: *Abbiamo perso il treno per essere usciti tardi di casa.* [We missed the train, having left the house late.] / *Eravamo tanto stanchi per aver camminato tutto il giorno.* [We were very tired, having walked all day.]

Unstressed direct and indirect pronouns, along with the particles *ci* and *ne* and reflexive pronouns, always attach to the end of the infinitive, which loses its final -e: *Hai visto Andrea? Devo parlargli. / Non sono venuto alla tua festa perché c'era Elisabetta e non volevo incontrarla.*

Present and past participles

Present participle

1st conjugation (-are) **cantare**	2nd conjugation (-ere) **credere**	3rd conjugation (-ire) **uscire**
cantante/i	credente/i	uscente/i
Past participle		
cantato	creduto	uscito

Uses of the participle

The present participle can function as:

an adjective	➜	when it agrees in number and gender with the noun it describes: *In questa biblioteca ci sono tanti libri interessanti.*
a noun	➜	*È veramente una brava cantante.*
a verb	➜	used rarely in literary and bureaucratic contexts, the participle can be used to express an action that occurs simultaneously to the action in the main clause: *Una squadra vincente (che vince). / Il pezzo mancante (che manca).*

The past participle can have the following functions:

causal	→	*Bloccato nel traffico* [= since I was stuck in traffic], *sono arrivato in ritardo in ufficio.*
relative	→	*L'appartamento acquistato in centro* [= the apartment that I bought], *è stato un buon investimento.*
temporal	→	*(Once I have/As soon as I have) Raccontatagli tutta la verità, me ne andrò* [I will leave only after I have told them the truth.].
adjectival (as an adjective)	→	*La lettura è il mio passatempo preferito. / È un bellissimo libro illustrato.*
nominal (as a noun)	→	*Io vorrei un fritto di pesce. / Tutti i partiti hanno votato questa legge ingiusta.*

Characteristics:

The past participle of a transitive verb has a passive function: *I ladri, sorpresi dalla polizia, si sono dati alla fuga* [= Appena i ladri sono stati sorpresi dalla polizia, si sono dati alla fuga.]. / *Alla riunione convocata per domani, parteciperanno quasi tutti i condomini* [= Alla riunione che è stata convocata per domani, parteciperanno quasi tutti i condomini.].

In compound tenses of verbs that take the auxiliary *avere*, the past participle does not agree with the subject and is invariable: *Silvia ha scritto questa canzone per te. Ti piace?*

However, when the direct object is replaced by *ne* or an unstressed direct object in the third person (*lo, la, li* e *le*) the past participle must agree in number and gender with the pronoun: *I libri che avevo preso in vacanza li ho letti tutti.*

When the direct object of the phrase is replaced by the unstressed pronouns *mi, ti, ci* and *vi*, agreement with the pronoun is optional: *Beatrice vi ha incontrato / incontrati?*

Modified nouns

The suffixes used to modify a noun do not substantially change its meaning, but rather modify its dimension (small – diminutive, large – augmentative) and value (positive – affectionate, negative – pejorative). Often, the same modified noun can assume different meanings based on the context and sentimental value attributed to it by the speaker. For example, augmentative forms can have a pejorative connotation, and diminutive forms can be used either affectionately (manina, casetta) or to comment negatively on the relative unimportance of something (romanzetto).

Here are the most common suffixes used to modify nouns:

Diminutive			
-ino/a	➜ formica - formichina	-ello/a	➜ albero - alberello
-etto/a	➜ camera - cameretta	-icello/a	➜ vento - venticello
-icci(u)olo/a	➜ porto - porticciolo	-olino/a	➜ sasso - sassolino
-olo/a	➜ montagna - montagnola		

Augmentative			
-one/a	➜ mano - manona	-acchione/a	➜ furbo - furbacchione

Pejorative			
-accio/a	➜ cappello - cappellaccio	-astro/a	➜ dolce - dolciastro
-aglia	➜ gente - gentaglia	-ucolo/a	➜ poeta - poetucolo
-uncolo/a	➜ ladro - ladruncolo	-iciattolo/a	➜ fiume - fiumiciattolo
-uccio/a	➜ avvocato - avvocatuccio		

Terms of endearment			
-uccio/a	➜ caldo - calduccio	-uzzo/a	➜ pietra - pietruzza
-otto/a	➜ passero - passerotto	-acchiotto/a	➜ lupo - lupacchiotto

Unique features of modified nouns

- Multiple suffixes: borsa ➜ bors-ett-ina, tavolo ➜ tavol-in-etto, fiore ➜ fior-ell-ino, uomo ➜ om-acci-one.
- In nouns that end in -one, with the dimunitive -ino, a -c- is added between the root and the suffix: leone ➜ leoncino, cannone ➜ cannoncino, padrone ➜ padroncino.
- Nouns that end in -cio (when the i is not stressed), with the diminutive -etto, lose the i: bacio – bacetto.
- Sometimes with the augmentative suffix -one, the gender of the noun changes: la febbre ➜ il febbrone, la barca ➜ il barcone.
- The pejorative suffix -aglia can sometimes change the noun into a collective noun: ferro - ferraglia.
- The stems of some nouns change when they are modified: uomo ➜ omone, cane ➜ cagnone / cagnolino.
- Sometimes the suffix -ello is not attached directly to the noun but is preceded by -(i)c- and -er- or -ar-: fuoco ➜ fuoch-er-ello, campo ➜ camp-ic-ello, pazza ➜ pazz-er-ella.
- Sometimes the suffix -ino is not attached directly to the noun but is preceded by -(i)c(c)- or -ol-: bastone ➜ baston-c-ino, libro ➜ libr-ic(c)-ino, topo ➜ top-ol-ino.

There are nouns that look like modified nouns but are not (falsi alterati), such as: *collina*, *focaccia*, *burrone*, *lampone*, *fumetto*, *lupino*, *limone*, *mulino*, *forchetta*, *rubinetto*, *rapina*, *tacchino*, *bottone*.

Abbreviations

interiez.	*interjection*
avv.	*adverb*
inf.	*infinitive*
part. pass.	*past participle*
pron.	*pronoun*
m.	*masculine*
f.	*feminine*
plur.	*plural*
sing.	*singular*
cong.	*conjunctionsing*

This glossary includes all the new words found in the units 6-11 of the Student's Book and Workbook. The words marked with an asterisk refer to the texts of the audio tracks.

The words higlighted in blue are the words that appear in the objectives at the beginning of every unit and in the instructions to the activities in the Student's Book and Workbook.

Unità 6
Andiamo all'opera

Per cominciare...

1

opera lirica, l' (*f.*): opera

3

canto lirico, il (*m.*): opera singer
Gran Galà dell'Opera, il (*m.*): Grand Opera Gala

In questa unità impariamo...

prevenzione, la (*f.*): prevention
imperativo indiretto (o di cortesia), l' (*m.*): indirect imperative (courtesy)
aggettivo indefinito, l' (*m.*): indefinite adjective
pronome indefinito, il (*m.*): indefinite pronoun

A Non me la voglio perdere!

1

vediamo cosa danno: Let's see what's on
in assoluto: absolute
dal vivo: live
interprete, l' (*m./f.*): actor
indimenticabile, (*m./f.*): unforgettable
mi sa che: I think that
direttore d'orchestra, il (*m.*): conductor
corso di canto, il (*m.*): singing lessons
passatempo, il (*m.*): pastime

2

elemento, l' (*m.*): phrases
scopo comunicativo, lo (*m.*): communicative function
eccessivo, (*m.*): exaggerated
ripetizione, la (*f.*): repetition
rafforzare, *inf.*: strengthen

3

tosse, la (*f.*): cough
tenerci: looking forward to it
vitamina, la (*f.*): vitamin
colpo d'aria, il (*m.*): caught a draught
rimborso, il (*m.*): refund

7

***in privato**: *in private
***semaforo**, il (*m.*): *traffic light
***ritirare**, *inf.*: *collect
***analisi del sangue**, le (*f.*): *blood tests

B Non mi sento bene!

1

autodiagnosi, l' (*f.*): self-diagnosis
prevenire, *inf.*: prevent
antibiotico, l' (*m., pl.* gli antibiotici): antibiotic
semplificare, *inf.*: simplify
medico di se stesso, il (*m.*): one's own doctor
sintomo, il (*m.*): symptom
segnale, il (*m.*): signs
digerire, *inf.*: digest
mal di testa, il (*m.*): headache
intollerante, (*m./f.*): intolerance
particolarmente, *avv.*: particularly
anemia, l' (*f.*): anaemia
prescrivere, *inf.*: prescribe
pelle secca, la (*f.*): dry skin
sensibile, (*m./f.*): sensitive
arrossarsi, *inf.*: redden
detergente, il (*m.*): detergent
bagnoschiuma, il (*m.*): bubble bath, shower gel
irritare, *inf.*: irritate
resistenza agli antibiotici, la (*f.*): resistance to antibiotics
emergenza mondiale, l' (*f.*): global emergency
scoperta scientifica, la (*f.*): scientific discovery
ridurre, *inf.*: reduce
infezione, l' (*f.*): infection
batterio, il (*m.*): bacteria
resistente, (*m./f.*): resistant
efficace, (*m./f.*): effective
allevamento di animali, l' (*m.*): breeding farms
malattia virale, la (*f.*): viral illnesses
virus, il (*m., pl.* i virus): virus
inutilizzato, (*m.*): unused
terapia, la (*f.*): treatment
scaduto, (*m.*): out of date
acquistare, *inf.*: buy
prescrizione medica, la (*f.*): medical prescription
dose, la (*f.*): dose

2

efficacia, l' (*f.*): effectiveness
paziente, il/la (*m./f.*): patient
abuso di medicinali, l' (*m.*): abuse of medication
problema alimentare, il (*m.*): dietary problem
causare, *inf.*: cause
seccare, *inf.*: dry out
consigliabile, (*m./f.*): advisable

3

mal di pancia, il (*m.*): stomach ache

4

casa di cura, la (*f.*): health clinic (can also mean care home)
ugualmente, *avv.*: all the same
visita medica, la (*f.*): medical examination
accurato, (*m.*): in depth
rassicurante, (*m./f.*): reassuring
infermiere, l' (*f.* l'infermiera): male nurse
discorrere, *inf.*: chat

a seconda della gravità: according to the severity
trascurare, *inf.*: overlook
affezione, l' (*f.*): disease
rasserenare, *inf.*: reassure
incline a, (*m./f.*): inclined to
assegnare, *inf.*: place
scrupolosamente, *avv.*: scrupulously
guarire, *inf.*: get better
rapidamente, *avv.*: quickly
ciononostante, *cong.*: nonetheless
stazionario, (*m.*): stationary
capo-infermiere, il (*m.*): head nurse
in via puramente amichevole: out of friendship
confortevole, (*m./f.*): comfortable
inchino, l' (*m.*): bow
procedere, *inf.*: go ahead
voce attenuata, la (*f.*): soft voice
trascurabile, (*m./f.*): to be overlooked
provvisorio, (*m.*): provisional
affrettarsi, *inf.*: hurry
di colpo: all of a sudden
aprir bocca, *inf.*: open one's mouth
in atto di protesta: in protest

5

calma, la (*f.*): calmly

6

portatile, il (*m.*): laptop

7

spunto di riflessione, lo (*m.*): question
diagnosi fai-da-te, la (*f.*): DIY diagnosis
specialista, lo/la (*m./f.*): specialist

C Giri a destra!

5

allergico, (*m.*, *pl.* allergici): allergic

D Alla scala

1

fischiato, *part. pass.*: booed, hissed
palco, il (*m.*): stage
sostituto, il (*m.*): replaced

2a

***colpo di scena**, il (*m.*): *dramatic turn of events
***al termine**: *at the end
***aria**, l' (*f.*): *aria
***fischio**, il (*m.*, *pl.* i fischi): *boo, hiss
***loggione**, il (*m.*): *gallery
***tenore**, il (*m.*): *tenor
***subentrare**, *inf.*: *step in
***vestito in abiti civili**: *dressed in ordinary clothes
***indossare**, *inf.*: *wear
***atto**, l' (*m.*): *act
***applausi**, gli (*m.*): *applause
***disapprovazione**, la (*f.*): *disapproval
***intervallo**, l' (*m.*): *interval
***sovrintendente**, il/la (*m./f.*): *CEO
***rincrescimento**, il (*m.*): *remorse, regret
***accaduto**, l' (*m.*): *had happened
***considerazione**, la (*f.*): *observation
***applausi scroscianti**, gli (*m.*): *thunderous applause
***maestro**, il (*m.*): *maestro
***a caldo**: *in the heat of the moment
***produttore**, il (*m.*): *producer

3

sceneggiata, la (*f.*): scene
attaccare, *inf.*: attack
mondanità, la (*f.*): high society
fare entrare nella leggenda: to make history
gradire, *inf.*: enjoy
competenza, la (*f.*): competence
direzione di palcoscenico, la (*f.*): stage director
gettare, *inf.*: throw (in at the deep end)
umbro, (*m.*): from Umbria
vergogna, la (*f.*): shame
rivolto, (*m.*): aimed
platea, la (*f.*): stalls
primo tempo, il (*m.*): first half
perplesso, (*m.*): perplexed
manifestare, *inf.*: explain
riscaldamento, il (*m.*): warming up
ripagare, *inf.*: repaid
buttare, *inf.*: throw
professionista, il/la (*m./f.*): professional
direzione artistica, la (*f.*): artistic director
di corsa: immediately, in a rush

4

gradimento, il (*m.*): liking
sfida, la (*f.*): challenge

5

patatine fritte, le (*f.*): chips, fries

6a

trasmissione radiofonica, la (*f.*): radio show
***ascoltatore/ascoltatrice**, l' (*m./f.*): *listener
***melodramma**, il (*m.*): *melodrama
***bel canto**, il (*m.*): *bel canto
***Linguistica**, la (*f.*): *Linguistic
***terminologia tecnica**, la (*f.*): *technical terminology
***fondersi**, *inf.*: *mix
***regolarizzarsi**, *inf.*: *become natural
***dovunque**, *avv.*: *everywhere
***studiosi d'opera**, gli (*m.*): *opera scholars
***letteralmente**, *avv.*: *literally
***inventare**, *inf.*: *invented
***divulgare**, *inf.*: *divulged
***italianità**, l' (*f.*): *Italianess
***veicolo**, il (*m.*): *vehicle
***maltrattato**, (*m.*): *badly treated
***ahimè**, *interiez.*: *alas
***dannarsi**, *inf.*: *drive oneself crazy
***stimolo**, lo (*m.*): *stimulus
***raccogliere**, *inf.*: *take it in, accept

6b

srimpianto, il (*m.*): regret
differenziarsi, *inf.*: different

E Vocabolario e abilità

1

scollirio, il (*m.*): eye drops
dolori muscolari, i (*m.*): muscle ache
applicare, *inf.*: apply
pomata, la (*f.*): cream
sala d'attesa, la (*f.*): waiting room
taglio, il (*m.*): cut
ambulatorio medico, l' (*m.*): health clinic
pillola, la (*f.*): tablet

3a

disdire, *inf.*: cancel
botteghino, il (*m.*): ticket office
dipendente, il/la (*m./f.*): employee

4

sfastidioso, (*m.*): annoying
fare fatica a respirare: find it difficult to breathe
occhi gonfi, gli (*m.*): puffy eyes
rimedio, il (*m.*): remedy

Conosciamo l'Italia

Tutti all'opera (lirica)!

1

barbiere, il (*m.*): barber
opera buffa, l' (*f.*): funny opera
argomento comico, l' (*m.*): comical topic
messa in scena: stage
tuttofare, il (*m.*): jack of all trades
travestimento, il (*m.*): disguise
tutto è bene quel che finisce bene: all's well that ends well
opera drammatica, l' (*f.*): dramatic opera
ispirato a, (*m.*): inspired by
corte, la (*f.*): court
borghese, il/la (*m./f.*): nobleman
costringere, *inf.*: force
separazione, la (*f.*): separation
pentimento, il (*m.*): repentance, regret
fuggitivo, il (*m.*): fugitive
corteggiare, *inf.*: court
imprigionare, *inf.*: imprison
fucilato, (*m.*): shot

storia d'amore ostacolata, la (*f.*): love story full of obstacles

I giovani e la lirica: due mondi lontani

2

fama internazionale, la (*f.*): international fame
riquadro, il (*m.*): box
pinguino, il (*m.*): penguin
auricolari, gli (*m.*): earphones
musicista, il/la (*m./f.*): musician

Ma qual è la lingua delle opere liriche?

sottotitolo, il (*m.*): subtitle

Autovalutazione

4

applaudire, *inf.*: applause

Quaderno degli esercizi
Unità 6

4

naso che cola: runny nose
misurarsi la febbre: take one's temperature
allergia stagionale, l' (*f.*): seasonal allergy
in effetti: in fact

6

coordinatore/coordinatrice, il/la (*m./f.*): coordinator

7

indeciso, (*m.*): undecided
destinazione, la (*f.*): destination
fortunatamente, *avv.*: luckily
abbassare, *inf.*: lower
vetro, il (*m.*): window

9

fotocopiatrice, la (*f.*): photocopier
momenti di pausa, i (*m.*): break

11

fare due chiacchiere: have a chat

16

forma d'arte, la (*f.*): art form
distrutto dal dolore, (*m.*): sick with grief
comodamente, *avv.*: comfortably
rubrica, la (*f.*): column
puntare sulla tecnologia: focus on technology
visita guidata, la (*f.*): guided tours
interattivo, (*m.*): interactive
applicazione, l' (*f.*): app
un paio di cuffie: earphones
orientarsi, *inf.*: find your way
mappa interattiva, la (*f.*): interactive map
contributo, il (*m.*): addition

18

fare merenda, *inf.*: have a snack

19

entusiasmare, *inf.*: enthuse
tenere a qualcosa, *inf.*: look after something
qualificato, (*m.*): qualified
soprano, il (*m.*): soprano

20

debutto ufficiale, il (*m.*): official debut
debuttare, *inf.*: debut
esigente, (*m./f.*): demanding
***fare ritorno**: *make a comeback
***allievo**, (*m.*): *pupil
***Conservatorio**, il (*m.*): *music academy
***imprenditore**, l' (*m.*): *entrepreneur
***esibirsi**, *inf.*: *perform
***scandalosa relazione**, la (*f.*): *scandalous relationship
***recita**, la (*f.*): *performance
***cifre astronomiche**, le (*f.*): *enormous figures
***apparizione**, l', (*f.*): *performance
***rivincita**, la (*f.*): *payback
***gioventù**, la (*f.*): *youth
***intrecciare**, *inf.*: *starts
***lato**, il (*m.*): *side
***attacco cardiaco**, l' (*m.*): *heart attack
***ceneri**, le (*f.*): *ashes
***discografia**, la (*f.*): *discography
***filmato**, il (*m.*): *video recordings
***immediatamente**, *avv.*: *immediately
***riconoscibile**, (*m./f.*): *recognisable
***insuperabile**, (*m./f.*): *unbeatable

Test finale

B

pianificare, *inf.*: plan
idratarsi, *inf.*: hydrate oneself
asciugamano, l' (*m.*): towel
a voce alta: loudly

2° test di ricapitolazione

F

socio, il (*m.*, *pl.* i soci): partner

Unità 7
Andiamo a vivere in campagna

Per cominciare...

2

aria pulita, l' (*f.*): clean air
inquinamento, l' (*m.*): pollution
smog, lo (*m.*): smog

4

in compenso: in return
non c'entra: it has nothing to do with
ecologia, l' (*f.*): ecology

In questa unità impariamo...

annuncio immobiliare, l' (*m.*): property advertisement
impatto ambientale, l' (*m.*): environmental impact
riciclaggio, il (*m.*): recycling
problema ambientale, il (*m.*): environmental problem
vivibilità di una città, la (*f.*): liveability of a city
pianeta, il (*m.*): planet
coscienza ecologica, la (*f.*): ecological conscience
congiuntivo imperfetto, il (*m.*): imperfect subjunctive
congiuntivo trapassato, il (*m.*): past perfect subjunctive
bellezze naturali, le (*f.*): natural beauties
sensibilità ambientale, la (*f.*): environmental awareness

A Vivere fuori città

1

in periferia: on the outskirts
a portata di mano: to hand
ecologista, (*m./f.*): ecologist
all'ora di punta: at rush hour
non ci faccio caso: I don't take much notice
agriturismo, l' (*m.*): agritourism

3

caos, il (*m.*): chaos

4

prendere contatti: get in touch with
agenzia immobiliare, l' (*f.*): estate agent's
prendere in affitto: rent
stufo, (*m.*): fed up
caotico, (*m.*, *pl.* caotici): chaotic

B Cercare casa

1

metri quadrati, i (*m.*): square metres
riscaldamento autonomo, il (*m.*): autonomous heating
ristrutturato, (*m.*): renovated
arredato/ammobiliato, (*m.*): furnished

2

affittasi: to rent/to let
bilocale, il (*m.*): two-room apartment
soggiorno, il (*m.*): lounge
box auto, il (*m.*): garage
trilocale, il (*m.*): three room apartment
ampio, (*m.*): large
interni da ristrutturare, gli (*m.*): interior needs renovating
palazzo d'epoca ben tenuto, il (*m.*):

well-kept period building
parte abitativa, la (*f.*): living quarters
vano, il (*m.*): room
cucina abitabile, la (*f.*): kitchen (which is big enough to eat in)
doppi servizi, i (*m.*): two bathrooms
terrazza con vista, la (*f.*): terrace with a view
trattabile, (*m./f.*): negotiable
monolocale, il (*m.*): studio flat
zona residenziale, la (*f.*): residential area
angolo cottura, l' (*m.*): corner kitchen
posto auto, il (*m.*): parking space

3

legno, il (*m.*): wood
ferro, il (*m.*): iron
ceramica, la (*f.*): ceramic
cemento, il (*m.*): cement

C Nessun problema...

1

pista ciclabile, la (*f.*): cycle lane
***sistemarsi**, *inf.*: *move in
***spostamento**, lo (*m.*): *commute
mobilità sostenibile, la (*f.*): sustainable mobility
servizi green, i (*m.*): environmentally friendly services
inquinare, *inf.*: pollute
Organizzazione Mondiale della Sanità, l' (*f.*): World Health Organisation
dati più allarmanti, i (*m.*): most alarming data
re-inventarsi, *inf.*: re-invent
centro urbano, il (*m.*): city centre
metropoli, la/le (*f.*): metropolis

6

mobilità condivisa, la (*f.*): shared mobility
monopattino elettrico, il (*m.*): electric scooter
estremamente, *avv.*: extremely
rigorosamente, *avv.*: rigorously
stabilmente, *avv.*: stably

D Vivere in città

2

classifica, la (*f.*): league table
raccolta differenziata, la (*f.*): recycling waste
area verde, l' (*f.*): green area
***aggiudicarsi**, *inf.*: *win
***dispersione dell'acqua**, la (*f.*): *water dispersion
***rifiuti**, i (*m.*): *rubbish
***ambiente urbano**, l' (*m.*): *urban environment
***concentrazione di biossido di azoto**, la (*f.*): *level of nitrogen dioxide
***polveri sottili**, le (*f.*): * fine dust particles
***isola pedonale**, l' (*f.*): *pedestrian areas
***energia solare**, l' (*f.*): *solar energy
***rete idrica**, la (*f.*): *water supply
***depurazione**, la (*f.*): *purification

3

guarire, *inf.*: to recover
prato, il (*m.*): lawn
collina, la (*f.*): hill
distante, (*m./f.*): far
tragitto, il (*m.*): journey
viale, il (*m.*): avenue
capolinea, il (*m.*): end of the line
mettersi in marcia: start to walk
fiorire, *inf.*: bloom
tiepido, (*m.*): warm
spaesato, (*m.*): disoriented, lost
staccarsi di dosso: shake off
muffa, la (*f.*): mould
macchie di umido, le (*f.*): damp spots
dorato, (*m.*): golden
immedesimato, (*m.*): identify with
masticare, *inf.*: chew
cresta, la (*f.*): top
laggiù, *avv.*: down there
ragnatela, la (*f.*): spiderweb
rotolare, *inf.*: roll
filo di vento, il (*m.*): a bit of wind

5

riciclare, *inf.*: recycle

E Salviamo la Terra!

1

copertina, la (*f.*): front cover
mensile, il (*m.*): monthly
mettere in evidenza: highlight

2a

fenomeni estremi, i (*m.*): extreme phenomena
riscaldamento globale, il (*m.*): global warming
siccità, la (*f.*): drought
desertificazione, la (*f.*): desertification
innalzamento del livello del mare, l' (*m.*): rising sea levels
scioglimento dei ghiacciai, lo (*m.*): melting of the ice caps
incendio, l' (*m.*): fire
alluvione, l' (*f.*): flood
fenomeni atmosferici estremi, i (*m.*): extreme atmospheric events

2b

infografica, l' (*f.*): infographic
ciclo dell'acqua, il (*m.*): water cycle
riscaldamento climatico, il (*m.*): climate change
evaporazione del mare, l' (*f.*): evaporation of sea water
rivoluzione industriale, la (*f.*): industrial revolutio
condensazione, la (*f.*): condensation
vapore acqueo, il (*m.*): water vapour
temporale, il (*m.*): storm
penetrare, *inf.*: penetrate
suolo, il (*m.*): soil
nevicata, la (*f.*): snow
sottosuolo, il (*m.*): subsoil

3

vivibile, (*m./f.*): liveable

5

allenatore, l' (*m.*): coach

F Vocabolario e abilità

1

ecosostenibile, (*m./f.*): eco-friendly
danneggiare, *inf.*: harm
energia rinnovabile, l' (*f.*): renewable energy
deforestazione, la (*f.*): deforestation
sprecare cibo: waste food
cotone organico, il (*m.*): organic cotton
pannello solare, il (*m.*): solar panels

Conosciamo l'Italia

Le meraviglie naturali d'Italia

1

monti pallidi, i (*m.*): pale mountains
catena montuosa, la (*f.*): mountain chain
tramonto, il (*m.*): sunset
frattura, la (*f.*): rift
specie protetta, la (*f.*): protected species
suggestivo, (*m.*): evocative
lunare, (*m./f.*): moon-like
tutelato, (*m.*): protected
bocca (del vulcano), la (*f.*): mouth (of the volcano)
altitudine, l' (*f.*): altitude
grotta, la (*f.*): cavern
scogliera, la (*f.*): cliff

Quanto sono "verdi" gli italiani?

2

elettrodomestico a basso consumo, l' (*m.*): energy saving appliance

Quaderno degli esercizi
Unità 7

1

alterazione, l' (*f.*): change
territorio, il (*m.*): territory

7

traslocare, *inf.*: move house

8

indescrivibile, (*m./f.*): indescribable
mercato rionale, il (*m.*): local market

10

coltivabile, (*m./f.*): that can be cultivated
agricoltore, l' (*m.*): farmer
condominio, il (*m.*): block of flats
intraprendere, *inf.*: undertake
copertura, la (*f.*): coverage
gradualmente, *avv.*: gradually
piantare, *inf.*: plant
azione etica, l' (*f.*): ethical action

13

calorosamente, *avv.*: warmly
mutuo, il (*m.*): mortgage
pessimismo, il (*m.*): terrible

14

lanciare un appello: launch an appeal
ondata di caldo, l' (*f.*): heat wave
inondazione, l' (*f.*): flood
uragano, l' (*m.*): hurricane
devastare, *inf.*: devastate
provvedimenti, i (*m.*): measures
fronteggiare, *inf.*: deal with
climatologo, il (*m.*): climatologist

17

struttura eco-sostenibile, la (*f.*): eco-friendly property
ripartire da zero: start from scratch
essere arrivata al limite: reached breaking point
istinto, l' (*m.*): instinct
casa di sassi, la (*f.*): house made of stones
paesaggio incontaminato, il (*m.*): uncontaminated countryside
motto, il (*m.*): motto
villaggio sperduto, il (*m.*): isolated village
corrente, la (*f.*): electricity
acqua potabile, l' (*f.*): drinking water
avere il pallino per l'imprenditoria: entrepreneurial ambition
impianto fotovoltaico, l' (*m.*): solar power system
solare termico, il (*m.*): solar heating
biomassa, la (*f.*): biomass
spreco, lo (*m.*): waste
impatto ecologico, l' (*m.*): ecological impact
bioedilizia, la (*f.*): green construction
permacultura, la (*f.*): permaculture
compost, il (*m.*): compost

18

posticipare, *inf.*: delay
canone d'affitto, il (*m.*): rent
bolletta, la (*f.*): bill
priorità, la (*f.*): priority
metratura, la (*f.*): surface area

19

associazione ambientalistica, l' (*f.*): environmental association
energia nucleare, l' (*f.*): nuclear energy
in via di estinzione: at risk of extinction
naturalista, il/la (*m./f.*): naturalist
purificazione delle acque, la (*f.*): purification of water
***conservazione della natura**, la (*f.*): *wildlife conservation
***consorte**, il/la (*m./f.*): *consort
***panda gigante**, il (*m.*): *giant panda
***su sfondo**: *background
***associato**, l' (*m.*): *member
***Presidente emerito**, il (*m.*): *President Emeritus
***cervo sardo**, il (*m.*): *Sardinian deer
***appoggiare**, *inf.*: *support
***sostenibilità**, la (*f.*): *sustainability
***biodiversità**, la (*f.*): *biodiversity
***risorse naturali rinnovabili**, le (*f.*): *natural renewable resources
***focalizzato**, (*m.*): *focussed
***tema prioritario**, il (*m.*): *topic with priority
***oceano**, l' (*m.*): *ocean
***costa**, la (*f.*): *coast
***specie in pericolo**, la (*f.*): *endangered species
***agente chimico tossico**, l' (*m.*): *toxic chemical agents

Test finale

B

pienamente d'accordo: completely agree
scelta radicale, la (*f.*): radical choice

C

dannoso, (*m.*): harmful

Unità 8
Tempo libero e tecnologia

Per cominciare...

3

per colpa di: because of, due to
social network, i (*m.*): social network
esagerare, *inf.*: exaggerate

In questa unità impariamo...

complimentarsi con qualcuno: congratulate someone
fare ipotesi: make hypotheses
realizzabile, (*m./f.*): achievable
approvazione, l' (*f.*): approval
disapprovazione, la (*f.*): disapproval
pro e contro, i (*m.*): pros and cons
periodo ipotetico, il (*m.*): conditional tense
inventore, l' (*m.*): inventor

A Se avessi voluto sentire delle critiche...

1

spiare, *inf.*: spy on
evidente, (*m./f.*): obvious
staccare per un po': relax a bit
mica posso isolarmi: I can't isolate myself
che c'entra?: what's that got to do with it?
rompiscatole, il/la (*m./f.*): pain in the butt
vita sociale, la (*f.*): social life

2

arrestare, *inf.*: arrest

3

dichiarare, *inf.*: declared
fotocamera, la (*f.*): camera
gestire, *inf.*: manage
perdita di tempo, la (*f.*): waste of time
scorrere le pagine Facebook: scroll through Facebook pages
tagliare le ali: clip someone's wings

6

scaricare (un'applicazione), *inf.*: download (an app)

8a

librone, il (*m.*): big book
polveroso, (*m.*): dusty
lassù, *avv.*: up there
scaffale, lo (*m.*): shelf
bensì, *cong.*: but rather
pennellata, la (*f.*): brush stroke
cornice, la (*f.*): frame
adeguato, (*m.*): suitable
spesso, (*m.*): thick
opaco, (*m.*): opaque
riflettere, *inf.*: reflects
esposto, (*m.*): exhibited

B Complimenti!

1

***congratulazioni**: *congratulations
***era ora**: *it was about time
***tassa**, la (*f.*): *tax
***assurdo**, (*m.*): *crazy

3

sciopero generale, lo (*m.*): general strike
torneo, il (*m.*): tournament

4

impossibilità, l' (*f.*): impossibility
improbabile, (*m./f.*): improbable

irrealizzabile, (*m./f.*): unachievable
5
riunione, la (*f.*): meeting
6
riepilogo, il (*m.*): summary
C Non toglietemi lo smartphone!
2
uso sano del cellulare, l' (*m.*): healthy use of mobiles
indispensabile, (*m./f.*): necessary
3
liberarsi, *inf.*: free oneself from
disattivare, *inf.*: cancel
incollato, (*m.*): glued
biancoblu, (*m.*): blue and white
abbondante vita sociale, l' (*f.*): rich social life
tanto tempo a disposizione: lots of time to spare
scrollare, *inf.*: scroll
dipendenza, la (*f.*): dependency
dito indice, il (*m.*): index finger
accarezzare, *inf.*: strokes
visualizzare, *inf.*: visualise
a cascata: cascade
aggiornamento, l' (*m.*): update
notifica, la (*f.*): notification
giocare la carta del senso di colpa: play the guilt card
vacillare, *inf.*: waver
numeroso, (*m.*): numerous
riscoprire, *inf.*: rediscover
intento, (*m.*): focussed
far notare qualcosa a qualcuno: make someone notice something
canoa, la (*f.*): canoe
bacheca, la (*f.*): wall
timore, il (*m.*): fear
virale, il (*m.*): viral
venire a conoscenza, *inf.*: come to know about
soddisfazione, la (*f.*): satisfaction
versione, la (*f.*): version
ambito, (*m.*): wanted
effetto megafono, l' (*m.*): megaphone effect
passaparola, il (*m.*): word of mouth
intrusivo, (*m.*): intrusive
esito, l' (*m.*): outcome
stringere la mano, *inf.*: shake hands with
pregi e difetti, i (*m.*): pros and cons
5
patologia, la (*f.*): pathology, disease
6
***di giorno e di notte**: *by day and night
***denaro**, il (*m.*): *money
***trucco**, il (*m.*): *cheat
***venire privato di qualcosa**: *to have something taken away from you
***furia**, la (*f.*): *anger
***placare**, *inf.*: *calm
***asociale**, (*m./f.*): *antisocial
***specie**, *avv.*: *especially
***per lo più**: *mostly
***potente**, (*m./f.*): *powerful
***consapevolezza**, la (*f.*): *awareness
***fidelizzazione**, la (*f.*): *loyalty building
***tenera età**, la (*f.*): *young age
***approccio**, l' (*m.*): *approach
***sindrome**, la (*f.*): *syndrome
***adrenalina**, l' (*f.*): *adrenaline
***consapevole**, (*m./f.*): *aware
***reazione inconsulta**, la (*f.*): *sudden, rash reaction
***capriccio**, il (*m.*): *tantrum
***idoneo**, (*m.*): *suitable
7
pleonastico, (*m.*): pleonastic (more words than are necessary)
D Sempre connessi
1
pagina web promozionale, la (*f.*): promotional web page
connessione, la (*f.*): connection
illimitato, (*m.*): unlimited
fibra, la (*f.*): fibre optic
seminario, il (*m.*): seminar
conferenza, la (*f.*): conference
videoconferenza, la (*f.*): video conference
5
innovazione tecnica, l' (*f.*): technical innovation
6
piattaforma, la (*f.*): platform
abbonamento, l' (*m.*): subscription
tesi, la (*f.*): theory
uccidere, *inf.*: kill
smentire, *inf.*: prove wrong
frequenza, la (*f.*): attendance
abitualmente, *avv.*: regularly
determinare, *inf.*: determine
analista, l' (*m./f.*): analyst
secondo le sue stime: according to his/her predictions
stabilire, *inf.*: establish
dati statistici, i (*m.*): statistical data
dato oggettivo, il (*m.*): objective data
investire, *inf.*: invest
cifra esorbitante, la (*f.*): huge sum
lodare, *inf.*: praise
interamente, *avv.*: completely
deleterio, (*m.*): damaging
pericolosità, la (*f.*): danger
britannico, (*m., pl.* britannici): British
al pari: equal to
sottile, (*m./f.*): subtle
determinante, (*m./f.*): crucial
distribuzione del film, la (*f.*): distribution of the film
sfondare il botteghino: beat box office records
generare profitto: make a profit
abbonato, l' (*m.*): subscriber
entrata fissa, l' (*f.*): regular profit
E Vocabolario e abilità
1a
chiavetta USB, la (*f.*): USB flash drive
stampante, la (*f.*): printer
cavo/filo, il (*m.*): lead/cable
tastiera, la (*f.*): keyboard
1b
cartella, la (*f.*): file
batteria, la (*f.*): battery
tasto, il (*m.*): key
(la batteria) si scarica, *inf.*: (the battery) goes flat
2
obbligo, l' (*m.*): dare
in maniera errata: wrongly
4
scheda SIM, la (*f.*): SIM card
negozio di telefonia, il (*m.*): phone shop
5
assistenza, l' (*f.*): customer service
Conosciamo l'Italia
L'Italia e la scienza
1
contributo, il (*m.*): contribution
progresso dell'umanità, il (*m.*): progression of humanity
scenografo, lo (*m.*): scenographer
innumerevole, (*m./f.*): innumerable
macchina idraulica, la (*f.*): hydraulic machine
ideare, *inf.*: invent
satellite, il (*m.*): satellite
macchia solare, la (*f.*): sunspot
condanna, la (*f.*): condemnation
unità di misura, l' (*f.*): unit of measurement
elettricità, l' (*f.*): electricity
elettroforo, l' (*m.*): electrophorus
accumulare, *inf.*: accumulate
carica elettrica, la (*f.*): electric charge
apparecchio telefonico, l' (*m.*): telephone
trasmissione della voce, la (*f.*): voice transmission
brevettare, *inf.*: patent

battaglia legale, la (*f.*): legal battle
intuire, *inf.*: realise
onda elettromagnetica, l' (*f.*): electromagnetic wave
apparecchio trasmittente, l' (*m.*): transmitter
segnale, il (*m.*): signal
impressionante, (*m./f.*): astounding
collegamento radiotelegrafico, il (*m.*): radiotelegraphic link
Oceano Atlantico, l' (*m.*): Atlantic Ocean
telecomunicazioni, le (*f.*): telecommunications
radioattività artificiale, la (*f.*): artificial radioactivity
bomba atomica, la (*f.*): atomic bomb
propilene isotattico, il (*m.*): isotactic propylene
utensile, l' (*m.*): utensil

Autovalutazione

1
caparra, la (*f.*): deposit

Quaderno degli esercizi
Unità 8

3
compagnia telefonica, la (*f.*): telephone company
canone mensile, il (*m.*): monthly charge
costanza, la (*f.*): regularly

5
lettore di e-book, il (*m.*): e-book readers
orientarsi, *inf.*: find your way
nella giusta misura: in the right way

7
sporcare, *inf.*: dirty

8
brillante carriera, la (*f.*): brilliant career
seriamente, *avv.*: seriously
ciecamente, *avv.*: blindly

11
mi gira la testa: my head's spinning

16a
razza in via d'estinzione, la (*f.*): a species at risk of extinction
estinto, *part. pass.*: extinct
testa abbassata, la (*f.*): head down
sopravvissuto, (*m.*): survivor

16b
babbo, il (*m.*): dad
disturbo, il (*m.*): disturbance
squillo, lo (*m.*): ring
fastidioso, (*m.*): irritating
disattenzione, la (*f.*): lack of attention
interruzione, l' (*f.*): interruption
apprensivo, (*m.*): apprehensive

17
salvare, *inf.*: save
premere, *inf.*: press
videochiamata, la (*f.*): videocall

18
caricabatterie, il (*m.*): battery charger
riaccendere, *inf.*: turn on again

19a
conciliare, *inf.*: reconcile
entrate mensili, le (*f.*): monthly incoming
giardinaggio, il (*m.*): gardening
attività fai-da-te, l'/le (*f.*): DIY activities
impegno improrogabile, l' (*m.*): a commitment that cannot be put off
utopia, l' (*f.*): utopia
ritagliarsi (un'ora), *inf.*: find (an hour)
coincidere, *inf.*: coincide
unire l'utile al dilettevole: combine business with pleasure
intervento, l' (*m.*): work, project
manutenzione casalinga, la (*f.*): home maintenance
riparazione di elettrodomestici, la (*f.*): repairing white goods
falegnameria, la (*f.*): carpentry
staccare la spina, *inf.*: relax
fornello, il (*m.*): stove
a costo zero: zero cost
proliferare, *inf.*: proliferate

21
fotoritocco, il (*m.*): photoshop
sponsorizzato, (*m.*): sponsored
***confessare**, *inf.*: *confess
***utilizzatore**, l' (*m.*): *user
***attitudine**, l' (*f.*): *aptitude
***operare**, *inf.*: *work as
***salvatore**, il (*m.*): *saviour
***amatoriale**, (*m./f.*): *amateur
***pigrizia**, la (*f.*): *laziness
***minuscolo**, (*m.*): *minute
***sequestrare**, *inf.*: *kidnap
***pazzesco**, (*m.*): *Fancy that!
***mettere a frutto**: *put to good use
***scioccato**, (*m.*): *shocked
***convertire**, *inf.*: *convert
***patto tacito**, il (*m.*): *unspoken pact
***invasivo**, (*m.*): *intrusive
***non fregare gli utenti**: *not dupe the users
***concorrente**, il/la (*m./f.*): *competitor

Test finale

A
illegalmente, *avv.*: illegally
installare, *inf.*: install

C
a un certo punto: at a certain point:
togliersi la vita: takes one's life, commit suicide
Minotauro, il (*m.*): Minotaur

Unità 9
L'arte... è di tutti!

Per cominciare...

1
liuto, il (*m.*): lute
Giudizio Universale, il (*m.*): Last judgment
malinconia, la (*f.*): melancholy
Ultima Cena, l' (*f.*): Last Supper

3
testare, *inf.*: test
esposto, *part. pass.*: exhibited

In questa unità impariamo...
riportare una notizia di cronaca: report on a news item
conferma, la (*f.*): confirmation
interpretare, *inf.*: interpret
dare istruzioni, *inf.*: give instructions
vietare, *inf.*: forbid
proverbio, il (*m.*): proverb
forma passiva, la (*f.*): passive voice

A Cos'è, un quiz sull'arte?

1
raffigurare: portrays
Cenacolo, il (*m.*): the Last Supper
battere, *inf.*: beat
onorato, (*m.*): honoured
intendersi di arte, *inf.*: know about art

2
scultore, lo (*m.*): sculptor
copiare: copy

3
furto, il (*m.*): theft
sospettare, *inf.*: suspect
fonte, la (*f.*): source
ospitare, *inf.*: host
guardiano, il (*m.*): guardian
autorizzato, *part. pass.*: authorised
effettivamente, *avv.*: in actual fact
caserma, la (*f.*): barracks

6
tempesta, la (*f.*): storm
agente, l' (*m./f.*): agent

7
auto elettrica, l' (*f.*): electric car

8
collezionista, il/la (*m./f.*): collector
inaugurazione, l' (*f.*): opening
critico d'arte, il (*m.*): art critic

B Vietato non amare l'arte

1

***ritratto**, il (*m.*): *portrait
***opera originale**, l' (*f.*): *original work
***riproduzione**, la (*f.*): *reproduction
***assicurare**, *inf.*: *assure
***ne vale la pena**: *it's worth it

4

quadro d'autore, il (*m.*): original work of art

5

tonalità di colore, la (*f.*): shades of colour

6

didascalia, la (*f.*): caption
scolpire, *inf.*: sculpt
dipingere, *inf.*: paint
sacra famiglia, la (*f.*): holy family
collocato, *part. pass.*: located
progettazione, la (*f.*): design
edificazione, l' (*f.*): building
restauro, il (*m.*): renovation
episodi biblici, gli (*m.*): biblical events
peccato originale, il (*m.*): original sin
creazione, la (*f.*): creation
riemergere, *inf.*: re-emerge, rediscover
autentico, (*m.*): authentic
vivace, (*m./f.*): bright
peccatore, il (*m.*): sinner
soggetto religioso, il (*m.*): religious subjects

C Opere e artisti

1

***oasi**, l' (*f.*): *oasis
***paesaggio urbano**, il (*m.*): *urban setting
***non c'è piazza italiana che si rispetti senza una fontana**: *there's no self-respecting square in Italy that doesn't have a fountain
***città millenaria**, la (*f.*): *thousand-year-old city
***contrariamente**, *avv.*: *contrary to
***recente**, (*m./f.*): *recent
***scenografico**, (*m.*, *pl.* scenografici): *spectacular
***circondato**, (*m.*): *surrounded
***creatura marina**, la (*f.*): *sea creature
***acquatico**, (*m.*, *pl.* acquatici): *aquatic
***finanziare**, *inf.*: *finance
***impopolare**, (*m./f.*): *unpopular
***gigante**, il (*m.*): *giant
***diceria**, la (*f.*): *saying
***peraltro**, *avv.*: *for that matter
***disprezzo**, il (*m.*): *contempt
***rivale**, (*m./f.*): *rival
***appariscente**, (*m./f.*): *showy
***bordo**, il (*m.*): *edge
***barca semiaffondata**, la (*f.*): *half sunk ship
***barcaccia**, la (*f.*): *longboat
***giacere**, *inf.*: *sits, lays
***ape**, l' (*f.*): *bee
***committente**, il/la (*m./f.*): *patron

4

portone, il (*m.*): front door

5

esponente, l' (*m./f.*): representative
opera scultorea, l' (*f.*): sculpture
mecenate, il (*m.*): patron
progetto urbanistico, il (*m.*): urban planning
predecessore, il (*m.*): predecessor
impreziosire, *inf.*: embellish
Ratto di Proserpina, il (*m.*): Rape of Proserpina
baldacchino, il (*m.*): canopy
colonnato, il (*m.*): colonnade
decorare, *inf.*: decorate
***giovanile**, (*m./f.*): *early
***Le metamorfosi (di Ovidio)**, (*sing.* la metamorfosi): *The metamorphosis (Of Ovid)
***arciere**, l' (*m.*): *archer
***arco**, l' (*m.*): *arch
***vendicarsi**, *inf.*: *revenge
***innamorarsi perdutamente**: *inf.*: *fall hopelessly in love
***ninfa**, la (*f.*): *nymph
***piombo**, il (*m.*): *lead
***implorare**, *inf.*: *implore
***alloro**, l' (*m.*): *laurel
***afferrare**, *inf.*: *grab
***avvolto**, (*m.*): *wrapped
***corteccia**, la (*f.*): *bark
***fronda**, la (*f.*): *leafy branch
***radice**, la (*f.*): *roots
***ruotare**, *inf.*: *rotate
***in bilico**: *precarious balance
***fuga**, la (*f.*): *escape
***irrigidimento**, l' (*m.*): *stiffening
***proiettato**, *part. pass.*: *thrust
***terrorizzato**, (*m.*): *terrified
***mantello**, il (*m.*): *cape
***concitazione**, la (*f.*): *agitation
***avviluppare**, *inf.*: *enveloped
***ramo**, il (*m.*): *branch
***virtuosismo**, il (*m.*): *virtuosity

D Che belle mostre! Ci andiamo?

1

locandina, la (*f.*): poster
sospeso, (*m.*): postponed
inedito, (*m.*): original

4

***severamente**, *avv.*: *severely

6

campionato, il (*m.*): championship

E L'arte prende vita

1a

animarsi, *inf.*: come to life
porta laterale, la (*f.*): side door
intascare, *inf.*: pocket
cauto, (*m.*): cautious
luce attenuata, la (*f.*): soft light
rumore sottile, il (*m.*): subtle noise
rabbrividire, *inf.*: shiver
materializzarsi, *inf.*: materialise
incompetente, (*m./f.*): incompetent
pastore, il (*m.*): shepherd
intatto, (*m.*): intact
paragonarsi, *inf.*: compare oneself
si sarà diradata la folla: the crowd will have dispersed
folla, la (*f.*): crowd
assediare, *inf.*: besiege

4

quale vi ha colpito di più: which one struck you most

F Vocabolario e abilità

1

pittura, la (*f.*): painting
muro, il (*m.*): wall
(arte) astratta, (*f.*): abstract (art)
volto, il (*m.*): face

2

natura morta, la (*f.*): still life
paesaggio, il (*m.*): scenery

5

approfittare, *inf.*: take advantage of

6

raccolta fondi, la (*f.*): fundraising
a rischio: at risk
affezionato, (*m.*): attached
utente, l' (*m.e f.*): user
donazione, la (*f.*): donation

Conosciamo l'Italia

Musei d'Italia

merito, il (*m.*): prestige
concentrare, *inf.*: amass
straordinario, (*m.*): extraordinary
Stato del Vaticano, lo (*m.*): Vatican State
grandioso, (*m.*): grandiose
dominazione, la (*f.*): domination

Quaderno degli esercizi Unità 9

2

genio, il (*m.*): genius
testimone di nozze, il/la (*m./f.*): best man/maid of honour

4

paesino, il (*m.*): little town

5

maxi operazione antimafia, la (*f.*): huge anti-mafia operation
futurismo, il (*m.*): futurism
multa, la (*f.*): fine
custode, il/la (*m./f.*): custodian

12a

chiaroscuro, il (*m.*): chiaroscuro (light and dark contrast)
prototipo, il (*m.*): prototype
comitato, il (*m.*): committee
mole, la (*f.*): size
stile manierista, lo (*m.*): mannerist style

13

incompiuto, (*m.*): incomplete
convento, il (*m.*): convent
sorriso enigmatico, il (*m.*): enigmatic smile
fertile, (*m./f.*): fertile
ammiratore, l' (*m.*): admirer
sfumato, lo (*m.*): shaded
sperimentazione, la (*f.*): experiment
idraulica, l' (*f.*): hydraulic
ottica, l' (*f.*): optics
elicottero, l' (*m.*): helicopter
carro armato, il (*m.*): tank
rivoluzionario, (*m.*): revolutionary
manoscritto, il (*m.*): manuscript
schizzo, lo (*m.*): sketch

14

casco, il (*m.*): helmet

18

tutela dell'ambiente, la (*f.*): protection of the environment

19

giudicare, *inf.*: judge

21a

pittore, il (*m.*): painter
senese, (*m./f.*): from Siena

22

supplementare, (*m./f.*): additional
insopportabile, (*m./f.*): unbearable

24

attrezzato, (*m.*): equipped
portatore di handicap, il (*m.*): disabled people
opuscolo informativo, l' (*m.*): information leaflet
misure di sicurezza, le (*f.*): safety measures
***sistema antintrusione**, il (*m.*): *break-in alarm system
***sistema antifurto**, il (*m.*): *burglary alarm system
***sistema antincendio**, il (*m.*): *fire alarm system
***rimuovere**, *inf.*: *remove
***barriera**, la (*f.*): *barrier
***facilitare**, *inf.*: *facilitate
***accesso**, l' (*m.*): *access
***piano di evacuazione**, il (*m.*): *evacuation plan
***lieve**, (*m./f.*): *slight
***predisporre**, *inf.*: *arranged
***domenicale**, (*m./f.*): *Sunday
***specifico**, (*m.*): *specific
***tradizionalmente**, *avv.*: *traditionally
***curatore**, il (*m.*): *curator
***mediazione didattica**, la (*f.*): *educational programme
***attirare**, *inf.*: *attract
***a bruciapelo**: *out of the blue
***conservazione**, la (*f.*): *conservation

Test finale

B

globo, il (*m.*): globe

3° test di ricapitolazione

A

postino, il (*m.*): postman

B

fare passi da gigante: make giant steps

Unità 10
Paese che vai, problemi che trovi

Per cominciare...

1

truffa, la (*f.*): scam
blitz, il (*m.*): raid
Direzione Investigativa Antimafia, la (*f.*): Anti-mafia Investigative Team
arresto, l' (*m.*): arrest
associazione mafiosa, l' (*f.*): mafia organisation

2

reato, il (*m.*): crime

3

polizza, la (*f.*): policy

In questa unità impariamo...

gestire i turni di parola: turn taking
indifferenza, l' (*f.*): indifference
problema sociale, il (*m.*): social problem
discorso indiretto, il (*m.*): indirect speech
affliggere, *inf.*: afflict

A Ci sono tanti furti in questo periodo...

1

ufficiale, (*m./f.*): official
assicurazione, l' (*f.*): insurance
che faccia tosta!: what a cheek!
valutare, *inf.*: value
ma questo è il colmo!: that takes the biscuit!
insospettirsi, *inf.*: become suspicious
fingere, *inf.*: pretend
oggetto di valore, l' (*m.*): objects of value
in modo che: so that

2

coperto, (*m.*): covered
rischioso, (*m.*): risky

3

mantenere il sangue freddo: keep your cool
fare del male: hurt

4

ANSA (Agenzia Nazionale Stampa Associata): l' (*f.*): ANSA (National News Agency)
nei confronti di: towards

6

discorso diretto, il (*m.*): direct speech
permanere, *inf.*: remain

7

assicuratore, l' (*m.*): insurer

B Me ne infischio!

1

***preside della scuola**, il/la (*m./f.*): *headteacher
***picchiarsi**, *inf.*: *hit each other
***violenza**, la (*f.*): *violence
***regolarizzare**, *inf.*: *regulate
***infiltrarsi**, *inf.*: *infiltrate
***tessuto sociale**, il (*m.*): *social fabric
***infischiarsene**, *inf.*: *not give a damn
***criminalità organizzata**, la (*f.*): *organised crime

2

tocca a me!: it's my turn!

3

sistema di telecamere, il (*m.*): CCTV system
poliziotto di quartiere, il (*m.*): local policeman
commerciante, il/la (*m./f.*): shopkeeper

4

indicatore, l' (*m.*): indicator
corrispettivo, (*m.*): corresponding

5

ispettore, l' (*m.*): inspector

C Dipendenze

2

campagna di sensibilizzazione, la (*f.*): awareness campaign

droga, la (*f.*): drugs

3

ricavare, *inf.*: profit from
servizi sanitari, i (*m.*): health services
consumatore, il (*m.*): user
cannabis, la (*f.*): cannabis
eroina, l' (*f.*): heroin
cocaina, la (*f.*): cocaine
sostanza stupefacente, la (*f.*): drugs
Ministero dell'Interno, il (*m.*): Home Office
Ministero della Salute, il (*m.*): Ministry of Health
oppiacei, gli (*m.*): opiates
utenza in trattamento, l' (*f.*): users in care

4

servizio del telegiornale, il (*m.*): news report
droga leggera, la (*f.*): light drugs
alterazione dell'umore, l' (*f.*): change in mood
stato depressivo, lo (*m.*): depressive state
droga sintetica, la (*f.*): synthetic drugs
in maniera momentanea: momentarily
cervello, il (*m.*): brain
stato di delirio, lo (*m.*): state of delirium
uso prolungato, l' (*m.*): prolonged use
tossicità, la (*f.*): toxicity
pasticca, la (*f.*, *pl.* le pasticche): pill, tablet
***irreversibile**, (*m./f.*): *unreversible
***hashish**, l' (*m.*): *hashish
***marijuana**, la (*f.*): *marijuana
***per l'appunto**: *as a matter of fact
***allucinazione**, l' (*f.*): *hallucinations
***allucinogeno**, l' (*m.*): *hallucinogenic
***ecstasy**, l' (*f.*): *ecstasy
***in senso depressivo**: *depressive sense
***in senso eccitatorio**: *excitable sense
***forma psicotica**, la (*f.*): *psychotic form
***esordio di delirio**, l' (*m.*): *start of delirium
***guardarsi bene dal**: *be careful not to
***vermifugo per cani**, il (*m.*): *vermicide for dogs
***veleno per topi**, il (*m.*): *rat poison
***fibra di vetro**, la (*f.*): *fibreglass

D Cos'è la mafia?

1

terra dei vespri e degli aranci, la (*f.*): land of vespers and oranges (Sicily)
vespro, il (*m.*): vesper
arancio, l' (*m.*): orange tree
lottare, *inf.*: fight
ingombrante, (*m./f.*): cumbersome
onorare, *inf.*: honour
ammazzare, *inf.*: kill
funerale, il (*m.*): funeral

3

attivista, (*m./f.*): activist
contrasto, il (*m.*): contrast
cacciare di casa: made to leave home
circolo culturale, il (*m.*): cultural association
boss mafioso, il (*m.*): mafia boss
gravità del fatto, la (*f.*): seriousness of the matter
passare in secondo piano: falls into the background, becomes less important
rapire, *inf.*: kidnap
Brigate Rosse, le (*f.*): Red Brigade (terrorist group)

5

operare, *inf.*: operate
si mimetizzano all'interno della politica: camouflage themselves within politics
amministrare, *inf.*: manage
bene pubblico, il (*m.*): public works
ambito, (*m.*): coveted
aggiudicarsi, *inf.*: win
appalto, l' (*m.*): tender
procedura poco trasparente, la (*f.*): ambiguous procedures
in cambio di: in exchange for
avanzamento di carriera, l' (*m.*): career progression
mafia "in giacca e cravatta", la (*f.*): "suit and tie" mafia
insospettabile, (*m./f.*): unsuspecting
ben vestito, (*m.*): well-dressed
alta finanza, l' (*f.*): high finance
fisicamente, *avv.*: physically
al servizio di: at the service of
radicato, (*m.*): embedded
sotterrare, *inf.*: bury
Meridione, il (*m.*): South of Italy
ecomafia, l' (*f.*): eco-mafia
smaltimento di rifiuti, lo (*m.*): waste disposal
organizzazione criminale, l' (*f.*): criminal organisation
pena, la (*f.*): sentence, punishment
severo, (*m.*): severe
abbattere, *inf.*: lower
entrare in gioco: come into play
rapporto, il (*m.*): report

E Migranti di oggi, migranti di ieri

2

in grande affanno: great anxiety
impoverimento, l' (*m.*): impoverishment
capitale umano, il (*m.*): human capital
spopolamento, lo (*m.*): depopulation
cartone, il (*m.*): cardboard
rimanere scolpito nella memoria: remains impressed in memory
fuga dei cervelli, la (*f.*): brain drain
pianificazione, la (*f.*): planning
classe dirigente, la (*f.*): managerial class

3

arginare, *inf.*: stem

F Essere donna

1b

disubbidienza, la (*f.*): disobedience
una sorta di: a kind of
momento conclusivo, il (*m.*): decisive moment
formidabile, (*m./f.*): formidable
mostro, il (*m.*): monster
a differenza di: different to
femminicidio, il (*m.*): feminicide
demografa, la (*f.*): person who works with demographics
sotto forma di: in the form of
in quanto: inasmuch
stupro, lo (*m.*): rape
dote, la (*f.*): dowry
aborto di feti femmine, l' (*m.*): abortion of female foetuses
infanticidio, l' (*m.*): infanticide
uccisioni in massa, le (*f.*): mass killings
asciutto, (*m.*): dry
vastità, la (*f.*): enormity
trasversalità, la (*f.*): transversality
far fronte a: combat

3

parità di genere, la (*f.*): gender equality
pari dignità sociale: equal social dignity
eguale, (*m./f.*): equal
distinzione, la (*f.*): distinction
di ordine economico: economic order
eguaglianza, l' (*f.*): equality
effettivo, (*m.*): effective

G Vocabolario e abilità

1

minacciare, *inf.*: threaten
disubbidire, *inf.*: disobey
violentare, *inf.*: rape
spaccio (di droga), lo (*m.*): drug dealing
assassinio, l' (*m.*, *pl.* gli assassinii): murder
clientelare, (*m./f.*): vote catching

Conosciamo l'Italia

I problemi dell'Italia

1

sottoccupazione, la (*f.*): under occupation

lavoro saltuario, il (*m.*): temporary work
impedire, *inf.*: prevent
immigrazione irregolare, l' (*f.*): illegal immigration
meta, la (*f.*): destination
clandestinamente, *avv.*: clandestinely
in nero: without a contract
asilo politico, l' (*m.*): political asylum
calo demografico, il (*m.*): drop in demographics
tardare, *inf.*: delay

La mafia nel cinema e nella realtà

tendenza, la (*f.*): tendency
romanzare la realtà: romanticise reality
gerarchico, (*m.*): hierarchical
estorsione, l' (*f.*): extortion, blackmail
macchiarsi, *inf.*: taint
contrastare, *inf.*: combat

2

squallido, (*m.*): squalid
correre il rischio: run the risk
vinto, il (*m.*): winner
basato su: based on
improntare, *inf.*: imprint, base
emulazione, l' (*f.*): imitation
sconvolgente, (*m./f.*): disturbing
constatazione, la (*f.*): realisation
scagnozzo, lo (*m.*): henchman

3

omertà, l' (*f.*): omertà or a code of silence

Autovalutazione

2

dirigersi, *inf.*: make their way
maleducato, (*m.*): rude

3

pugliese, (*m./f.*): from Puglia
spacciare, *inf.*: deal (drugs)

4

clientelismo, il (*m.*): cronyism
disobbedire, *inf.*: disobey

Quaderno degli esercizi
Unità 10

5

truffatore, il (*m.*): scammer
riflessi, i (*m.*): reflexes
rallentato, (*m.*): slowed down
abile, (*m./f.*): able
inganno, l' (*m.*): scam
impossessarsi, *inf.*: take possession of
stratagemma, lo (*m.*, *pl.* gli stratagemmi): strategy
fantomatico, (*m.*, *pl.* fantomatici): invented
forze dell'ordine, le (*f.*): police
malvivente, il/la (*m./f.*): crook
divisa, la (*f.*): uniform
cartellino identificativo, il (*m.*): ID card
con fare gentile: with a kind manner
impianto, l' (*m.*): system
lavaggio, il (*m.*, *pl.* i lavaggi): flushing
tubatura, la (*f.*): pipes
bottino, il (*m.*): booty
uniforme, l' (*f.*): uniform

9

a 360 gradi: 360 degrees
terzo settore, il (*m.*): charity sector
confine, il (*m.*): boundary
minore, il/la (*m./f.*): minor
sospetto, (*m.*): suspicious
portale, il (*m.*): portal
prestare attenzione: pay attention
rientro, il (*m.*): return
ritrovo, il (*m.*): meeting
rilassamento, il (*m.*): relaxation
euforia, l' (*f.*): euphoria
allontanare, *inf.*: drives away
eccitazione, l' (*f.*): excitement
attorno a: around
routine, la (*f.*): routine
supporto, il (*m.*): support
cruciale, (*m./f.*): crucial
riabilitazione, la (*f.*): rehabilitation

10

pacifista, il/la (*m./f.*): pacifist
animalista, l' (*m./f.*): animal lover

11

far finta di niente: pretend nothing's up
evasione, l' (*f.*): escape
arresti domiciliari, gli (*m.*): house arrest
reato, il (*m.*): crime
scontare una condanna: serve a sentence

14

combattimento, il (*m.*): fight
neologismo, il (*m.*): neologism
abusivismo edilizio, l' (*m.*): building without planning permission
di larga scala: on a large scale
escavazione abusiva, l' (*f.*): illegal excavation
esotico, m. (*pl.* esotici): exotic
saccheggio, il (*m.*): looting
giro d'affari, il (*m.*): turnover

15

bracciante, il/la (*m./f.*): labourer
strati della popolazione, gli (*m.*): classes of the population
prevalere, *inf.*: prevail
proprietario terriero, il (*m.*): land owner
rimessa, la (*f.*): earnings
essere diretto: head for
temporaneo, (*m.*): temporary
maschio, il (*m.*, *pl.* i maschi): man
abolizione, l' (*f.*): abolition
schiavitù, la (*f.*): slavery
colonizzazione, la (*f.*): colonisation
dimezzarsi, *inf.*: halve itself
affamato, (*m.*): starving
in blocco: in one go
stirpe, la (*f.*): race
assassino, l' (*pl.* gli assassini): murderers
anarchico, l' (*m.*, *pl.* gli anarchici): anarchist
odore, l' (*m.*): smell
guaio, il (*m.*, *pl.* i guai): problem
onesto, (*m.*): honest
faticaccia, la (*f.*): hard work
connazionale, il/la (*m./f.*): fellow countrymen
ghettizzarsi, *inf.*: marginalise themselves
scuola parrocchiale, la (*f.*): parish school
emarginazione, l' (*f.*): marginalisation

17

testimonianza, la (*f.*): testimony
intolleranza, l' (*f.*): intolerance
atteggiamento razzista, l' (*m.*): racist attitude
atteggiamento xenofobo, l' (*m.*): xenophobic attitude
insultare, *inf.*: insult
essersi integrato pienamente: be completely integrated
integrarsi, *inf.*: integrate
fare i conti con: deal with
mi manca: I miss
a lungo termine: in the long term

19

Istituto Demografico, l' (*m.*): Demographic Institute
natalità, la (*f.*): birth rate

20a

stage, lo (*m.*): work experience
precariato, il (*m.*): precarious work, temporary work
perfezionamento, il (*m.*): development
***da alcuni anni a questa parte**: *for a few years now
***ulteriormente**, *avv.*: *even more
***contratto a progetto**, il (*m.*): *project contracts
***a medio termine**: *medium term
***una condizione che si trascina per**

anni: *a situation that has been ongoing for years
***ordinario**, (*m.*) (*pl.* ordinari): *ordinary
***senza tutele**: *without safeguards
***mantenere**, *inf.*: *maintain
***schiavo**, lo (*m.*): *slave
***agenzia interinale**, l' (*f.*): *temp agency
***umiliarsi**, *inf.*: *humiliate oneself
***trattare**, *inf.*: *treat
***spogliato della mia dignità**: *stripped of my dignity
***spogliare**, *inf*: *strip, undress
***sacrificio**, il (*m.*, *pl.* i sacrifici): *sacrifice
***aspettativa**, l' (*f.*): *expectation
***disgustare**, *inf.*: *disgust
20b
accontentarsi, *inf.*: settle for
mano d'opera, la (*f.*): labour

Test finale

B
Casa reale, la (*f.*): Royal Household
lista d'attesa, la (*f.*): waiting list

D
autore, l' (*m.*): author

Unità 11
Che bello leggere!

Per cominciare...

1
romanzo storico, il (*m.*): historical novel
giallo, il (*m.*): detective story, thriller
fiaba, la (*f.*): fairy tale
opera teatrale, l' (*f.*): play
saggio, il (*m.*): essay, paper
romanzo d'amore, il (*m.*): love story

2
genere, il (*m.*): genre

3
oroscopo, l' (*m.*): horoscope

In questa unità impariamo...

libri e testi letterari, i (*m.*): books and literary works

A Un problema da risolvere

1
ti facevo più intelligente: I thought you were cleverer
cretinata, la (*f.*): nonsense
mannaggia, *interiez.*: oh dear
ho proprio un vuoto: I've gone totally blank

3
romanzo poliziesco, il (*m.*): police story
omicidio, l' (*m.*): homicide
lato umano, il (*m.*): human side
avvincente, (*m./f.*): winning
cassata, la (*f.*): cassata (a typical Sicilian dessert made with ricotta)
spegnere le candeline: blow the candles out

B Di che segno sei?

1a
segni zodiacali, i (*m.*): signs of the zodiac
Ariete, l' (*m.*): Aries
Toro, il (*m.*): Taurus
Gemelli, i (*m.*): Gemini
Cancro, il (*m.*): Cancer
Leone, il (*m.*): Leo
Vergine, la (*f.*): Virgo
Bilancia, la (*f.*): Libra
Scorpione, lo (*m.*): Scorpio
Sagittario, il (*m.*): Sagittarius
Capricorno, il (*m.*): Capricorn
Acquario, l' (*m.*): Aquarius
Pesci, i (*m.*): Pisces

2
parola d'ordine, la (*f.*): code word
passionalità, la (*f.*): passion
spiritoso, (*m.*): witty
circondare, *inf.*: surround
parola a doppio senso, la (*f.*): words with double meaning
sognatore, il (*m.*): dreamers
zodiaco, lo (*m.*): zodiac
tenerezza, la (*f.*): tenderness
seducente, (*m./f.*): seductive
puntualità, la (*f.*): punctual
in compenso: to make up for
tollerante, (*m./f.*): tolerant
provocatore, il (*m.*): provocative
ambizioso, (*m.*): ambitious
lasciarsi catturare, *inf.*: let themselves be captured
ringiovanire, *inf.*: rejuvenate
stupire, *inf.*: surprise
imprevedibile, (*m./f.*): unpredictable

4
allacciarsi le cinture, *inf.*: put your seatbelts on

5
uscita di emergenza, l' (*f.*): emergency exit

C Due classici da leggere!

1
dare alla luce: give birth to
sofferente, (*m./f.*): suffering
bombardamento, il (*m.*): bombings
sfollato, (*m.*): homeless
opera neorealista, l' (*f.*): neorealist work
onestamente, *avv.*: honestly
estrema povertà, l' (*f.*): extreme poverty
coetaneo, il (*m.*): peer
benestante, (*m./f.*): well off

D Il teatro come opera letteraria

2
follia, la (*f.*): madness
inconcluso, (*m.*): unfinished
mentire a se stessi, *inf.*: lie to oneself
illusione, l' (*f.*): illusion
***drammaturgo**, il (*m.*, *pl.* i drammaturghi): *playwright
***ossessionato**, (*m.*): *obsessed
***capocomico**, il (*m.*): *theatre company lead
***pessimismo esistenziale**, il (*m.*): *existential pessimism
***tristissima buffonata**, la (*f.*): *very sad farce
***autoingannarsi**, *inf.*: *self-deception
***illusorio**, (*m.*): *deceptive
***vano**, (*m.*): *vain
***tranviere**, il (*m.*): *tram driver
***trionfo**, il (*m.*): *triumph
***miseria**, la (*f.*): *misery, poverty
***cinismo**, il (*m.*): *cynicism

3
copione, il (*m.*): script
mercato nero, il (*m.*): black market
arricchirsi, *inf.*: to get rich
tolleranza, la (*f.*): tolerance
nottata, la (*f.*): night
sipario, il (*m.*): stage curtain
applauso furioso, l' (*m.*): thunderous applause
pianto irrefrenabile, il (*m.*): irrepressible tears
a sonagli: rattle

5
alterato, (*m.*): change
diminutivo, (*m.*): diminutive
accrescitivo, (*m.*): augmentative
dispregiativo, (*m.*): pejorative
peggiorativo, (*m.*): pejorative
vezzeggiativo, (*m.*): term of endearment

6
piovere a dirotto: rain cats and dogs

E Librerie e libri

2
***acquisto**, l' (*m.*): *purchase
***storicamente**, *avv.*: *historically
***infanzia**, l' (*f.*): *childhood

***invogliare**, *inf.*: *tempt
***approccio**, l' (*m.*): *approach
***accademia**, l' (*f.*): *academia
***bene o male**: *one way or another
***confrontarsi**, *inf.*: *come across
***concentrazione**, la (*f.*): *concentration
***indubbiamente**, *avv.*: *undoubtedly
***identikit**, l' (*m.*): *identikit
***lettore forte**, il (*m.*): *strong reader
***prediligere**, *inf.*: *prefer
***influenzabile**, (*m./f.*): *easy to influence
***richiamo televisivo**, il (*m.*): *TV influence

4

intreccio, l' (*m.*): plot
fantascienza, la (*f.*): science fiction
disdegnare, *inf.*: turn one's nose up
tomo, il (*m.*): volume, book
fatica, la (*f.*): difficulty
adesione alla realtà, l' (*f.*): connection with reality
gradevole, (*m./f.*): pleasurable
accostarsi, *inf.*: pairing
mondo accessorio, il (*m.*): ancillary world
decorativo, (*m.*): decorative
materassino, il (*m.*): mat, lilo
cenno, il (*m.*): sign
riabbassare, *inf.*: look down
Buon proseguimento!: Enjoy it!
(tutto) d'un fiato: (all) in one breath
minaccioso, (*m.*): threatening
voluminoso, (*m.*): oversized, voluminous

F Vocabolario e abilità

1

editore, l' (*m.*): editor
libraio, il (*m.*): bookseller
tipografo, il (*m.*): typographer

4

tacere, *inf.*: silence

Conosciamo l'Italia

Classici della letteratura italiana

1

cantica, la (*f.*): cantica
Inferno, l' (*m.*): Inferno (hell)
Purgatorio, il (*m.*): Purgatory
Paradiso, il (*m.*): Paradise
canto, il (*m.*): canto (part of a poem)
lingua volgare, la (*f.*): vulgar language
poema epico cavalleresco, il (*m.*): epic chivalrous poem
narrare, *inf.*: narrate
cavaliere, il (*m.*): knight
ostacolo, l' (*m.*): obstacle
fallire, *inf.*: fail
frate, il (*m.*): friar
indagare, *inf.*: investigate
abbazia, l' (*f.*): abbey
regime fascista, il (*m.*): fascist regime
indifferente, (*m./f.*): indifferent
ipocrisia, l' (*f.*): hypocrisy
immediato dopoguerra, l' (*m.*): straight after the war
realismo, il (*m.*): realism
vedova, (*m.*): widow
sopravvivenza, la (*f.*): survival
campo di concentramento, il (*m.*): concentration camp

Autovalutazione

3

pseudonimo, lo (*m.*): pseudonym
tribunale, il (*m.*): tribunal, court of law

Quaderno degli esercizi Unità 11

5

essere a conoscenza di qualcosa: be aware of something

8

testardo, (*m.*): stubborn
eccentrico, (*m.*): eccentric
impulsivo, (*m.*): impulsive
elastico, (*m.*, *pl.* elastici): flexible

10

verso l'esterno: towards the outside
si prega la gentile clientela: our kind customers are requested to
non toccare la merce esposta: do not touch the goods on display

12

ingiustizia, l' (*f.*): injustice
agire, *inf.*: act

13

faticosamente, *avv.*: with difficulty
apparentemente, *avv.*: apparently, seemingly
sotterranea tensione, la (*f.*): underflowing tension
liberatorio, (*m.*): liberating
inquieto, (*m.*): troubled

14

buongustaio, il (*m.*): foodie

16

sorprendere, *inf.*: surprise
genuino, (*m.*): genuine
concedere, *inf.*: given

22

(buon) proposito, il (*m.*): new year's resolution
profezia, la (*f.*): prophecy

24

estratto, l' (*m.*): extract
mercato editoriale, il (*m.*): publishing market
audiolibro, l' (*m.*): audio book
***segmento**, il (*m.*): *segment
***pioniere**, il (*m.*): *pioneer
***moltiplicare**, *inf.*: *multiply
***decretare**, *inf.*: *proclaim
***affezionarsi**, *inf.*: *become attached
***spettacolarizzazione**, la (*f.*): *spectacularization
***recitazione**, la (*f.*): *acting
***dimensione**, la (*m.*): *aspect
***colloquiale**, (*m./f.*): *everyday
***quadrilogia**, la (*f.*): *tetralogy (series of four books)
***alternare**, *inf.*: *alternate
***contaminazione**, la (*f.*): *influence

Test finale

A

angolo fumetti, l' (*m.*): comics corner

Test generale finale

B

essere in lotta con la bilancia: to be in a battle with the scales
essere in eccesso di peso: to be overweight
raccomandato, *part. pass.*: recommended
porzione, la (*f.*): portion
senzatetto, il/la (*m./f.*): homeless
marciapiede, il (*m.*): pavement
intervenire, *inf.*: intervene
centro di accoglienza dei clochard, il (*m.*): homeless people's shelter
commissariato, il (*m.*): police station
ironicamente, *avv.*: ironically
trucco marcato, il (*m.*): heavy makeup

C

turbato (*m.*): anxious
10 giugno e dintorni: on and around the 10th June
traguardo, il (*m.*): objective
Marte: Mars
sforzarsi, *inf.*: force oneself
pretendere, *inf.*: expect
prudenza, la (*f.*): caution

D

contenuto inadatto, il (*m.*): inappropriate content
rigido, (*m.*): strict
aggirare, *inf.*: get around
pornografia, la (*f.*): pornography
furto di identità, il (*m.*): identity theft

navigante, il/la (*m./f.*): surfers
cyberbullismo, il (*m.*): cyberbullying
arma, l' (*f.*): weapon
comportamento offensivo, il (*m.*): offensive behaviour
anziché, *cong.*: instead of
allarmarsi, *inf.*: worrying
età pre-adolescenziale, l' (*f.*): pre-teenage
scattarsi dei selfie: takes selfies
posa provocante, la (*f.*): provocative poses
oscurare, *inf.*: block
gestore, il (*m.*): site manager
ricorrere, *inf.*: turn to
Garante della privacy, il (*m.*): Privacy Authority
filtro, il (*m.*): filter
arginabile, (*m./f.*): controllable

E

coniare, *inf.*: coin
onorario, l' (*m.*): fee
accomunare, *inf.*: brings together
iniziativa solidale, l' (*f.*): solidarity initiatives
sfamarsi, *inf.*: feed oneself
indigente, (*m./f.*): poverty stricken
sollievo, il (*m.*): relief
stanziare, *inf.*: fund
buono spesa, il (*m.*): shopping vouchers
usufruire, *inf.*: benefit
partenopeo, (*m.*): of Naples
cesto, il (*m.*): basket
limitrofo, (*m.*): surrounding
eco, l' (*pl.* gli echi): echo
rimbalzare, *inf.*: bounce
bancarella-libreria, la (*f.*): book-stall
lavoricchiare, *inf.*: work a bit
calamita, la (*f.*): magnets
tirare avanti, *inf.*: get by
campare, *inf.*: live on
traboccare, *inf.*: overspill
amarezza, l' (*f.*): bitterness
ci marcia: take advantage of

F

prendere una boccata d'aria: get a breath of fresh air
viuzza ripida, la (*f.*): steep lane

G

afa, l' (*f.*): muggy weather
se la sorbisce tutta: he/she endures it all
turbamento, il (*m.*): anxiousness

Unit Section	Vocabulary & Communicative Topics	Grammatical Structures

Unità 6
Andiamo all'opera Pg.5

Unit Section	Vocabulary & Communicative Topics	Grammatical Structures
A Non me la voglio perdere!	• Talking about music preferences • Giving advice, instructions, and orders • Asking for and giving permission	• Indirect (formal) imperative
B Non mi sento bene!	• Talking about health, taking care of oneself, prevention	• The imperative with pronouns
C Giri a destra!	• Asking for and giving directions	• Indirect (formal) negative commands
D Alla Scala	• Vocabulary related to the opera	• Indefinite adjectives and pronouns
E Vocabolario e abilità	• Vocabulary related to medicine • Expansion activities focused on specific skills (listening, speaking, writing)	

Conosciamo l'Italia:
Tutti all'opera (lirica)!
Rossini (*Barbiere di Siviglia*), Verdi (*Traviata*), Puccini (*Tosca*)
Italian youth and the opera: two worlds apart
What is the language of lyric operas?

Video episode:
A scuola di canto
Video activities Pg.103

Authentic materials:
Reading A on practical advice for common problems from www.regione.toscana.it (B1)
Reading B on antibiotic abuse from www.esquire.com/it/lifestyle (B1)
Reading, *I sette piani* from Dino Buzzati's *La boutique del mistero* (B4)
Audio file, *Alagna fischiato*, from *GR1 Rai* (D2)
Article, *Fischiato, lascia il palco. L'Aida va avanti col sostituto* from *Corriere della sera* (D3)
Audio file of a radio transmission, *La lingua batte*, from www.raiplayradio.it (E2)

Authentic materials:
Article, *Mobilità sostenibile a Milano?* from www.mentelocale.it (C6)
Audio file, *Le città più ecologiche d'Italia* from *Il Sole 24 Ore* (D2)
Reading, *L'aria buona* from *Marcovaldo, Le stagioni in città* by Italo Calvino (D3)
Cover of *La nuova ecologia* (Allarme clima) (E1)
Audio file, presentation of *WWF Italia* (F4)

Unit Section	Vocabulary & Communicative Topics	Grammatical Structures

Unità 8

Tempo libero e tecnologia Pg.37

A Se avessi voluto sentire delle critiche...	• Making realistic or possible hypotheses	• 1st type of hypothetical clauses • 2nd type of hypothetical clauses
B Complimenti!	• Giving praise • Expressing approval or disapproval	• 3rd type of hypothetical clauses
C Non toglietemi lo smartphone!	• Using and abusing technology • Pros and cons of social networks and gaming	• Uses of the particle *ci*
D Sempre connessi	• Internet promotions • Pros and cons of smartphones and streaming platforms	• Uses of the particle *ne*
E Vocabolario e abilità	• Vocabulary related to computers and technology	

Conosciamo l'Italia:
L'Italia e la scienza
How Italians have contributed to scientific progress.
Alcuni Nobel italiani in campo scientifico

Video episode:
Lorenzo e la tecnologia
Video activities Pg.105

Authentic materials:
Blog article from *www.illibro.it* (A8)
Article, *Così mi sono liberata da Facebook* from www.inchieste.repubblica.it (C3)
Audio file of the interview, *Giovani e dipendenza da videogiochi* from *PantheonMagazine* (C6)
Advertisement about cell phone plans (D1)
Readings A and B on the consequences of streaming platforms on cinema, from www.ciakclub.it (D7)
Audio file of a radio interview with Salvatore Aranzulla (E3)

Unit Section	Vocabulary & Communicative Topics	
Unità 9 *L'arte... è di tutti!*		
A Cos'è, un quiz sull'arte?	• Reporting on information shared in the news	• The passive form
B Vietato non amare l'arte	• Reading a short biography • Confirming and asking for confirmation	• The passive form with [illegible] *potere*
C Opere e artisti	• Reading and interpreting a work of art	• The passive form with *andare*
D Che belle mostre! Ci andiamo?	• Reading the flyer of an art exhibit • Giving instructions or stating rules in a formal setting	• *Si* passivante • *Si* passivante with compound tenses
E L'arte prende vita	• Italian proverbs	
F Vocabolario e abilità	• Vocabulary related to art • Expansion activities focused on specific skills (listening, speaking, writing)	

Conosciamo l'Italia:
Musei d'Italia
Galleria degli Uffizi (Firenze), *Musei Vaticani* (Roma), *Museo del Novecento* (Milano).
L'arte rubata

Video episode:
Arte, che fatica!
Video activities Pg.106

Authentic materials:
Audio file about important fountains in Rome (C1)
Audio file about the opera *Apollo e Dafne* from www.beniculturali.it (C5)
Art exhibit flyers (D1)
Reading, *Una notte con la Gioconda* by Gianni Clerici (E1)
Audio file of an interview with a representative of the historical archives of the *Musei Civici di arte antica* in Bologna.

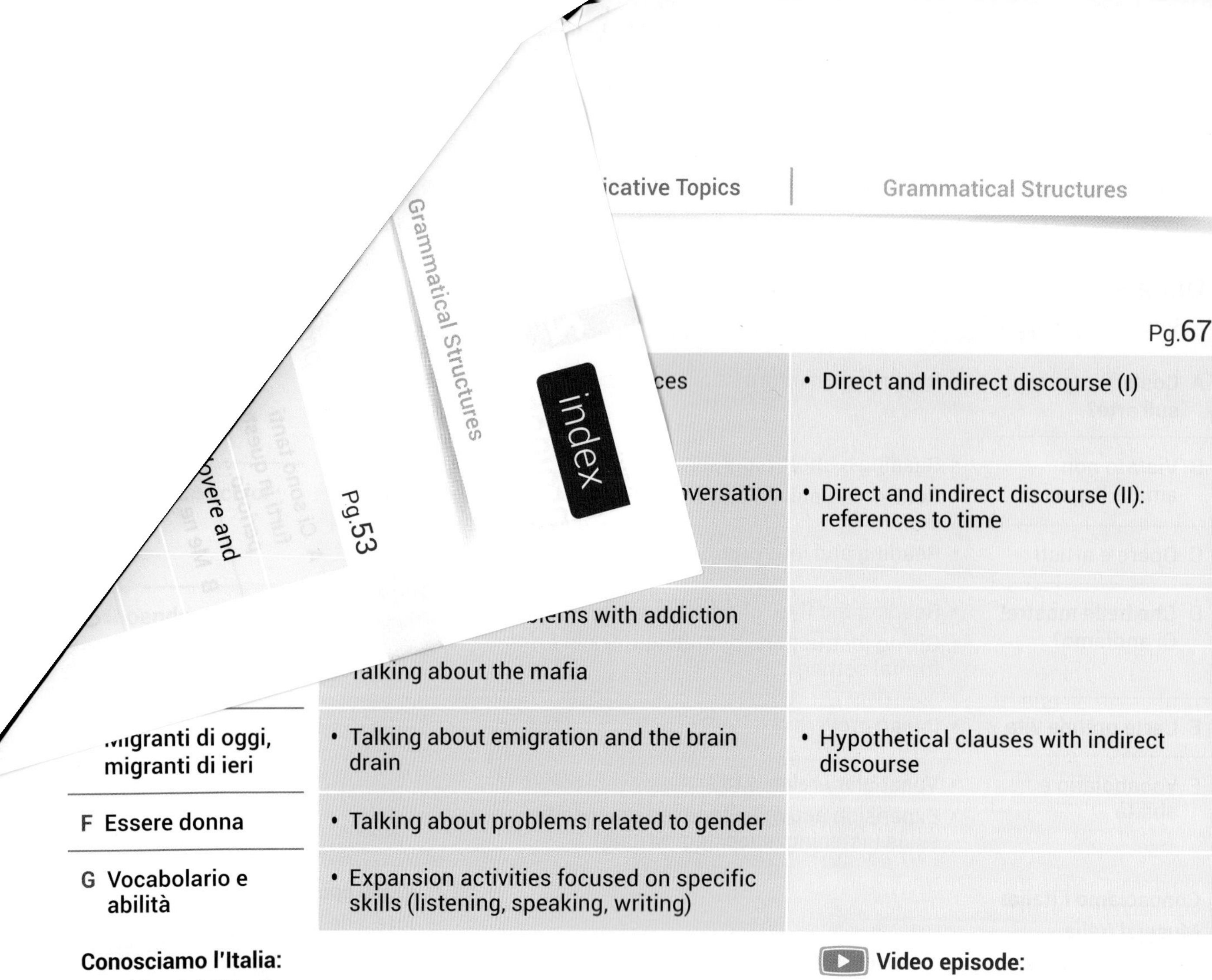

	…icative Topics	Grammatical Structures
	…ces	• Direct and indirect discourse (I)
	…nversation	• Direct and indirect discourse (II): references to time
	…lems with addiction	
	…alking about the mafia	
…igranti di oggi, migranti di ieri	• Talking about emigration and the brain drain	• Hypothetical clauses with indirect discourse
F Essere donna	• Talking about problems related to gender	
G Vocabolario e abilità	• Expansion activities focused on specific skills (listening, speaking, writing)	

Conosciamo l'Italia:
I problemi dell'Italia
Unemployment, job instability, illegal immigration, falling birth rates.
La mafia nel cinema e nella realtà
Organized crime in film and television and its effects.

Video episode:
Non sono io il ladro!

Authentic materials:
Campaign by Pubblicità Progresso, *Io dico no* from www.comune.milano.it (C1)
Song and lyrics, *I cento passi* by the Modena City Ramblers (D1)
Reading 1, article, *La mafia al Nord e al Sud* from www.antimafiaduemila.com (D5)
Reading 2, article, *L'ecomafia e lo smaltimento illegale di rifiuti* from www.snpambiente.it (D5)
Reading on the brain drain in Italy from www.agenziagiovani.it (E2)
Reading, review of the book *Ferite a morte* by Serena Dandini from www.donnecontroviolenza.it (F1)

Unità 11
Che bello leggere!

Unit Section	Vocabulary & Communicative Topics	
A **Un problema da risolvere**		• Present ger • Past gerund • The gerund with p
B **Di che segno sei?**	• Horoscopes • Characteristics of Zodiac signs	• Present infinitive • Past infinitive
C **Due classici da leggere**	• Talking about books	• Present participle • Past participle
D **Il teatro come opera letteraria**		• Modified words
E **Librerie e libri**	• Italians and reading	
F **Vocabolario e abilità**	• Vocabulary related to literature and publishing	

Conosciamo l'Italia:
Classici della letteratura italiana
Gli italiani e la letteratura

Video episode:
Un libro introvabile
Video activities Pg.108

Authentic materials:
Reading A, review of *La storia* by Elsa Morante from www.italialibri.net (C1)
Reading B, review of *Ragazzi di vita* by Pier Paolo Pasolini from www.centrostudipierpaolopasolinicasarsa.it (C1)
Reading, Enzo Biagi's interview with Eduardo De Filippo (D3)
Audio file of an interview with a bookseller (E2)
Reading, *L'avventura di un lettore* from *Gli amori difficili* by Italo Calvino (E4)
Audio file of an interview with Carofiglio from *TGR3 Notte* (F2)

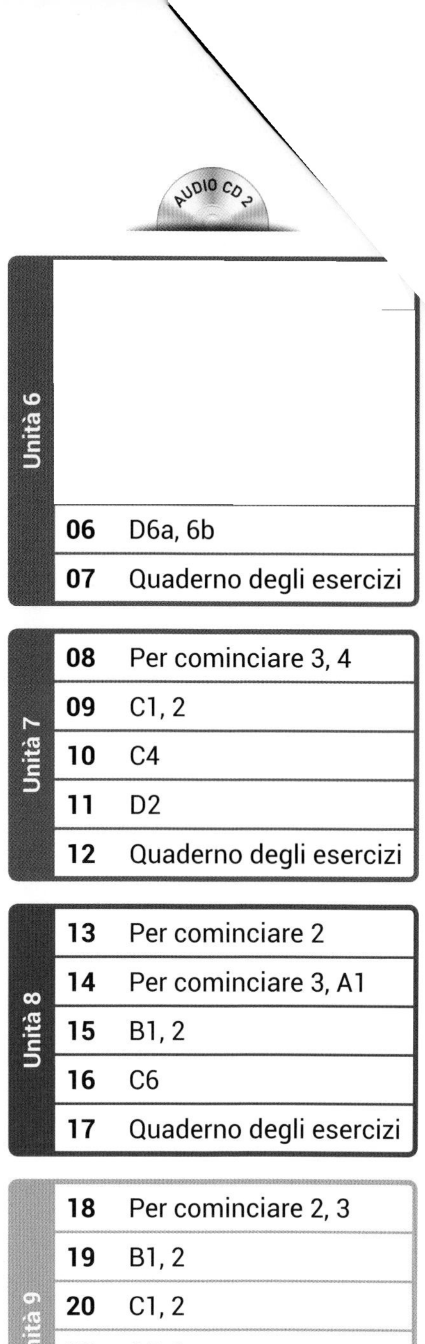

Unità 6		
	06	D6a, 6b
	07	Quaderno degli esercizi

Unità 7		
	08	Per cominciare 3, 4
	09	C1, 2
	10	C4
	11	D2
	12	Quaderno degli esercizi

Unità 8		
	13	Per cominciare 2
	14	Per cominciare 3, A1
	15	B1, 2
	16	C6
	17	Quaderno degli esercizi

Unità 9		
	18	Per cominciare 2, 3
	19	B1, 2
	20	C1, 2
	21	C5, 6
	22	D4
	23	Quaderno degli esercizi

Unità 10		
	24	Per cominciare 2
	25	Per cominciare 3
	26	B1, 2
	27	C4
	28	Quaderno degli esercizi

Unità 11		
	29	Per cominciare 3, A1
	30	D2
	31	E2, 3
	32	Quaderno degli esercizi

You can also listen to the audio files on i-d-e-e.it.

www.lacomunicazio-
ettronews.com (*d*); **Pag.53**: https://i.pinimg.com
.wp.com/amiraditransilvania.it (*b*), https://upload.wikimedia.org (*c*); **Pag.56**: www.finestresullarte.info; **Pag.57**: archivio Edlingua (*2, 3, 4*); **Pag.61**: http://informa.comune.bologna.it (*etruschi*), www.artwave.it (*Mantegna*), www.themammothreflex.com (*mostra fotografica*), www.greenme.it (*Raffaello*); **Pag.62**: https://3.bp.blogspot.com; **Pag.63**: www.clponline.it (*in basso*); **Pag.64**: https://live.staticflickr.com (*in alto*); **Pag.66**: https://mywowo.net (*Botticelli*), www.museivaticani.va (*Caravaggio*), https://upload.wikimedia.org (*Raffaello*), https://images.uffizi.it (*Michelangelo*); **Pag.67**: https://upload.wikimedia.org (*Pelizza da Volpedo*), https://upload.wikimedia.org (*Modigliani*); **Pag.73**: http://i.cdn-vita.it, www.interris.it, www.vocealta.it, www.molisetabloid.it (*fascia*), www.ilsicilia.it (*b*), www.africarivista.it (*c*), https://static.italiaoggi.it (*in basso a sinistra*), www.espansionetv.it (*in basso in centro*), https://milano.corriere.it (*in basso a destra*); **Pag.74**: www.radiolombardia.it; **Pag.76**: www.umbriaon.it (*in basso*), www.ilcompagno.it (*in centro*); **Pag.77**: http://i.cdn-vita.it (*in alto*), www.gelestatic.it (*in basso*); **Pag.78**: www.allacciatilestorie.it (*in alto a sinistra*); **Pag.79**: www.avvenire.it; **Pag.80**: https://images-na.ssl-images-amazon.com; **Pag.81**: www.educationtrainingnetwork.com; **Pag.82**: https://gdsit.cdn-immedia.net/ (*in alto*), https://staticr1.blastingcdn.com (*in centro*), www.habitante.it (*in basso*); **Pag.83**: https://upload.wikimedia.org (*in basso*); **Pag.85**: https://pictures.abebooks.com (*a*), https://images-na.ssl-images-amazon.com (*b*), https://lh3.googleusercontent.com (*c*), https://lh3.googleusercontent.com (*d*), https://images-na.ssl-images-amazon.com (*e*), www.einaudi.it (*f*); **Pag.88**: www.ilfoglio.it; **Pag.91**: https://images-na.ssl-images-amazon.com (*A*), https://images-na.ssl-images-amazon.com (*B*); **Pag.93**: https://tiritere72663953.files.wordpress.com; **Pag.94**: https://upload.wikimedia.org; **Pag.95**: https://trale righeinlibreria.it; **Pag.98**: www.seprian.it (*La Divina Commedia*), https://images-na.ssl-images-amazon.com (*L'Orlando furioso, I promessi sposi, Il fu Mattia Pascal*); **Pag.99**: www.dimanoinmano.it (*Il nome della rosa*), https://image.anobii.com (*Gli indifferenti*), https://images-na.ssl-images-amazon.com (*La storia, Se questo è un uomo*), https://wips.plug.it (*in basso*); **Pag.106**: www.artesvelata.it (*1*), https://upload.wikimedia.org (*2*), https://upload.wikimedia.org (*3*); **Pag.112**: www.tripadvisor.com.gr (*Porta Pinciana*), https://commons.wikimedia.org (*taxi*), www.grandvoyageitaly.com (*Via Veneto*); **Pag.114**: www.amazon.com (*libri*); **Pag.115**: http://impiccioneviaggiatore.iteatridellest.com (*Violanta*); **Pag.116**: www.parmawelcome.it/en (*Casa Natale di Giuseppe Verdi*); **Pag.117**: www.isupportstreetart.com (*Maria Callas*); **Pag.122**: https://ilcapochiave.it (*pietra*); **Pag.123**: https://www.malpensa24.it (*pronto soccorso*), https://parma.repubblica.it (*Roberto e Giancarlo Spaggiari*); **Pag.148**: https://commons.wikimedia.org (*Narciso*); **Pag.149**: https://picclick.it (*libro*); **Pag.151**: ©Telis Marin (*gente in moto*); **Pag.152**: https://www.abebooks.it (*libro*); **Pag.153**: Pinterest (*locandine film*), ©Telis Marin (*Siena*); **Pag.154**: www.travelingintuscany.com (*dipinto*); **Pag.176**: www.amazon.com (*Paolo Cognetti*), https://commons.wikimedia.org (*Alberto Sordi*); **Pag.196**: https://images-na.ssl-images-amazon.com (*Testimone inconsapevole, La luna e i falò, L'amore molesto, La lunga vita di Marianna Ucrìa, La casa delle voci*).

The new Italian Project 2b can be supplemented with:

LA NUOVA PROVA ORALE 2

Material for conversation and preparation for speaking tests. Intermediate-advanced level (B2-C2)

La nuova Prova orale 2 maintains the same philosophy of the previous edition, but presents a new graphic layout and updated content. The goal is always to help students develop their speaking skills and prepare for successful language certification.

The book is organized in 4 sections:
- thematic units
- communicative tasks
- proverbs and aphorisms
- glossary

UNA GRAMMATICA ITALIANA PER TUTTI 2

Rules of use, exercises and exercise keys for foreign students. Intermediate (B1-B2)

Una grammatica italiana per tutti 2 – updated edition was made to respond to student's needs, difficulties and doubts. The volume consists in two parts:

- a **theoretical part** that takes into exam the structures of the Italian language in a clear and complete way, using a simple language and many examples taken from the everyday expressions.
- a **practical part**, with a wide range of exercises and the respective keys in the Appendix.

Una grammatica italiana per tutti 2 – updated edition presents a more appealing and clear layout, a greater variety of images and some targeted interventions in the grammar tables and exercises.

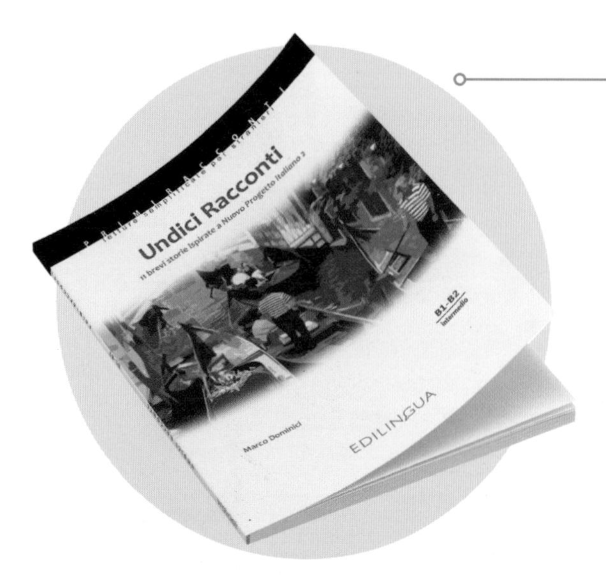

Collana Primiracconti

Easy readers for foreign students

Undici Racconti collects 11 short stories inspired by dialogues or topics of Nuovo Progetto italiano 2 and they are linked to the units of the course from a lexical and grammatical point of view.

Can you lose a car and find love again? Have you ever tried to eat a book? Where have the most beautiful fountains in Italy gone? The student is immediately involved in these short stories suspended between reality and fantasy, whose main characters are men and women with strange and unpredictable destinies ...